紅樓夢【一】

曹雪芹 高鶚 著

商務印書館

封面題簽	劉旦宅				
領銜繪畫	程十髮	劉旦宅			
	戴敦邦	華三川			
	顏梅華	吳山明			
	王慶明	張培成			
	韓　碩	孟慶江			
	王宏喜	楊德樹			
	趙志田				

繪　畫　*(按姓氏筆畫排列)*

王宏喜	王慶明	王錫麒	池沙鴻	何小明	吳　聲
吳大成	吳山明	呂清華	李子侯	李儒光	杜覺民
孟慶江	郎承文	唐本佳	徐君陶	徐惠泉	袁　輝
華三川	馬小娟	張青渠	張培成	陳安民	陳谷長
傅伯星	彭本人	彭玉林	程十髮	程多多	程寶泓
黃全昌	楊宏富	楊沛璋	楊德樹	葉　雄	熊藝苹
趙志田	劉旦宅	潘裕鈺	潘寶子	戴敦邦	謝倫和
韓　伍	韓　碩	曠昌龍	顏梅華	顧曾平	

校　點　康　橋　幸　子　歸　榭

整體設計　袁銀昌　姜　明
版面設計　李　靜　徐　徐　汪　溪

責任編輯　吉明周
攝　影　謝新發
攝影助理　錢映芬
技術編輯　劉國英

出版説明

　　《三國演義》、《水滸傳》、《西游記》和《紅樓夢》是中國四大古典小說，時至今日，仍然爲讀者提供極大的閱讀樂趣，説明"古典"並非古舊，而是具有經典價值。

　　四大小説成書以來，出現過很多不同版本，但核心内容基本相同。直至書籍印刷發展至可以加入圖像，出版形式才有所突破，開始有人爲四大小説配圖出版。商務印書館在二十世紀初就出版過綉像本的古典小説，曾經風行一時。在二十一世紀，我們再爲四大小説加入繪畫元素，由名畫家就着小説的具體内容發揮他們的想像和精湛的繪畫工夫，並請得專家重新校點名著的文本，推出《圖文版四大名著》。我們衷心希望這套"現代綉像本四大小説"可以讓讀者得到古典的美妙現代感受，也相信這些名家的繪畫將來會成爲古典的一部分。

商務印書館編輯出版部謹

很久以來我一直在思考一個問題：中華文明龐大而深厚，如果要讓我們的年輕人較快地領略它的歷史奧秘，有沒有現成的簡要讀本？

近幾年，有不少外國學生也向我們提出了這個問題。

一些文化研究者一聽就搖頭，説沒有現成的，只能重新編寫。然而遺憾的是，重新編寫出來的讀物，年輕人往往很難讀得下去。不是因爲編得不好，也不是因爲年輕人程度不夠，而是因爲人們很難把旅游目錄的評判當作真山真水。

有人明白這個道理，努力編選一些古典文獻給年輕人讀。這件事情永遠有意義，而且我在世界華文圈的各個區域確實看到過一些出色的選本。但是幾乎所有的編選者都遇到了同樣的苦惱：入選的內容少一點吧，越來越簡古難啃；多一點吧，又怎麼能使當代大量非文史專業的年輕讀者愉快接受、從容消化？而更麻煩的是，這些文獻，大多是古人的文化主張，主張不等于現實，更不等于現實背後的奧秘。

中華文明的真實形態，是一種經過歷史選擇而滲透人間、連結民眾的質感存在，是一種既具有歷史回溯力、又具有歷史下伸力的認知習慣和情感習慣。與其他成熟的文明一樣，它總是在審美形式中完成最佳凝結，因此人們有可能在賞心悦目的藝術欣賞中接收到它的"全息信號"。只不過，要在幾首詩詞、幾筆山水、幾曲古琴中領會它的整體意韵需要有較充分的文化准備，對于准備不足的年輕人來説，讀幾部著名的古典小説也許倒是一條體驗中華文明的捷徑。

由這條捷徑入門，然後再來面對那些文獻和詩詞，將會增加理解。而奇怪的是，當人們涉獵了中華文明的層層堂奧，出門一看，這幾部古小説仍然高聳眼前，入門成了歸結。

金聖嘆讓他剛滿十歲的兒子去看《水滸傳》，而他自己還在贊嘆："天下之文章無有出《水滸》右者，天下之格物君子無有出施耐庵先生右者。"他顯然是把入門和歸結連在一起了。

張愛玲熟知西方文學，有一次有人要她對《戰爭與和平》、《浮士德》和《紅樓夢》、《西游記》作對比，她口氣平淡地回答："當然是《紅樓夢》、《西游記》好。"我們可以不同意她的觀點，却應該尊重一位現代優秀作家的終極性選擇。

幾年前余光中先生主持我在臺灣中山大學的一個演講，事後他笑説今天誤了看大陸拍的電視連續劇《三國演義》。"《三國演義》不僅是中國文化的標志，也是中國人的標志。"這是他的話。

當然，我們更能舉出魯迅、胡適等很多文化大師對這些小説的高度評價。

由此可見，真不能低估了這些小説。它們最適合于入門又絶不止于入門。第一流的文學作品總是這樣，輕鬆愉快間，深入淺出地吞吐了一種文化。

例如，在我本人的閱讀經驗中，没有哪本理論書比《三國演義》描寫劉備、關羽、張飛、諸葛亮這組人的關係更清晰、更完整地闡明中國式的"義"和"忠"的關係的了，或者比諸葛亮、曹操這兩個人物更形象、更具體地説清中國式的"道"和"術"的關係的了。其實小説的任務並不是闡述這些關係，它的故事情節遠比任何概念豐富，除了義、忠、道、術之外，人們至少還可以在那裏領受中國式的政治布局、征戰智慧、人生開闔、興亡感嘆。這便是通過一羣政治、軍事人物的鐵血行動滲透出來的中華文化奧秘。

《水滸傳》無意之中對《三國演義》作了一個重要補充。它讓"義"擺脫了政治平衡角逐，以一種火燙的羣體生命力在山水之間構築了一個異數。它比《三國演義》更民間化，更有個體生命的挣扎印記，隨之也就更具有反叛性。以特定的文化方式反叛，又以這種文化方式安頓反叛，這一切，都使這部小說充滿張力，而全部張力又恰恰來自于中華文化自身。

但是，不管是《三國演義》還是《水滸傳》還都比較執著于歷史的土壞，不易充分釋放人生的啓悟、民間的天真，于是有了寓言化和漫畫化的《西游記》。西天的長途、取經的歷險其實都是人生的象徵，而唐僧、孫悟空、猪八戒、沙僧等人物形象既是人間的各別典型，又是人性中的自然組成部分，每個中國人的内心都有他們的踪影。

《紅樓夢》也是寓言，却超越了《西游記》等寓言作品的單純走向，建起了一個鴻濛交錯的巨構，巨構之下的人物關係和生活場景又真實得纖毫畢呈，于是，最高深的哲思頓悟，接通了最日常的世道人心。我認爲，《紅樓夢》對于中國文化有可能出現的思想幅度和藝術幅度作了極端性的開拓，以至它的宏大豐裕，可以對應一個泱泱大國的空間氣度。這部小說以中國文化的宇宙意識寫足了生命的熱鬧與寂寞、青春的美麗與無奈、世事的興盛與毁滅，却居然能在中國民間獲得如此廣泛的普及，實在是由于按住了中華文明的中樞穴位。它以自己的深入人心，糾正了經院學者們對中華文明的誤讀，例如它證明了即便是最純粹的毁滅概念，最徹底的悲劇意識，中國讀者也没有接受上的尷尬。

那麼，讓這幾部小説在年輕人面前提挈中華文明的奧秘，實在是十分恰當，並不是對它們的過分抬舉。它們從我們祖輩的一雙雙眼睛、一雙雙手中傳遞下來，被無數歷史的風雨、社會的阻隔所過濾和篩選，早已成爲中國人的重要思維基礎和話語基礎。它們所説的歷史故事有很多虛構，但它們已經把傳説化了的歷史和自身一起帶入了中華文明的主流感知系統却是不爭的事實。作爲文化現象，它們不僅在内容上，而且在形式上向世人告示了中華文明的人間化本性。因此，它們也可以被稱之爲文化經典，因爲中國學大師章太炎先生都認爲，所謂經典，就是"當代記述較多而常要翻閲的"那些書。近年來有些讀書未通的年輕學人喜歡故弄玄虛地貶斥文化的普及性和民間性，那麼我想，這幾部古典小説，連同莎士比亞、達芬奇、貝多芬等大批西方藝術家廣爲人知的作品，將會幽默地訓示他們。

　　上海辭書出版社歷來以出版章太炎所説的"常要翻閲的"書爲社會各界稱道，近年來拓展思路，壯舉頻頻，其中一項就是爲《三國演義》、《水滸傳》、《西游記》、《紅樓夢》這四部古典小説製作了著名畫家彩繪插圖本。我仔細翻閲一過，覺得這個本子把四部小説的民間性和經典性同時强化了。同時强化了看似矛盾的兩端，真值得慶賀。

　　插圖本對于民間性的强化不言而喻。人類最始源、最强烈、最普及的審美途徑是視覺審美，但是，小説閲讀通過文字符號來想像虛擬圖景的曲折過程，不是一切文化程度的讀者都能順利完成的，當代青年則往往缺少完成的耐心，因此需要提供一些通向虛擬圖像的臺階和扶手，插圖本就具有這樣的功能。那麼，插圖本怎麼又會强化小説的經典性呢？因爲出版社邀請的插圖作者，是百餘位當代著名畫家，他們都是對中華文明有深切感知

序

的文化人，因此，他們的插圖常常點醒小説所潛藏的意趣、風致和氣韵，並把這些最難付諸言表的感覺圖像化，以形象藝術的經典性提升了文字藝術的經典性。

正因爲這樣，這套著名畫家彩繪插圖本古典小説，更有理由推薦給廣大試圖一窺中華文明奧秘的讀者了。至于對那些愛好文學藝術的讀者，這套書當然還有更深入、更廣泛的美學意義，自不必多言。

是爲序。

余秋雨　二○○一年九月于上海

目録

目録

目録

第壹回

甄士隱夢幻識通靈　賈雨村風塵懷閨秀

此開卷第一回也。作者自云：曾歷過一番夢幻之後，故將真事隱去，而借"通靈"說此《石頭記》一書也，故曰"甄士隱"云云。但書中所記何事何人？自己又云："今風塵碌碌，一事無成，忽念及當日所有之女子，一一細考較去，覺其行止見識，皆出我之上。我堂堂鬚眉，誠不若彼裙釵，我實愧則有餘，悔又無益，大無可如何之日也！當此日，欲將已往所賴天恩祖德，錦衣紈褲之時，飫甘饜肥之日，背父兄教育之恩，負師友規訓之德，以致今日一技無成，半生潦倒之罪，編述一集，以告天下。知我之負罪固多，然閨閣中歷歷有人，萬不可因我之不肖，自護己短，一併使其泯滅也。故當此蓬牖茅椽，繩床瓦竈，未足妨我襟懷；況對着晨風夕月，階柳庭花，更覺潤人筆墨。雖我不學無文，又何妨用假語村言，敷演出來，亦可使閨閣昭傳，復可破一時之悶，醒同人之目，不亦宜乎？故曰'賈雨村'云云。更于篇中間用'夢'、'幻'等字，卻是此書本旨，兼寓提醒閱者之意。"

看官：你道此書從何而起？說來雖近荒唐，細玩深有趣味。卻說那女媧氏煉石補天之時，于大荒山無稽崖煉成高十二丈、見方二十四丈大的頑石三萬六千五百零一塊。那媧皇只用了三萬六千五百塊，單單剩下一塊未用，棄在青埂峰下。誰知此石自經煆煉之後，靈性已通，自去自來，可大可小，因見衆石俱得補天，獨自己無才，不得入選，遂自怨自愧，日夜悲哀。

一日，正當嗟悼之際，俄見一僧一道，遠遠而來，生得骨格不凡，豐神迥異，來到這青埂峰下，席地坐談。見着這塊鮮瑩明潔的石頭，且又縮成扇墜一般，甚屬可愛。那僧托于掌上，笑道：“形體倒也是個靈物了，只是没有實在的好處，須得再鎸上幾個字，使人人見了，便知你是件奇物，然後携你到那昌明隆盛之邦、詩禮簪纓之族、花柳繁華地、温柔富貴鄉那裏去走一遭。”石頭聽了大喜，因問：“不知可鎸何字？携到何方？望乞明示。”那僧笑道：“你且莫問，日後自然明白。”説畢，便袖了，同那道人飄然而去，竟不知投向何方。

又不知過了幾世幾劫，因有個空空道人訪道求仙，從這大荒山無稽崖青埂峰下經過，忽見一塊大石，上面字迹分明，編述歷歷。空空道人乃從頭一看，原來是無才補天，幻形入世，被那茫茫大士、渺渺真人携入紅塵、引登彼岸的一塊頑石。上面叙着墮落之鄉，投胎之處，以及家庭瑣事，閨閣閑情，詩詞謎語，倒還全備。只是朝代年紀，失落無考。後面又有一偈云：

無材可去補蒼天，枉入紅塵若許年。此係身前身後事，倩誰記去作奇傳？

空空道人看了一回，曉得這石頭有些來歷，遂向石頭説道：“石兄，你這一段故事，據你自己説來，有些趣味，故鎸寫在此，意欲聞世傳奇。據我看來，第一件，無朝代年紀可考；第二件，並無大賢大忠理朝廷、治風俗的善政，其中只不過幾個異樣女子，或情或痴，或小才微善，我總然抄去，也算不得一種奇書。”石頭果然答道：“我師何必太痴？我想歷來野史的朝代，無非假借‘漢’、‘唐’的名色，莫如我這石頭所記，不借此套，只按自己的事體情理，反倒新鮮別致。況且那野史中，或訕謗君相，或貶人妻女，奸淫凶惡，不可勝數。更有一種風月筆墨，其淫穢污臭，最易壞人子弟。至于才子佳人等書，則又開口‘文君’，滿篇‘子建’，千部一腔，千人一面，且終不能不涉淫濫。在作者不過要寫出自己的兩首情詩艷賦來，故假捏出男女二人名姓，又必旁添一小人撥亂其間，如戲中小丑一般。更可厭者，‘之乎者也’，非理即文，大不近情，自相矛盾。竟不如我半世親見親聞的這幾個女子，雖不敢説强似前代書中所有之人，但觀其事迹原委，亦可消愁破悶；至于幾首歪詩，亦可以噴飯供酒。其間離合悲歡，興衰際遇，是按迹循踪，不敢稍加穿鑿，至失其真。只願世人當那醉餘睡醒之時，或避事消愁之際，把此一頑，不但洗了舊套，换新眼目，却也省了些壽命筋力，不比那謀虛逐妄。我師意爲何如？”

空空道人聽如此説，思忖半晌，將這《石頭記》再檢閱一遍，因見上面大旨不過談情，亦只實録其事，絶無傷時淫穢之病，方從頭至尾抄寫回來，聞世傳奇。從此，空空

那女媧氏煉石補天之時，于大荒山無稽崖煉成高十二丈、見方二十四丈大的頑石三萬六千五百零一塊。那媧皇只用了三萬六千五百塊，單單剩下一塊未用，棄在青埂峰下。　程多多書

道人因空見色，由色生情，傳情入色，自色悟空，遂改名情僧，改《石頭記》爲《情僧錄》。東魯孔梅溪題曰《風月寶鑑》。後因曹雪芹于悼紅軒中，披閱十載，增刪五次，纂成目錄，分出章回，又題曰《金陵十二釵》，並題一絕。——即此便是《石頭記》的緣起。詩云：

　　　　滿紙荒唐言，一把辛酸淚。都云作者痴，誰解其中味？

　　《石頭記》緣起既明，正不知那石頭上面記着何人何事，看官請聽——

　　按那石上書云：當日地陷東南，這東南有個姑蘇城，城中閶門，最是紅塵中一二富貴風流之地。這閶門外有個十里街，街內有個仁清巷，巷內有個古廟，因地方窄狹，人皆呼作葫蘆廟。廟旁住着一家鄉宦，姓甄名費，字士隱，嫡妻封氏，性情賢淑，深明禮義。家中雖不甚富貴，然本地也推他爲望族了。因這甄士隱稟性恬淡，不以功名爲念，每日只以觀花種竹、酌酒吟詩爲樂，倒是神仙一流人物。只是一件不足：年過半百，膝下無兒，只有一女，乳名英蓮，方三歲。

　　一日炎夏永晝，士隱於書房閑坐，手倦抛書，伏几盹睡，不覺朦朧中走至一處，不辨是何地方。忽見那厢來了一僧一道，且行且談。只聽道人問道："你攜了此物，意欲何往？"那僧笑道："你放心，今現有一段風流公案，該了結，這一干風流冤家尚未投胎入世，趁此機會，就將此物夾帶于中，叫他去經歷經歷。"那道

人道：“原來近日風流冤家又將造劫歷世，但不知起于何處？落于何方？”那僧道：“此事說來好笑。只因西方靈河岸上三生石畔，有絳珠草一株。那時，這個石頭因媧皇未用，卻也落得逍遙自在，各處去游頑。一日，來到警幻仙子處，那仙子知他有些來歷，因留他在赤霞宮居住，就名他爲赤霞宮神瑛侍者。他卻常在靈河岸上行走，看見這株仙草可愛，遂日以甘露灌溉，這絳珠草始得久延歲月。後來既受天地精華，復得甘露滋養，遂脫了草木之胎，得換人形，僅僅修成女體，終日游于離恨天外，饑餐秘情果，渴飲灌愁水。只因尚未酬報灌溉之德，故甚至五內鬱結着一段纏綿不盡之意，常說：‘自己受了他雨露之惠，我並無此水可還。他若下世爲人，我也同去走一遭，但把我一生所有的眼淚還他，也還得過了。’因此一事，就勾出多少風流冤家都要下凡，造歷幻緣，那絳珠仙草也在其中。今日這石復還原處，你我何不將他仍帶到警幻仙子案前，給他挂了號，同這些情鬼下凡，一了此案。”那道人道：“果是好笑，從來不聞有還淚之說。趁此你我何不也下世度脫幾個，豈不是一場功德？”那僧道：“正合吾意。你且同我到警幻仙子宮中，將這蠢物交割清楚，待這一干風流孽鬼下世，你我再去。——如今有一半落塵，然猶未全集。”道人道：“既如此，便隨你去來。”

　　卻說甄士隱俱聽得明白，遂不禁上前施禮，笑問道：“二位仙師請了。”那二道也忙答禮相問。士隱因說道：“適聞仙師所談因果，實人世罕聞者。但弟子愚拙，不能悉解明白，若蒙大開癡頑，備細一聞，弟子洗耳諦聽，稍能警省，亦可免沉淪之苦。”二仙笑道：“此乃玄機，不可預泄者。到那時只不要忘了我二人，便可跳出火坑矣。”士隱聽了，便再問，因笑道：“玄機固不可泄，但適云‘蠢物’，不知爲何？或可得見否？”那僧說：“若問此物，倒有一面之緣。”說着取出遞與士隱。士隱接了看時，原來是塊鮮明美玉，上面字迹分明，鐫着“通靈寶玉”四字，後面還有幾行小字。正欲細看時，那僧便說已到幻境，便強從手中奪了去，與道人竟過一大石牌坊，上面大書四字，乃是“太虛幻境”。兩邊又有一副對聯道：

假作真時真亦假，無爲有處有還無。

　　士隱意欲也跟了過去，方舉步時，忽聽一聲霹靂，若山崩地陷。士隱大叫一聲，睛看時，只見烈日炎炎，芭蕉冉冉，夢中之事，便忘了一半。又見奶母抱了英蓮走來。士隱見女兒越發生得粉裝玉琢，乖覺可喜，便伸手接來，抱在懷中，鬥他頑耍一回，又至街前看那過會的熱鬧。方欲進來時，只見從那邊來了一僧一道。那僧癩頭跣足，那道跛足蓬頭，瘋瘋顛顛，揮霍談笑而至。及到了他門前，看見士隱抱着英蓮，那僧便大

　　又不知過了幾世幾劫，因有個空空道人訪道求仙，從這大荒山無稽崖青埂峰下經過，忽見一塊大石，上面字迹分明，編述歷歷。空空道人乃從頭一看，原來是無才補天，幻形入世，被那茫茫大士、渺渺真人攜入紅塵、引登彼岸的一塊頑石。

　　　　　　　　　　　　　　　　　　　　　　　　　　　　　程多多

來，又向士隱道：「施主，你把這有命無運、累及爹娘之物抱在懷內作甚？」士隱聽了，是瘋話，也不睬他。那僧還説：「捨我罷！捨我罷！」士隱不耐煩，便抱女兒轉身欲進去，僧乃指着他大笑，口內念了四句言詞，道是：

惯養嬌生笑你痴，菱花空對雪澌澌。好防佳節元宵後，便是烟消火滅時。

士隱聽得明白，心下猶豫，意欲問他來歷。只聽道人説道：「你我不必同行，就此分手，幹營生去罷。三劫後我在北邙山等你，會齊了，同往太虛幻境銷號。」那僧道：「最妙，妙！」説畢，二人一去，再不見個踪影了。士隱心中此時自忖：這兩個人必有來歷，狠問他一問，如今後悔却已晚了。

這士隱正痴想，忽見隔壁葫蘆廟內寄居的一個窮儒——姓賈名化、表字時飛、別雨村的走了來。這賈雨村原係湖州人氏，也是詩書仕宦之族，因他生于末世，父母宗根基已盡，人口衰，只剩得他一身一口，家鄉無益，因進京求取名，再整基業。自前歲此，又淹蹇住了，暫寄中安身，每日賣文作字生，故士隱常與他交。當下雨村見了士隱，施禮陪笑道：「老先生門佇望，敢街市上有甚聞麼？」士隱笑道：「非。適因小女啼哭，引他來作耍，正是無聊的。賈兄來得正好，請入齋，彼此俱可消此永。」説着，便令人送女兒去，自携了雨村，來至房中。小童獻茶。方談三五句話，忽家人飛

甄士隱夢幻識通靈　賈雨村風塵懷閨秀

報：“嚴老爺來拜。”士隱慌的忙起身謝罪道：“恕誆駕之罪，略坐，弟即來奉陪。”雨村
起身亦讓道：“老先生請便。晚生乃常造之客，稍候何妨。”説着，士隱已出前廳去了。

　　這裏雨村且翻弄詩籍解悶。忽聽得窗外有女子嗽聲，雨村遂起身往外一看，原來
一個丫鬟在那裏掐花，生得儀容不俗，眉目清秀，雖無十分姿色，却也有動人之處。雨
村不覺看得呆了。那甄家丫鬟掐了花，方欲走時，猛抬頭見窗內有人，敝巾舊服，雖
貧窶，然生得腰圓背厚，面闊口方，更兼劍眉星眼，直鼻方腮。這丫鬟忙轉身回避，心下
自想：“這人生的這樣雄壯，却又這樣襤褸，想他定是我家主人常説的什麼賈雨村了，
每有意幫助周濟他，只是没甚機會。我家並無這樣貧窶親友，想一定就是此人了。怪道
又説他必非久困之人。”如此想，不免又回頭一兩次。雨村見他回了頭，便以爲這女子
心中有意于他，便狂喜不禁，自謂此女子必是個巨眼英豪，風塵中之知己。一時小童進
來，雨村打聽得前面留飯，不可久待，遂從夾道中自便門出去了。士隱待客既散，知雨
村已去，便也不去再邀。

　　一日，到了中秋佳節，士隱家宴已畢，又另具一席于書房，自己步月至廟中來邀雨
村。原來雨村自那日見了甄家之婢曾回顧他兩次，自謂是個知己，便時刻放在心上。
又正值中秋，不免對月有懷，因而口占五言一律云：

> 未卜三生願，頻添一段愁。悶來時斂額，行去幾回頭。自顧風前影，誰堪月下儔?蟾光
> 有意，先上玉人頭。

雨村吟罷，因又思及平生抱負，苦未逢時，乃又搔首對天長嘆，復高吟一聯云：

> 玉在匵中求善價，釵于奩內待時飛。

恰值士隱走來聽見，笑道：“雨村兄真抱負不凡也！”雨村忙笑道：“不敢。不過偶吟前人
之句，何期過譽如此。”因問：“老先生何興至此？”士隱笑道：“今夜中秋，俗謂‘團圓之
節’，想尊兄旅寄僧房，不無寂寥之感，故特具小酌，邀兄到敝齋一飲，不知可納芹意否?”
雨村聽了，並不推辭，便笑道：“既蒙謬愛，何敢拂此盛情。”説着，便同了士隱復過這邊
院中來。

　　須臾茶畢，早已設下杯盤，那美酒佳肴自不必説。二人歸坐，先是款斟慢飲，漸次
談至興濃，不覺飛觥獻斝起來。當時街坊上，家家簫管，户户笙歌，當頭一輪明月，飛彩
凝輝，二人愈添豪興，酒到杯乾。雨村此時已有七八分酒意，狂興不禁，乃對月寓懷，口
占一絶云：

> 時逢三五便團圞，滿把清光護玉欄。天上一輪才捧出，人間萬姓仰頭看。

曹雪芹于悼紅軒中，披閲十載，增刪五次，纂成目録，分出章回，又題曰《金陵十二釵》，
並題一絶。——即此便是《石頭記》的緣起。詩云：滿紙荒唐言，一把辛酸淚。都云作者
痴，誰解其中味?

戴敦邦

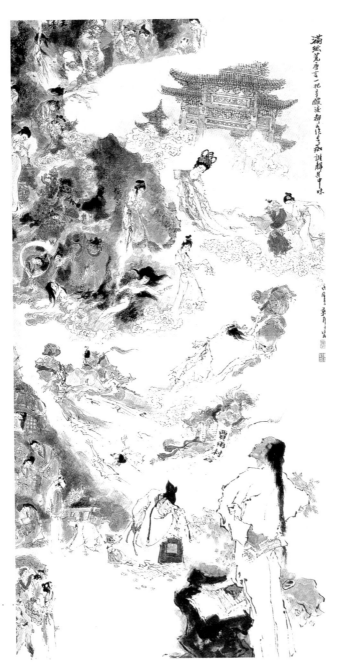

満紙荒唐言一把辛酸涙都云作者痴誰解其中味

士隱聽了，大叫：“妙極！弟每謂兄必非久居人下者，今所吟之句，飛騰之兆已見，不日可接履于雲霄之上了。可賀，可賀！”乃親斟一斗爲賀。雨村飲乾，忽嘆道：“非晚生酒後狂言，若論時尚之學，晚生也或可去充數挂名，只是如今行囊路費，一概無措，神京路遠，非賴賣字撰文即能到得。”士隱不待説完，便道：“兄何不早言！弟已久有此意，但每遇兄時，並未談及，故未敢唐突。今既如此，弟雖不才，‘義利’二字，却還識得。且喜明歲正當大比，兄宜作速入都，春闈一捷，方不負兄之所學。其盤費餘事，弟自代爲處置，亦不枉兄之謬識矣。”當下即命小童進去，速封五十兩白銀，並兩套冬衣，又云：“十九日乃黄道之期，兄可即買舟西上，待雄飛高舉，明冬再晤，豈非大快之事。”雨村收了銀衣，不過略謝一語，並不介意，仍是吃酒談笑。那天已交三鼓，二人方散。

士隱送雨村去後，回房一覺，直至紅日三竿方醒。因思昨夜之事，意欲寫薦書兩封與雨村帶至都中去，使雨村投謁個仕宦之家爲寄身之地，因使人過去請時，那家人回來説：“和尚説賈爺今日五鼓已進京去了，也曾留下話與和尚轉達老爺，説：‘讀書人不在黄道、黑道，總以事理爲要，不及面辭了。’”士隱聽了，也只得罷了。

真是閑處光陰易過，倏忽又是元宵佳節。士隱令家人霍啓抱了英蓮去看社火花燈。半夜中，霍啓因要小解，便將英蓮放在一家門檻上坐着，待他小解完了來抱時，那有英蓮的踪影？急得霍啓直尋了半夜，至天明不見，那霍啓也不敢回來見主人，便逃往他鄉去了。那士隱夫婦見女兒一夜不歸，便知有些不好，再使幾人去找尋，回來皆云影響全無。夫妻二人半世只生此女，一旦失去，何等煩惱，因此晝夜啼哭，幾乎不顧性命。看看一月，士隱已先得病，夫人封氏也因思女構疾，日日請醫問卦。

不想這日三月十五，葫蘆廟中炸供，那和尚不小心，油鍋火逸，便燒着窗紙。此方人家俱用竹籬木壁，也是劫數應當如此，于是接二連三，牽五挂四，將一條街燒得如焰山一般。彼時雖有軍民來救，那火已成了勢了，如何救得下？直燒了一夜方息，也不知燒了多少人家。只可憐甄家在隔壁，早成了一堆瓦礫場了，只有他夫婦並幾個家人的性命不曾傷了，急得士隱惟跌足長嘆而已。與妻子商議，且到田莊上去住。偏值近年水旱不收，盗賊蜂起，官兵剿捕，田莊上又難以安身。只得將田地都折變了，携了妻子與兩個丫鬟，投他岳丈家去。

他岳丈名唤封肅，本貫大如州人氏，雖是務農，家中却還殷實。今見女婿這等狼狽

士隱聽了，便迎上來道：“你滿口説些什麼？只聽見些‘好’、‘了’、‘好’、‘了’。”那人笑道：“你若果聽見‘好’、‘了’二字，還算你明白。可知世上萬般，好便是了，了便是好。若不了，便不好；若要好，須是了。我這歌兒，便名《好了歌》。”士隱本是有夙慧的，一聞此言，心中早已徹悟。

程十髮 畫

而來,心中便有些不樂。幸而士隱還有折變田產的銀子在身邊,拿出來託他隨便置買些房地,以爲後日衣食之計。那封肅便半用半賺的,略與他些薄田破屋。士隱乃讀書之人,不慣生理稼穡等事,勉強支持了一二年,越發窮了。封肅見面時,便說些現成話,且人前人後,又怨他不善過活,一味好吃懶做。士隱知投人不着,心中未免悔恨。再兼年驚唬,急忿怨痛已傷,暮年之人,貧病交攻,竟漸漸的露出那下世的光景來。可巧這日拄了拐,扎挣到街前散散心時,忽見那邊來了一個跛足道人,瘋狂落拓,麻鞋鶉衣,口內念着幾句言詞道:

> 世人都曉神仙好,惟有功名忘不了! 古今將相在何方?荒塚一堆草沒了。世人都曉
> 神仙好,只有金銀忘不了! 終朝只恨聚無多,及到多時眼閉了。世人都曉神仙好,只有嬌
> 妻忘不了! 君生日日說恩情,君死又隨人去了。世人都曉神仙好,只有兒孫忘不了!痴心
> 父母古來多,孝順子孫誰見了?

士隱聽了,便迎上來道:"你滿口說些什麼?只聽見些'好'、'了'、'好'、'了'。"那道人笑道:"你若果聽見'好'、'了'二字,還算你明白。可知世上萬般,好便是了,了便是好;若不了,便不好;若要好,須是了。我這歌兒,便名《好了歌》。"士隱本是有夙慧的,一聞此言,心中早已徹悟,因笑道:"且住,待我將你這《好了歌》註解出來何如?"道人笑道:"你就請解。"士隱乃說道:

> 陋室空堂,當年笏滿床。衰草枯楊,曾爲歌舞場。蛛絲兒結滿雕梁,綠紗今又糊在蓬窗
> 上。說甚麼脂正濃、粉正香,如何兩鬢又成霜?昨日黃土隴頭埋白骨,今宵紅綃帳底臥鴛鴦。
> 金滿箱,銀滿箱,轉眼乞丐人皆謗。正嘆他人命不長,那知自己歸來喪?訓有方,保不定日後
> 作強梁。擇膏粱,誰承望流落在煙花巷!因嫌紗帽小,致使鎖枷扛。昨憐破襖寒,今嫌紫蟒長。
> 亂烘烘你方唱罷我登場,反認他鄉是故鄉。甚荒唐,到頭來都是爲他人作嫁衣裳!

那瘋跛道人聽了,拍掌大笑道:"解得切! 解得切!"士隱便說一聲:"走罷!"將道人肩上搭褳搶了過來背上,竟不回家,同了瘋道人飄飄而去。當下哄動街坊,衆人當作一件新聞傳說。封氏聞知此信,哭個死去活來,只得與父親商議,遣人各處訪尋。那討音信?無奈何,只得依靠着他父母度日。幸而身邊還有兩個舊日的丫鬟伏侍,主僕三人,日夜作些針綫,幫着父親用度。那封肅雖然每日抱怨,也無可奈何了。

這日,那甄家的大丫鬟在門前買綫,忽聽得街上喝道之聲,衆人都說:"新太爺到任了。"丫鬟隱在門內看時,只見軍牢快手一對一對過去,俄而大轎內抬着一個烏帽猩袍的官府過去。丫鬟倒發個怔,自思:"這官好面善,倒像在那裏見過的。"于是進入房中,也就丟過,不在心上。至晚間正待歇息之時,忽聽一片聲打的門響,許多人嚷嚷,說:"本縣太爺的差人來傳人問話。"封肅聽了,唬得目瞪口呆。不知有何禍事,且聽下回分解。

第貳回

賈夫人仙逝揚州城｜冷子興演説榮國府

　　却說封肅聽見公差傳喚，忙出來陪笑啓問。那些人只嚷："快請出甄爺來！"封肅忙陪笑道："小人姓封，並不姓甄；只有當日小婿姓甄，今已出家一二年了。不知可是問他？"那些公人道："我們也不知什麼'真'、'假'，既是你的女婿，便帶了你去面稟太爺便了。"大家把封肅推擁而去，封家各各驚慌，不知何事。

　　至二更時分，封肅方回來。衆人忙問端的。"原來新任太爺姓賈名化，本湖州人氏，曾與女婿舊交，因在我家門首看見嬌杏丫頭買綫，只說女婿移住此間，所以來傳。我將緣故回明，那太爺感傷嘆息了一回；又問外孫女兒，我說看燈丢了。太爺說：'不妨，待我差人去，務必找尋回來。'說了一回話，臨走又送我二兩銀子。"甄家娘子聽了，不覺感傷。一夜無話。

　　次日，早有雨村遣人送了兩封銀子、四匹錦緞，答謝甄家娘子。又一封密書與封肅，託他向甄家娘子要那嬌杏作二房。封肅喜得眉開眼笑，巴不得去奉承太爺，便在女兒前一力攛掇。當夜用一乘小轎，便把嬌杏送進衙內去了。雨村歡喜，自不必言，又封百金贈與封肅，又送甄家娘子許多禮物，令其且自過活，以待訪尋女兒下落。

　　却說嬌杏那丫鬟，便是當年回顧雨村的。因偶然一顧，便弄出這段奇緣，也是意想不到之事。誰知他命運兩濟，不承望自到雨村身邊，只一年，便生一子；又半載，雨村嫡配忽染疾下世，雨村便將他扶作正室夫人。正是：

　　　　偶因一回顧，便爲人上人。

原來，雨村因那年士隱贈銀之後，他于十六日便起身赴京，大比之期，十分得意，中了進士，選入外班，今已升了本縣太爺。雖才幹優長，未免貪酷，且恃才侮上，那官皆側目而視。不上一年，便被上司參了一本，説他"性情狡猾，擅改禮儀，外沽清正之名暗結虎狼之勢，使地方多事，民命不堪"等語。龍顏大怒，即批革職。部文一到，本府官無不喜悦。那雨村雖十分慚恨，面上全無一點怨色，仍是嘻笑自若，交代過公事，歷年所積宦囊並家屬人等送至原籍，安頓妥當，却自己擔風袖月，游覽天下勝迹。

那日，偶又游至維揚地方，聞得今年鹽政點的是林如海。這林如海，姓林名海，字如海，乃是前科的探花，今已升蘭臺寺大夫，本貫姑蘇人氏，今欽點爲巡鹽御史，到任未久。原來這林如海之祖，曾襲過列侯，今到如海，業經五世。起初只襲三世，因當今隆恩盛德，額外加恩，至如海之父，又襲了一代；至如海，便從科第出身。雖係世禄之家，却是書香之族。只可惜這林家支庶不盛，人丁有限，雖有幾門，却與如海俱是堂族，没有親支嫡派的。今如海年已四十，只有一個三歲之子，又于去歲亡了。雖有幾房姬妾，奈命中無子，亦無可如何之事。只嫡妻賈氏生得一女，乳名黛玉，年方五歲，夫妻愛如掌上明珠。見他生得聰明俊秀，也欲使他識幾個字，不過假充養子之意，聊解膝下凉之嘆。

且説雨村在旅店偶感風寒，愈後又因盤費不繼，正欲得一居停之所，以爲息肩之地。偶遇兩個舊友，認得新鹽政，知他正要請一西席教訓女兒，遂將雨村薦進衙門去。這女學生年紀幼小，身體又弱，工課不限多寡，其餘不過兩個伴讀丫鬟，故雨村十分省力，正好養病。

看看又是一載有餘。不料女學生之母賈氏夫人一病而亡。女學生奉侍湯藥，守喪盡禮，過于哀痛，素本怯弱，因此舊症復發，有好些時不曾上學。雨村閑居無聊，每當風日晴和，飯後便出來閑步。這一日偶至郊外，意欲賞鑒那村野風光，信步至一山環水旋茂林修竹之處，隱隱有座廟宇，門巷傾頹，墙垣朽敗，有額題曰"智通寺"，門旁又有一副舊破的對聯云：

身後有餘忘縮手，眼前無路想回頭。

雨村看了，因想道："這兩句文雖淺近，其意則深。也曾游過些名山大刹，倒不曾見過話頭，其中想必有個翻過筋斗來的，也未可知，何不進去一訪？"走入看時，只有一個鍾老僧在那裏煮粥。雨村見了，却不在意，及至問他兩句話，那老僧既聾且昏，又齒舌鈍，所答非所問。

冷子興道："今日敝友有事，我因閑步至此，不期這樣巧遇。"一面説，一面讓雨村同席了，另整上酒肴來，二人閑談慢飲，叙些別後之事。　　　　　　　　　　戴敦邦

冷子興演說榮國府

大雄寶殿

智順禪寺

腳店

雨村不耐煩，仍退出來，意欲到那村肆中沽飲三杯，以助野趣，于是款步行來。剛入肆門，只見座上吃酒之客，有一人起身大笑，接了出來，口內說：「奇遇，奇遇！」雨村忙看時，此人是都中古董行中貿易，姓冷號子興的，舊日在都相識。雨村最贊這冷子興是個有作爲大本領的人，這子興又借雨村斯文之名，故二人最相投契。雨村忙亦笑問：「老兄何日到此？弟竟不知。今日偶遇，真奇緣也。」子興道：「去年歲底到家，今因還要入都，從此順路找個敝友說一句話，承他之情，留我多住兩日。我也無甚緊事，且盤桓兩日，待月半時，也就起身了。今日敝友有事，我因閑步至此，不期這樣巧遇。」一面說，一面讓雨村同席坐了，另整上酒肴來，二人閑談慢飲，敘些別後之事。雨村因問：「近日都中可有新聞沒有？」子興道：「倒沒有什麼新聞。倒是老先生的貴同宗家，出了一件小小的異事。」雨村笑道：「弟族中無人在都，何談及此？」子興笑道：「你們同姓，豈非同族？」雨村問是誰家。子興笑道：「榮國賈府中，可也不玷辱了老先生的門楣。」雨村道：「原來是他家。若論起來，寒族人丁卻不少，自東漢賈復以來，支派繁盛，各省皆有，誰能逐細考查？若論榮國一支，卻是同譜。但他那等榮耀，我們不便去認他，故越發生疏了。」子興嘆道：「老先生休如此說。如今的這榮、寧兩府，也都蕭索了，不比先時的光景。」雨村道：「當日寧、榮兩宅，人口也極多，如何便蕭索了？」冷子興道：「正是，說來話長。」雨村道：「去歲我到金陵，因欲游覽六朝遺迹，那日進了石頭城，從他老宅門前經過。街東是寧國府，街西是榮國府，二宅相連，竟將大半條街占了。大門外雖冷落無人，隔着圍牆一望，裏面廳殿樓閣，也還都崢嶸軒峻；就是後邊一帶花園裏，樹木山石，也都還有蓁蔚洇潤之氣，那裏像個衰敗之家？」子興笑道：「虧你是進士出身，原來不通。古人有言：『百足之蟲，死而不僵。』如今雖說不似先年那樣興盛，較之平常仕宦之家，到底氣象不同。如今生齒日繁，事務日盛，主僕上下，安富尊榮儘多，運籌謀畫者無一，其日用排場費用，又不能將就省儉。如今外面的架子雖未甚倒，內囊却也儘上來了。這也小事。更有一件大事：誰知這樣鐘鳴鼎食之家，翰墨詩書之族，如今的兒孫，竟一代不如一代了！」雨村聽說，也道：「這樣詩禮之家，豈有不善教育之理？別門不知，只說這寧、榮兩宅，是最教子有方的。」

子興嘆道：「正說得是這兩門呢。待我告訴你：當日寧國公是一母同胞弟兄兩個，寧公居長，生了四個兒子。寧國公死後，長子賈代化襲了官，也養了兩個兒子：長名敷，八九歲上死了，只剩了一個次子賈敬，襲了官，如今一味好道，只愛燒丹煉汞，餘者一概不在他心上。幸而早年留下一子，名喚賈珍，因他父親一心想作神仙，把官倒讓他襲了。他父親又不肯回原籍來，只在都中城外和那些道士們胡鬧。這位珍爺也倒生了一個兒子，今年才十六歲，名叫賈蓉。如今敬老爺是一概不管，這珍爺那裏肯讀書，只一味高樂不了，把那寧國府竟翻了過來，也沒有敢來管他的人。再說榮府你聽，方才所說之事就出在這裏。自榮公死後，長子賈代善襲了官，娶的是金陵世家史侯的小姐為妻，生了兩個兒子，長名賈赦，次名賈政。如今代善早已去世，太夫人尚在，長子賈赦襲了官，為人平靜中和，也不管理家。次子賈政，自幼酷喜讀書，為人端方正直，祖父鍾愛，原要他以科甲出身的，不料代善臨終時遺本一上，皇上因恤先臣，即時令長子襲官外，

問還有幾子，立刻引見，遂又額外賜了這政老爺一個主事之銜，令其入部習學，如今却
已升了員外郎。這政老爺的夫人王氏，頭胎生的公子，名喚賈珠，十四歲進學，不到二
十歲就娶了妻生了子，一病就死了；第二胎生了一位小姐，生在大年初一，就奇了；不
想後來又生了一位公子，說來更奇：一落胞胎，嘴裏便銜下一塊五彩晶瑩的玉來，還有
許多字迹，你道是新聞異事不是？"

雨村笑道："果然奇異。只怕這人的來歷不小。"子興冷笑道：
"萬人皆如此說，因而乃祖母愛如珍寶。那周歲時，
政老爺便要試他將來的志向，便將那世上所有之
物，擺了無數，與他抓取。誰知他一概不取，伸手
只把些脂粉釵環抓來玩弄。那政老爺便不
歡，說將來是酒色之徒耳，因此便不甚愛
惜。獨那太君還是命根一般。說來又奇，
如今長了七八歲，雖然淘氣異常，但聰明
乖覺，百個不及他一個。說起孩子話來
也奇怪，他說：'女兒是水做的骨肉，男
人是泥做的骨肉。我見了女兒便清爽，
見了男子便覺濁臭逼人。'你道好笑不
好笑？將來色鬼無疑了。"雨村罕然厲
色，忙止道："非也。可惜你們不知道這人來歷，大約
政老前輩也錯以淫魔色鬼看待了。若非多讀書識事，
加以致知格物之功，悟道參元之力者，不能知也。"子興見他說得這樣鄭重，忙請教其
故。雨村道："天地生人，除大仁大惡，餘者皆無大異。若大仁者則應運而生，大惡者則應
劫而生。運生世治，劫生世危。堯、舜、禹、湯、文、武、周、召、孔、孟、董、韓、周、程、朱、
張，皆應運而生者。蚩尤、共工、桀、紂、始皇、王莽、曹操、桓溫、安祿山、秦檜等，皆應劫
而生者。大仁者修治天下，大惡者擾亂天下。清明靈秀，天地之正氣，仁者之所秉也；殘
忍乖僻，天地之邪氣，惡者之所秉也。今當祚永運隆之日，太平無爲之世，清明靈秀之
氣所秉者，上至朝廷，下至草野，比比皆是。所餘之秀氣，漫無所歸，遂爲甘露，爲和風，
洽然溉及四海。彼殘忍乖邪之氣，不能蕩溢于光天化日之下，遂凝結充塞于深溝大壑之
中，偶因風蕩，或被雲摧，略有搖動感發之意，一絲半縷，誤而逸出者，值靈秀之氣適過，
正不容邪，邪復妒正，兩不相下，如風水雷電，地中既遇，既不能消，又不能讓，必致
搏擊掀發後始盡。故其氣亦必賦人，發泄一盡始散。使男女偶秉此氣而生者，上則不能爲
仁人君子，下亦不能爲大凶大惡。置之千萬人之中，其聰俊靈秀之氣，則在千萬人之上，

其乖僻邪謬不近人情之態，又在千萬人之下。若生于公侯富貴之家，則爲情痴情種；若生于詩書清貧之族，則爲逸士高人；縱偶生于薄祚寒門，亦斷不至爲走卒健僕，甘遭庸夫驅制駕馭，必爲奇優名倡。如前之許由、陶潛、阮籍、嵇康、劉伶、王謝二族、顧虎頭、陳後主、唐明皇、宋徽宗、劉庭芝、溫飛卿、米南宮、石曼卿、柳耆卿、秦少游，近日倪雲林、唐伯虎、祝枝山，再如李龜年、黃旛綽、敬新磨、卓文君、紅拂、薛濤、崔鶯、朝雲之流，此皆易地則同之人也。”

　　子興道：“依你說，‘成則公侯敗則賊’了？”雨村道：“正是這意。你還不知，我自革職以來，這兩年遍游各省，也曾遇見兩個異樣孩子。所以方才你一說這寶玉，我就猜着了。八九也是這一派人物。不用遠說，只這金陵城內，欽差金陵省體仁院總裁甄家，你可知道？”子興道：“誰人不知！這甄府就是賈府老親，他們兩家來往極親熱的。至在下也和他家往來非止一日了。”雨村笑道：“去歲我在金陵，也曾有人薦我到甄府處館。我進去看其光景，誰知他家那等榮貴，却是個富而好禮之家，倒是個難得之館。但是這個學生，雖是啓蒙，却比一個舉業的還勞神。說起來還可笑，他說：‘必得兩個女兒伴着我讀書，我才能認得字，心上也明白；不然我心裏自已糊塗。’又常對着跟他的小廝們說：‘這“女兒”兩個字，極尊貴，極清净的，比那瑞獸珍禽，奇花異草更覺希罕尊貴呢！你們這種濁口臭舌，萬萬不可唐突了這兩個字，要緊，要緊！但凡要說的時節，必用净水香茶嗽了口方可；設若失錯，便要鑿牙穿眼的。’其暴虐頑劣，種種異常；只放了學進去，見了那些女兒們，其溫厚和平，聰敏文雅，竟變了一個樣子。因此他令尊也曾下死笞楚過幾次，竟不改。每打的吃疼不過時，他便‘姐姐’、‘妹妹’的亂叫起來。後來聽得裏面女兒們拿他取笑：‘因何打急了只管叫姐妹作什麼？莫不叫姐妹們去討情討饒？你豈不愧些！’他回答的最妙，他說：‘急痛之時，只叫“姐姐”、“妹妹”字樣，或可解疼也未可知，因叫了一聲，果覺疼得好些，遂得了秘法，每疼痛之極，便連叫姐妹起來了。’你說可笑不可笑？爲他祖母溺愛不明，每因孫辱師責子，我所以辭了館出來的。這等子弟，不能守父祖基業、從師友規勸的。只可惜他家幾個好姊妹，都是少有的。”

　　子興道：“便是賈府中，現在三個也不錯。政老爺長女名元春，因賢孝之德，選入宮作女史去。二小姐乃是赦老爺之妾所出，名迎春。三小姐政老爺庶出，名探春。四小姐乃寧府珍爺之胞妹，名惜春。因史

老夫人極愛孫女,多跟在祖母這邊一處讀書,聽得個個不
錯。"雨村道:"更妙在甄家風俗,女兒之名,亦皆從男子
之名命取,不似別家另外用這些'春'、'紅'、'香'、
'玉'等艷字。何得賈府亦落此俗套?"子興道:"不
然。只因現今大小姐是正月初一所生,故名'元
春',餘者方從了'春'字。上一排的却也是從
弟兄而來的。現有對證:目今你貴東家林
之夫人,即榮府中赦、政二公之胞妹,在家
時名字喚賈敏。不信時,你回去細訪可
知。"雨村拍手笑道:"是極!我這女學生名
叫黛玉,他讀書凡'敏'字,他皆念作'密'
字,寫字遇着'敏'字,亦減一二筆,我心中
每每疑惑。今聽你説,是爲此無疑矣。怪道
我這女學生,言語舉止另是一樣,不與凡女
子相同。度其母不凡,故生此女;今知爲榮府
之外孫,又不足罕矣。可惜上月其母竟亡故
了。"子興嘆道:"老姊妹三個,這是極小的,又没
了。長一輩的姊妹,一個也没了。只看這小一輩的,將來的東床如何呢?"

雨村道:"正是。方才説政公,已有了一個銜玉之子,又有長子所遺弱孫。這赦公
竟無一個不成?"子興道:"政公既有玉兒之後,其妾又生了一個,倒不知其好歹。但
眼前現有二子一孫,却不知將來何如。若問那赦公,也有二子,次名賈璉,今已二十
來往了,親上做親,娶的是政老爺夫人王氏之内侄女,今已娶了二年。這位璉爺身上
現捐的是個同知,也是不喜讀書;于世路上好機變,言談去得,所以目今現在乃叔政
老爺家住,幫着料理家務。誰知自娶了令夫人之後,倒上下無一人不稱頌他夫人
的,璉爺倒退了一舍之地。模樣又極標致,言談又極爽利,心機又極深細,竟是個
男人萬不及一的。"

雨村聽了笑道:"可知我言不謬。你我方才所説的這幾個人,只怕都是那正邪兩賦
而來一路之人,未可知也!"子興道:"正也罷,邪也罷,只顧算别人家的帳,你也吃一
酒才好。"雨村道:"只顧説話,就多吃了幾杯。"子興笑道:"説着别人家的閑話,正好吃
酒,即多吃幾杯何妨!"雨村向窗外看道:"天也晚了,仔細關了城。我們慢慢進城再説
未爲不可。"于是二人起身,算還酒錢。方欲走時,忽聽得後面有人叫道:"雨村兄,恭喜
了!特來報個喜信的!"雨村忙回頭看時——要知是誰,且聽下回分解。

〈第叁回〉

託內兄如海薦西賓

接外孫賈母惜孤女

　　却説雨村忙回頭看時，不是別人，乃是當日同僚一案參革的張如圭。他係此地人，革後家居，今打聽得都中奏准起復舊員之信，他便四下裏尋情找門路，忽遇見雨村，故忙道喜。二人見了禮，張如圭便將此信告知雨村，雨村歡喜，忙忙叙了兩句，各自別去回家。冷子興聽得此言，便忙獻計，令雨村央求林如海，轉向都中去央煩賈政。

　　雨村領其意而別。回至館中，忙尋邸報看真確了。次日，面謀之如海。如海道："天緣凑巧，因賤荆去世，都中岳母念及小女無人依傍，前已遣了男女船隻來接，因小女未曾大痊，故尚未行，此刻正思送女進京。因向蒙教訓之恩，未經酬報，遇此機會，豈有不盡心圖報之理。弟已預籌之，修下薦書一封，託內兄務爲周全，方可稍盡弟之鄙誠。即有所費，弟于內家信中注明，不勞吾兄多慮。"雨村一面打恭，謝不釋口，一面又問："不知令親大人，現居何職？只怕晚生草率，不敢進謁。"如海笑道："若論舍親，與尊兄猶係一家，乃榮公之孫。大內兄現襲一等將軍之職，名赦，字恩侯；二內兄名政，字存周，現任工部員外郎，其爲人謙恭厚道，大有祖父遺風，非膏粱輕薄之流，故弟致書煩託。否則不但有污尊兄清操，即弟亦不屑爲矣。"雨村聽了，心下方信了昨日子興之言，于是又謝了林如海。如海又説："擇了出月初二日小女入都，吾兄即同路而往，豈不兩便？"雨村唯唯聽命，心中十分得意。如海遂打點禮物並餞行之事，雨村一一領了。

　　那女學生原不忍棄父而去，無奈他外祖母必欲其往，且兼如海説："汝父年已半

百，再無續室之意，且汝多病，年又極小，上無親母教養，下無姊妹扶持，今去依傍外祖
母及舅氏姊妹，正好減我內顧之憂，如何不去？」黛玉聽了，方灑淚拜別，隨了奶娘及榮
府中幾個老婦登舟而去。雨村另有一隻船，帶兩個小童，依附黛玉而行。

　　一日到了京都，雨村先整了衣冠，帶了小童，拿了宗侄的名帖，至榮府門上投了。
彼時賈政已看了妹丈之書，即忙請入相會，見雨村相貌魁偉，言談不俗，且這賈政最喜
的是讀書人，禮賢下士，拯溺救危，大有祖風；況又係妹丈致意，因此優待雨村，更又不
同，便極力幫助。題奏之日，謀了一個復職，不上二月，便選了金陵應天府，辭了賈政，
擇日到任去了。不在話下。

　　且說黛玉自那日棄舟登岸時，便有榮府打發轎子並拉行李車輛伺候。這林黛玉常
聽得母親說，他外祖母家與別家不同。他近日所見的這幾個三等的僕婦，穿吃用度，已
是不凡，何況今至其家，多要步步留心，時時在意，不要多說一句話，不可多行一步路，
恐被人耻笑了去。自上了轎，進了城，從紗窗中瞧了一瞧，其街市之繁華，人煙之阜盛，
自與別處不同。又行了半日，忽見街北蹲着兩個大石獅子，三間獸頭大門，門前列坐着
十來個華冠麗服之人。正門不開，只東西兩角門有人出入。正門之上有一匾，匾上大書
“敕造寧國府”五個大字。黛玉想道：“這是外祖的長房了。”又往西不遠，照樣也是三間
大門，方是榮國府。却不進正門，只由西角門而進。轎子抬着走了一箭之遠，將轉灣時，
便歇了轎。後面的婆子也都下來了，另換了四個衣帽周全的十七八歲的小廝，上來抬
轎子，衆婆子步下跟隨，至一垂花門前落下，衆小廝又退出去，衆婆子上前打起轎簾，
扶黛玉下了轎。

　　林黛玉扶着婆子手，進了垂花門，兩邊是超手游廊，正中是穿堂，當地放着一個紫
檀架子大理石屏風。轉過屏風，小小三間廳房，廳後便是正房大院。正面五間上房，皆
是雕梁畫棟，兩邊穿山游廊厢房，挂着各色鸚鵡、畫眉等雀鳥。臺階上坐着幾個穿紅着
綠的丫頭，一見他們來了，都笑迎上來，說道：“剛才老太太還念呢，可巧就來了。”于是
三四人爭着打簾子，一面聽得人說：“林姑娘來了！”

　　黛玉方進房，只見兩個人扶着一位鬢髮如銀的老母迎上來，黛玉知是外祖母，方
正欲下拜，早被外祖母抱住摟入懷中，“心肝兒肉”叫着，大哭起來。當下侍立之人，無
不下淚，黛玉也哭個不休。衆人慢慢解勸住了，黛玉方拜見了外祖母。當下賈母一一
指與黛玉：“這是你大舅母，這是二舅母，這是你先珠大哥的媳婦珠大嫂。”黛玉一一
拜見了。賈母又說：“請姑娘們來。今日遠客初來，可以不必上學去。”衆人答應了，

這熙鳳携着黛玉的手，上下細細打量了一回，便仍送至賈母身邊坐下，因笑道：“天下真有
這樣標致人物，我今日才算見了！況且這通身的氣派，竟不像老祖宗的外孫女兒，竟是個
嫡親的孫女，怨不得老祖宗天天口頭心頭一刻不忘。”

戴敦邦

，便去了兩個。

　　不一時，只見三個奶媽並五六個丫鬟，擁着三位姑娘來了。第一個肌膚微豐，身材[?]中，腮凝新荔，鼻膩鵝脂，溫柔沉默，觀之可親。第二個削肩細腰，長挑身材，鴨蛋臉[?]，俊眼修眉，顧盼神飛，文彩精華，見之忘俗。第三個身量未足，形容尚小。其釵環裙[?]，三人皆是一樣的妝束。黛玉忙起身，迎上來見禮，互相厮認。歸了坐位，丫鬟送上茶[?]。不過叙些黛玉之母如何得病，如何請醫服藥，如何送死發喪。不免賈母又傷感起來，[?]說："我這些女兒，所疼者獨有你母，今一旦先我而逝，不得見一面，教我怎不傷心！"[?]着，携了黛玉的手，又哭起來。家人忙相勸慰，方略略止住。

　　衆人見黛玉年貌雖
[?]，其舉止言談不俗，身
[?]面龐雖弱不勝衣，却有
[?]段風流態度，便知他有
[?]足之症。因問："常服何
[?]？如何不治好了？"黛玉
[?]："我自來如此，從會吃
[?]時便吃藥，到如今了，
[?]過多少名醫，總未見
[?]。那一年我才三歲，記
[?]來了一個癩頭和尚，説
[?]化我去出家，我父母固
[?]不從。他又説：'既捨不
[?]他，但只怕他的病一生
[?]不能好的。若要好時，
[?]非從此以後，總不許見
[?]聲；除父母之外，凡有
[?]親，一概不見，方可平
[?]了此一生。'這和尚瘋
[?]癲癲，説了這些不經之
[?]，也没人理他。如今還

是吃人參養榮丸。"賈母道："這正好，我這裏正配丸藥呢，叫他們多配一料就是了。"

一語未休，只聽後院中有笑語聲，說："我來遲了，不曾迎接遠客!"黛玉思忖道："這些人個個皆斂聲屏氣如此，這來者是誰，這樣放誕無禮?"心下想時，只見一羣媳婦丫鬟擁着一個麗人，從後房進來。這個人打扮與姑娘們不同，彩綉輝煌，恍若神妃仙子：頭上戴着金絲八寶攢珠髻，綰着朝陽五鳳挂珠釵，項上戴着赤金盤螭纓絡圈，身上穿着縷金百蝶穿花大紅雲緞窄褙襖，外罩五彩刻絲石青銀鼠褂，下着翡翠撒花洋縐裙。一雙丹鳳三角眼，兩彎柳葉掉梢眉，身量苗條，體格風騷，粉面含春威不露，丹脣未啓笑先聞。黛玉連忙起身接見。賈母笑道："你不認得他，他是我們這裏有名的一個潑辣貨，南京所謂'辣子'，你只叫他'鳳辣子'就是了。"黛玉正不知以何稱呼，衆姊妹都忙告訴黛玉道："這是璉嫂子。"黛玉雖不曾識面，聽見他母親說過，大舅賈赦之子賈璉，娶的就是二舅母王氏之內侄女，自幼假充男兒教養的，學名叫做王熙鳳。黛玉忙陪笑見禮，以"嫂"呼之。這熙鳳攜着黛玉的手，上下細細打量了一回，便仍送至賈母身邊坐下，因笑道："天下真有這樣標致人物，我今日才算見了!況且這通身的氣派，竟不像老祖宗的外孫女兒，竟是個嫡親的孫女，怨不得老祖宗天天口頭心頭一刻不忘。只可憐我這妹妹這樣命苦，怎麼姑媽偏就去世了!"說着便用帕拭淚。賈母笑道："我才好了，你倒來惹我。你妹妹遠路才來，身子又弱，也才勸住了，快休再提前話。"這熙鳳聽了，忙轉悲為喜道："正是呢!我一見了妹妹，一心都在他身上，又是喜歡，又是傷心，竟忘記了老祖宗。該打，該打!"又忙攜黛玉之手問："妹妹幾歲了?可也上過學?現吃什麼藥?在這裏不要想家，要什麼吃的，什麼玩的，只管告訴我。丫頭老婆們不好，也只管告訴我。"一面又問婆子們：

"林姑娘的行李東西可進來了?帶了幾個人來?你們趕早打掃兩間下房，讓他們去歇歇。"

說話時，已擺了茶果上來，熙鳳親為捧茶捧果。又見二舅母問他："月錢放完了不曾?"熙鳳道："月錢也放完了。剛才帶了人後樓上找緞子，找了半日，也沒見昨日太太說的後，想是太太記錯了。"王夫人道："有沒有，什麼要緊。"因又說道："該隨手拿出兩個來，給你這妹妹裁衣裳的，等晚上想着，再叫人去拿罷。"熙鳳道："倒是我先料着了，知道妹妹這兩日到的，我已預備下了，等太太回去過了目，好送來。"王夫人一笑，點頭不語。

當下茶果已撤，賈母命兩個老嬤嬤帶了黛玉去見兩個舅舅去。維時賈赦之妻邢氏忙起身，笑回道："我帶了外孫女過去，到底便宜些。"賈母笑道："正是呢，你也去罷，不必過來了。"那邢夫人答應了，遂帶了黛玉，與王夫人作辭，大家送至穿堂。垂花門前，早有衆小厮拉過一輛翠幄青油車來，邢夫人携了黛玉坐上，衆婆娘們放下車簾，方命小厮們抬起，拉至寬處，方駕上馴騾，亦出了西角門，往東過榮府正門，入一黑油大門內，至儀門前方下車來。邢夫人挽了黛玉的手，進入院中。黛玉度其處必是榮府中之花園隔斷過來的。進入三層儀門，果見正房、厢廡、游廊，悉皆小巧別致，不似那邊的軒峻壯麗，且院中隨處之樹木山石皆好。及進入正室，早有許多盛妝麗服之姬妾丫鬟迎着。邢夫人讓黛玉坐了，一面令人到外書房中請賈赦。一時來回說："老爺說了：'連日身上不好，見了姑娘彼此傷心，暫且不忍相見。勸姑娘不要傷懷想家，跟着老太太和舅母，是同家裏一樣。姊妹們雖拙，大家一處伴着，亦可以解些煩悶。或有委曲之處，只管說得，不要外道才是。'"黛玉忙站起身來，一一聽了，再坐一刻，便告辭。邢夫人苦留吃過飯去，黛玉笑回道："舅母愛惜賜飯，原不應辭，只是還要過去拜見二舅舅，恐遲去不恭。異日再領，望舅母容諒。"邢夫人道："這也罷了。"遂命兩個嬤嬤用方才坐來的車子送了過去。于是黛玉告辭，邢夫人送至儀門前，又囑咐了衆人幾句，眼看着車去了方回來。

一時黛玉進入榮府，下了車。衆嬤嬤引着，便往東轉灣，走過一座東西的穿堂，向南大廳之後，儀門內大院落，上面五間大正房，兩邊厢房，鹿頂耳門鑽山，四通八達，軒昂壯麗，比賈母處不同。黛玉便知這方是正內室，一條大甬路，直接出大門的。進入堂屋，抬頭迎面先見一個赤金九龍青地大匾，匾上寫着斗大三個字，是"榮禧堂"，後有一行小字："某年月日書賜榮國公賈源"，又有"萬幾宸翰"之寶。大紫檀雕螭案上，設着三尺來高青綠古銅鼎，懸着待漏隨朝墨龍大畫，一邊是鏨金彝，一邊是玻璃盒。地下兩溜十六張楠木椅子，又有一副對聯，乃是烏木聯牌，鑲着鏨銀字迹，道是：

　　座上珠璣昭日月，堂前黼黻煥烟霞。

下面一行小字，道是："鄉世教弟勛襲東安郡王穆蒔拜手書"。

原來王夫人時常居坐宴息，亦不在這正室，只在東邊的三間耳房內。于是老嬤嬤引黛玉進東房門來。臨窗大炕上，鋪着猩紅洋毯，正面設着大紅金錢蟒引枕，秋香色金錢蟒大條褥。兩邊設一對梅花式洋漆小几：左邊几上文王鼎、匙、箸、香盒；右邊几上汝窰美人觚，内插着時鮮花卉，並茗碗茶具等物。地下面西一溜四張椅上，都搭着銀紅撒花椅搭，底下四副腳踏。兩邊又有一對高几，几上茗碗、瓶花俱備。其餘陳設，不必細說。

嬤嬤讓黛玉上炕坐，炕沿上卻也有兩個錦褥對設，黛玉度其位次，便不上炕，只就東邊椅上坐了。本房的丫鬟忙捧上茶來。黛玉一面吃了，打量這些丫鬟們妝飾衣裙、舉止行動，果與別家不同。

　　茶未吃了，只見一個穿紅綾襖青緞掐牙背心的丫鬟，走來笑道："太太說，請林姑娘到那邊坐罷。"老嬤嬤聽了，于是又引黛玉出來，到了東廊三間小正房內。正面炕上橫設一張炕桌，上面堆着書籍茶具，靠東壁面西設着半舊的青緞靠背引枕。王夫人卻坐在西邊下首，亦是半舊青緞靠背坐褥。見黛玉來了，便往東讓。黛玉心中料定這是賈政之位。因見挨炕一溜三張椅子上，也搭着半舊的彈花椅袱，黛玉便向椅上坐了。王夫人再三讓他上炕，他方挨王夫人坐了。王夫人乃說："你舅舅今日齋戒去了，再見罷。只是有一句話囑咐你：三個姊妹倒都極好，以後一處念書認字，學針綫，或偶一頑笑，都有個儘讓的。但我最不放心的卻有一件：我有一個孽根禍胎，是家裏的'混世魔'，今日因廟裏還願去，尚未回來，晚間你看見便知道了。你以後只不要睬他，你這些姊妹都不敢沾惹他的。"

　　黛玉素聞母親說過，有個內侄乃銜玉而生，頑劣異常，不喜讀書，最喜在內幃廝混，外祖母又溺愛，無人敢管。今見王夫人所說，便知是這位表兄了。因陪笑道："舅母所說的，可是銜玉而生的這位表兄？在家時記得母親常說，這位哥哥比我大一歲，小名就叫寶玉，性雖憨頑，說待姊妹們極好的。況我來了，自然和姊妹同一處，兄弟們自另院別室的，豈有得沾惹之理？"王夫人笑道："你不知道原故：他與別人不同，自幼因老太太疼愛，原係同姊妹們一處嬌養慣的。若姊妹們不理他，他倒還安静些；若一日姊妹們和他多說了一句話，他心上一喜，便生出許多事來。所以囑咐你別睬他，他嘴裏一時甜言蜜語，一時有天無日，瘋瘋傻傻，只休信他。"黛玉一一的都答應着。

　　忽見一個丫鬟來說："老太太那裏傳晚飯了。"王夫人忙携了黛玉，從後房門由後廊西往，出了角門，是一條南北甬道。南邊是倒座三間小小抱廈廳，北邊立着一個粉油大影壁，後有一半大門，小小一所房室。王夫人笑指向黛玉道："這是你鳳姐姐的屋子，回來你好向這裏找他去，少什麼東西，只管和他說就是了。"這院門上，也有幾個才總角的小廝，都垂手侍立。王夫人遂携黛玉穿過一個東西穿堂，便是賈母的後院了。于是進入後房門，已有多人在此伺候，見王夫人來了，方安設桌椅。賈珠之妻李氏捧飲，

寶玉便走向黛玉身邊坐下，又細細打諒一番，因問："妹妹可曾讀書？"黛玉道："不曾讀書，只上了一年學，些須認得幾個字。"寶玉又道："妹妹尊名？"黛玉便說了名。寶玉又道："表字？"黛玉道："無字。"寶玉笑道："我送妹妹一字，莫若'顰顰'二字極妙。"

戴敦邦

鳳安箸,王夫人進羹。賈母正面榻上獨坐,兩旁四張空椅,熙鳳忙拉黛玉在左邊第一張椅子上坐下,黛玉十分推讓。賈母笑道:"你舅母和嫂子們左右不在這裏吃飯。你是客,原該如此坐的。"黛玉方告了坐,就坐了。賈母命王夫人也坐了。迎春姊妹三個告了坐方上來。迎春坐右手第一,探春左第二,惜春右第二。旁邊丫鬟執着拂塵、漱盂、巾帕。李、鳳二人立于案旁播讓。外間侍候之媳婦丫鬟雖多,卻連一聲咳嗽不聞。飯畢,各有丫鬟用小茶盤捧上茶來。當日林家教女以惜福養身,每飯後必過片時方吃茶,不傷脾胃。今黛玉見了這裏許多規矩不似家中,亦只得隨和着些,接了茶。又有人捧過漱盂來,黛玉也漱了口。又盥手畢,然後又捧上茶來,這方是吃的茶。賈母便說:"你們去罷,讓我們自在說話兒。"王夫人聽了,忙起身,說了兩句閑話,方引李、鳳二人去了。賈母因問黛玉念何書。黛玉道:"剛念了《四書》。"黛玉又問姊妹們讀何書。賈母道:"讀什麼書,不過認幾個字罷了!"

一語未了,只聽外面一陣腳步響,丫鬟進來報道:"寶玉來了。"黛玉心中想:"這個寶玉,不知是怎生個憊懶人物。"及至進來,原是一個青年公子:頭上戴着束髮嵌寶紫金冠,齊眉勒着二龍搶珠金抹額,一件二色金百蝶穿花大紅箭袖,束着五彩絲攢花結長穗宮縧,外罩石青起花八團倭緞排穗褂,登着青緞粉底小朝靴。面若中秋之月,色如春曉之花,鬢若刀裁,眉如墨畫,鼻如懸膽,睛若秋波。雖怒時而似笑,即瞋視而有情。項上金螭纓絡,又有一根五色絲縧,繫着一塊美玉。黛玉一見,便吃一大驚,心中想道:"好生奇怪,倒像在那裏見過的,何等眼熟!"只見這寶玉向賈母請了安,賈母便命:"去見你娘來。"即轉身去了。一回再來時,已換了冠帶,頭上周圍一轉的短髮,即結成小辮,紅絲結束,共攢至頂中胎髮,總編一根大辮,黑亮如漆,從頂至梢,一串四顆大珠,用金八寶墜腳;身上穿着銀紅撒花半露大襖,仍舊帶着項圈、寶玉、寄名鎖、護身符等物;下面半露松花撒花綾褲,錦邊彈墨襪,厚底大紅鞋。越顯得面如傅粉,唇若施脂,轉盼多情,語言若笑。天然一段風韻,全在眉梢;平生萬種情思,悉堆眼角。看其外貌,最是極好,卻難知其底細。後人有作《西江月》二詞,批寶玉極確,其詞曰:

無故尋愁覓恨,有時似傻如狂。縱然生得好皮囊,腹內原來草莽。 潦倒不通庶務,愚怕讀文章。行為偏僻性乖張,那管世人誹謗!

富貴不知樂業,貧窮難耐凄涼。可憐辜負好韶光,于國于家無望。 天下無能第一,古今不肖無雙。寄言紈袴與膏粱,莫效此兒形狀!

寶玉又問黛玉:"可有玉沒有?"眾人都不解。黛玉便忖度着:"因他有玉,故問我有無。"因答道:"我沒有。那玉亦是件罕物,豈能人人皆有?"寶玉聽了,登時發作起狂病來,摘下那玉,就狠命摔去,罵道:"什麼罕物!人的高下不識,還說靈不靈呢!我也不要這勞什子!"

孟慶江

却説賈母笑道："外客未見，就脱了衣裳！還不去見你妹妹。"寶玉早已看見了一個
妹，便料定是林姑媽之女，忙來作揖。相見畢，歸坐，細看形容，與眾各別：

　　兩灣似蹙非蹙籠烟眉，一雙似喜非喜含情目。態生兩靨之愁，嬌襲一身之病。淚光點點，
　　嬌喘微微。閒靜似嬌花照水，行動似弱柳扶風。心較比干多一竅，病如西子勝三分。

寶玉看罷，笑道："這個姊妹我曾見過的。"賈母笑道："可又是胡說！你何曾見過
　？"寶玉笑道："雖然未曾見過他，然看着面善，心裏倒像是舊相認識，恍若遠別重逢
　一般。"賈母笑道："好！好！若如此，更相和睦了。"寶玉便走向黛玉身邊坐下，又細
　打諒一番，因問："妹妹可曾讀書？"黛玉道："不曾讀書，只上了一年學，些須認得幾
　字。"寶玉又道："妹妹尊名？"黛玉便說了名。寶玉又道："表字？"黛玉道："無字。"
　玉笑道："我送妹妹一字，莫若'顰
　'二字極妙。"探春便道："何處出
　？"寶玉道：《古今人物通考》上說：
　西方有石，名黛，可代畫眉之墨。'況
　妹妹，眉尖若蹙，用取這兩個字，豈
　甚美？"探春笑道："只恐又是杜
　。"寶玉笑道："除《四書》，杜撰的太
　，偏是我是杜撰不成？"又問黛玉：
　可有玉沒有？"眾人都不解。黛玉便
　度着："因他有玉，故問我有無。"因
　道："我沒有。那玉亦是件罕物，豈
　人人皆有？"寶玉聽了，登時發作起
　病來，摘下那玉，就狠命摔去，罵
　："什麼罕物！人的高下不識，還說
　不靈呢！我也不要這勞什子！"嚇的
　下眾人，一擁爭去拾玉。賈母急的
　了寶玉道："孽障！你生氣，要打罵
　容易，何苦摔那命根子！"寶玉滿面
　痕，泣道："家裏姐姐妹妹都沒有，

單我有，我說沒趣；如今來了這個神仙似的妹妹，也沒有，可知這不是個好東西。」賈母忙哄他道：「這妹妹原有玉來的，因你姑媽去世時，捨不得你妹妹，無法可處，遂將他的玉帶了去：一則全殉葬之禮，盡你妹妹之孝心；二則你姑媽之靈，亦可權作見你妹妹之意。因此他只說沒有玉，也是不便自己誇張之意。你如今怎比得他？還不好生慎重帶上，仔細你娘知道了。」說着，便向丫鬟手中接來，親與他帶上。寶玉聽如此說，想一想，也就不生別論了。

當下奶娘來問黛玉房舍，賈母便說：「將寶玉挪出來，同我在套間暖閣裏，把你姑娘暫安置碧紗厨裏。等過了殘冬，春天再與他們收拾房屋，另作一番安置罷。」寶玉道：「好祖宗，我就在碧紗厨外的床上狠妥當，又何必出來，鬧你老祖宗不得安靜。」賈母想了一想，說：「也罷了。」每人一個奶娘並一個丫頭照管，餘者在外間上夜聽喚。一面早有熙鳳命人送了一頂藕合色花帳，並錦被緞褥之類。

黛玉只帶了兩個人來：一個是自己的奶娘王嬤嬤，一個是十歲的小丫頭，名喚雪雁。賈母見雪雁甚小，一團孩氣，王嬤嬤又極老，料黛玉皆不遂心，將自己身邊一個二等丫頭名喚鸚哥的與了黛玉。亦如迎春等一般，每人除自幼乳母外，另有四個教引嬤嬤，除貼身掌管釵釧盥沐兩個丫頭外，另有四五個洒掃房屋、來往使役的小丫頭。當下王嬤嬤與鸚哥陪侍黛玉在碧紗厨內，寶玉之乳母李嬤嬤並大丫鬟名喚襲人者，陪侍在外大床上。

原來這襲人亦是賈母之婢，本名珍珠。賈母因溺愛寶玉，生恐寶玉之婢不中使，素知襲人心地純良，遂與寶玉。寶玉因知他本姓花，又曾見舊人詩句有「花氣襲人」之句，遂回明賈母，即更名襲人。這襲人有些痴處：伏侍賈母時，心中眼中只有一個賈母；今跟了寶玉，心中眼中又只有一個寶玉。只因寶玉性情乖僻，每每規諫，寶玉不聽，心中着實憂鬱。是晚寶玉、李嬤嬤已睡了，他見裏面黛玉、鸚哥猶未安歇。他卸了妝，悄悄的進來，笑問：「姑娘怎麼還不安歇？」黛玉忙笑讓：「姐姐請坐。」襲人在床沿上坐了。鸚哥笑道：「林姑娘在這裏傷心，自己淌眼抹淚的，說：『今兒才來了，就惹出你家哥兒的病，倘或摔壞了那玉，豈不是因我之過？』所以傷心。我好容易勸好了。」襲人道：「姑娘快休如此，將來只怕比這更奇怪的笑話兒還有呢！若為他這種形狀，你多心傷感，只怕你還傷感不了呢。快別多心！」黛玉道：「姐姐們說的，我記着就是了。」又敘了一回，方才安歇。

次早起來，省過賈母，便往王夫人處來。正值王夫人與熙鳳在一處拆金陵來的信，又有王夫人之兄嫂處遣來的兩個媳婦兒來說話的。雖黛玉不知原委，探春等卻知道是議論金陵城中居住的薛家姨母之子、表兄薛蟠，倚財仗勢，打死人命，現在應天府案下審理。如今母舅王子騰得了信，遣人來告訴這邊，意欲喚取進京之意。畢竟如何的，下回分解。

〈第肆回〉

薄命女偏逢薄命郎——葫蘆僧判斷葫蘆案

却説黛玉同姊妹們至王夫人處，見王夫人與兄嫂處的來使計議家務，又説姨母家遭人命官司等語。因見王夫人事情冗雜，姐妹們遂出來，至寡嫂李氏房中來了。

原來這李氏即賈珠之妻。珠雖夭亡，幸存一子，取名賈蘭，今方五歳，已入學攻書。這李氏亦係金陵名宦之女，父名李守中，曾爲國子祭酒，族中男女無不讀詩書者。至李守中繼續以來，便謂"女子無才便爲德"，故生了便不十分認真讀書，只不過將些《女四書》、《列女傳》讀讀，認得幾個字罷了，記得前朝這幾個賢女便了，却以紡績女紅爲要，因取名爲李紈，字宮裁。因此這李紈雖青春喪偶，且居處于膏粱錦繡之中，竟如槁木死灰一般，一概不問不聞，惟知侍親養子，外則陪侍小姑等針黹誦讀而已。今黛玉雖客居于此，自有這幾個姑嫂相伴，除老父之外，餘者也就無用慮及了。

如今且説賈雨村授了應天府，一到任，就有件人命官司詳至案下，乃是兩家爭買一婢，各不相讓，以致毆傷人命。彼時雨村即拘原告之人來審。那原告道："被毆死者，乃小人之主人。因那日買了一個丫頭，不想係拐子拐來賣的。這拐子先已得了我家的銀子，我家小主原説第三日方是好日子，再接入門。這拐子又悄悄的賣與了薛家，被我們知道了，去找拿賣主，奪取丫頭。無奈薛家原係金陵一霸，倚財仗勢，衆豪奴將我小主人竟打死了。凶身主僕已皆逃走，無踪迹了，只剩了幾個局外之人。小人告了一年的狀，竟無人作主。求太老爺拘拿凶犯，以扶善良，存殁感激天恩不盡！"

雨村聽了大怒道："豈有這等事! 打死了人竟白白走了，拿不來的!"發簽差公人立刻將凶犯家屬拿來拷問。只見案旁立着一個門子，使眼色不令他發簽。雨村心下狐疑，只得停了手，退堂至密室，令從人退去，只留此門子一人伏侍。門子忙上前請安，笑問："老爺一向加官進祿，八九年來，就忘了我了?"雨村道："却十分面善，一時想不起來。"門子笑道："貴人多忘事，把出身之地竟忘了。不記得當年葫蘆廟裏之事麼?"雨村大驚，方憶起往事。原來這門子本是葫蘆廟裏一個小沙彌，因被火之後，無處安身，想這件事倒還輕省，耐不得寺院淒涼景況，遂趁年紀尚輕，蓄了髮，充當門子。雨村那裏料得是他?便忙携手笑道："原來是故人。"因令坐了好談。這門子不敢坐，雨村笑道："貧賤之交，不可忘也。此係私室，但坐何妨?"這門子方告了坐，斜簽着坐了。

雨村道："方才何故不令發簽?"這門子道："老爺榮任到此，難道就沒抄一張本省的'護官符'來不成?"雨村忙問："何爲'護官符'?"門子道："如今凡作地方官者，皆有一個私單，上面寫的是本省最有權勢、極富貴的大鄉紳名姓，各省皆然。倘若不知，一時觸犯了這樣的人家，不但官爵，只怕連性命也難保呢! 所以叫做'護官符'。方才所說的這薛家，老爺如何惹得他! 他這件官司，並無難斷之處，從前的官府都因礙着情分面，所以如此。"一面說，一面從順袋中取出一張抄的"護官符"來，遞與雨村。看時，面皆是本地大族名宦之家的諺俗口碑，云：

　　賈不假，白玉爲堂金作馬。阿房宮，三百里，住不下金陵一個史。東海缺少白玉床，龍王來請金陵王。豐年好大雪，珍珠如土金如鐵。

雨村尚未看完，忽聞傳點，報："王老爺來拜。"雨村忙具衣冠出去接迎。有頓飯工夫方回來。問這門子，門子道："這四家皆連絡有親，一損俱損，一榮俱榮，扶持遮飾，皆有照應的。今告打死人之薛，就是'豐年大雪'之'薛'也。不單靠這三家，他的世交親友在都在外者，本亦不少。老爺如今拿誰去?"雨村聽如此說，便笑問門子道："如你這樣說來，却怎麼了結此案?你大約也深知這凶犯躲的方向了?"

門子笑道："不瞞老爺說，不但這凶犯躲的方向我知道，並這拐賣的人，我也知道，死鬼買主也深知道。待我細說與老爺聽：這個被打死的，乃是一個小鄉宦之子，名喚馮淵，父母俱亡，又無兄弟，守着些薄產度日。年紀十八九歲，酷愛男風，不甚愛女色。這也是前生冤孽，可巧遇見這拐子賣丫頭，他便一眼看上了這丫頭，立意買來作妾，設誓不近男色，也不再娶第二個了，所以鄭重其事，必待三日後方進門。誰這拐子又偷賣與薛家，他意欲卷了兩家的銀子而逃。誰知又走不脫，兩家拿住，打

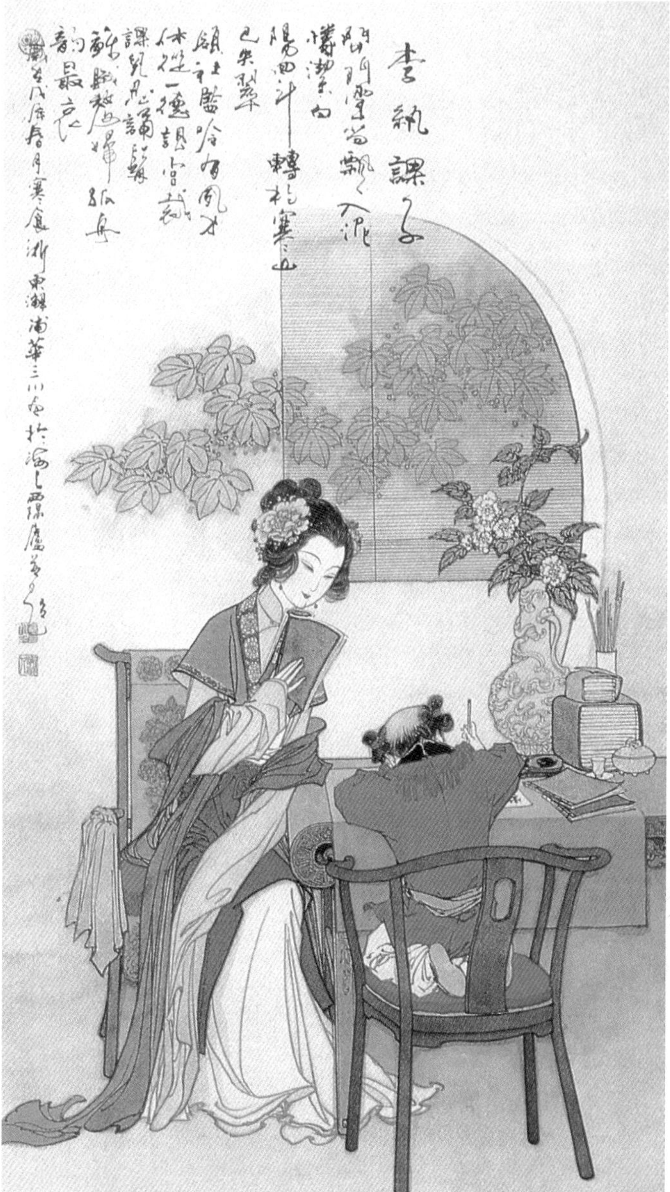
李紈課子

個半死，都不肯收銀，各要領人。那薛公子豈肯讓人的?便喝令下人動手，將馮公子打了個稀爛，抬回去，三日竟死了。這薛公子原早擇下日子要上京去的，既打了馮公子，奪了丫頭，他便如沒事人一般，只管帶了家眷走他的路，並非爲此而逃。這人命些些小事，自有他弟兄、奴僕在此料理。——這且別說，老爺可知這被賣之丫頭爲誰?"雨村道: "我如何得知?"門子冷笑道: "這人還是老爺的大恩人呢! 他就是葫蘆廟旁住的甄老爺的女兒，小名英蓮的。"雨村駭然道: "原來就是他! 聞得他自五歲被人拐去，如今才賣呢?"

門子道: "這種拐子，單拐的是幼女，養至十二三歲，帶至他鄉轉賣。當日這英蓮，我們天天哄他頑耍，極相熟的，所以隔了七八年，雖模樣出脱得齊整，然大段未改，所以認得他。且他眉心中，原有米粒大的一點胭脂痣，從胎裏帶來的。偏生這拐子又租了我的房舍居住。那日拐子不在家，我也曾問他，他説是被拐子打怕了的，萬不敢説，只説拐子是他親爹，因無錢還債，故賣的。我哄他再四，他又哭了，只説: '我原不記得小時之事。'這無可疑了。那日馮公子相見了，兑了銀子，因拐子醉了，英蓮自嘆説: '我今日罪孽可滿了!'後又聽見馮公子三日後才令過門，他又轉有憂愁之態。我又不忍，等拐子出去，又叫内人去解釋他: '這馮公子必待好日期來接，可知必不以丫鬟看。況他是個絶風流人品，家裏頗過得，素性又最厭惡堂客，今竟破價買你，後事不可知。只耐得三兩日，何必憂悶?'他聽如此説，方略解些，自謂從此得所。誰料天下有不如意事，第二日，他偏又賣與了薛家。若賣與第二家還好，這薛公子的混名，人他'呆霸王'，最是天下第一個弄性尚氣的人，而且使錢如土，這打了個落花流水，拖死拽，把個英蓮拖去，如今也不知死活。這馮公子空喜一場，一念未遂，反花了錢，送了命，豈不可嘆! "

雨村聽了，亦嘆道: "這也是他們的孽障遭遇，亦非偶然。不然，這馮淵如何偏看上了這英蓮?這英蓮受了拐子這幾年折磨，才得了個頭路，且又是個多情的，若聚合了，倒是件美事，偏又生出這段事來。這薛公子縱比馮家富貴，想其爲人，自然妾衆多，淫佚無度，未必及馮淵定情于一人。這正爲夢幻情緣，恰遇見一對薄命女。——且不要議論他人，只目今這官司如何剖斷才好?"門子笑道: "老爺當年何明決，今日何反成個沒主意的人了?小的聞得老爺補升此任，係賈府、王府之力。此蟠即賈府之親，老爺何不順水行舟，做個人情，將此案了結，日後也好去見賈、王二公。"雨村道: "你説的何嘗不是。但事關人命，蒙皇上隆恩，起復委用，正竭力圖報

這李紈雖青春喪偶，且居處于青梁錦繡之中，竟如槁木死灰一般，一概不問不聞，惟知侍親養子，外則陪侍小姑等針黹誦讀而已。

劉旦宅

李纨课子

薄命女偏逢薄命郎

葫蘆僧判斷葫蘆案

時，豈可因私枉法？是實不忍□的。"門子聽了，冷笑道："老爺□的何嘗不是，但如今世上是行□去的。豈不聞古人有言：'大丈□相時而動。'又曰：'趨吉避凶者□君子。'依老爺這說，不但不能□效朝廷，亦且自身不保。還要三□爲妥。"

雨村低了頭，半日方説道□"依你怎麼樣？"門子道："小人□想了個極好的主意在此：老爺□日坐堂，只管虛張聲勢，動文書□發簽拿人，凶犯自然是拿不來的□原告固是不依，自然將薛家族□及奴僕人等拿幾個來拷問。小□在暗中調停，令他們報個'暴病□亡'，合族中及地方上共遞一張□呈。老爺只説善能扶鸞請仙，堂□

設了乩壇，令軍民人等只管來看。老爺只説'乩仙批了，死者馮淵與薛蟠原係夙孽，□狹路相遇，原應了結。今薛蟠已得了無名之病，被馮魂追索而死。其禍皆由拐子而起□除將拐子按法處治外，餘不略及'等語。小人暗中囑拐子，令其實招。衆人見乩仙□語與拐子相符，自然不疑了。薛家有的是錢，老爺斷一千也可，五百也可，與了馮□作燒埋之費。那馮家也無甚要緊的人，不過爲的是錢，有了銀子，也就無話了。老□細想，此計如何？"雨村笑道："不妥，不妥。等我再斟酌斟酌，或可壓服口聲也罷了□二人計議已定。

至次日坐堂，勾取一干有名人犯，雨村詳加審問，果見馮家人口稀少，不過賴此□得些燒埋之銀；薛家仗勢倚情，偏不相讓，故致顛倒未決。雨村便徇情枉法，胡亂判□

雨村聽了大怒道："豈有這等事！打死了人竟白白走了，拿不來的！"發簽差公人立刻□犯家屬拿來拷問。　　　　　　葉雄

門子道："如今凡作地方官者，皆有一個私單，上面寫的是本省最有權勢、極富貴的大鄉□名姓，各省皆然。倘若不知，一時觸犯了這樣的人家，不但官爵，只怕連性命也難保□所以叫做'護官符'。"一面説，一面從順袋中取出一張抄的"護官符"來。　　葉雄

此案。馮家得了許多燒埋銀子，也就無甚話説了。雨村便疾忙修書二封，與賈政並京營節度使王子騰，不過説"令甥之事已完，不必過慮"之言寄去。此事皆由葫蘆廟内沙彌新門子所爲，雨村又恐他對人説出當日貧賤時事來，因此心中大不樂意，後來到底尋了他一個不是，遠遠的充發了才罷。

當下言不着雨村。且説那買了英蓮，打死馮淵的那薛公子，亦係金陵人氏，本是書香繼世之家。只是如今這薛公子幼年喪父，寡母又憐他是個獨根孤種，未免溺愛縱容些，遂致老大無成；且家中有百萬之富，現領着内帑錢糧，采辦雜料。這薛公子學名薛蟠，表字文起，性情奢侈，言語傲慢；雖也上過學，不過略識幾個字，終日惟有鬥雞走馬，游山玩景而已；雖是皇商，一應經紀世事，全然不知，不過賴祖父舊日的情分，户部挂虛名支領錢糧，其餘事體，自有夥計老家人等措辦。寡母王氏乃現任京營節度使王子騰之妹，與榮國府賈政的夫人王氏，是一母所生的姊妹，今年方四十上下，只有薛蟠一子。還有一女，比薛蟠小兩歲，乳名寶釵，生得肌骨瑩潤，舉止嫻雅。當時他父親在日，極愛此女，令其讀書識字，較之乃兄，竟高十倍。自父親死後，見哥哥不能安慰母心，他便不以書字爲念，只留心針黹家計等事，好爲母親分憂代勞。近因今上崇尚詩禮，徵采才能，降不世之隆恩，除聘選妃嬪外，在世宦名家之女，皆得親名達部，以備選擇，爲宮主、郡主入學陪侍，充爲才人、贊善之職。自薛蟠父親死後，各省中所有的賣買承局、總管、夥計人等，

見薛蟠年輕不諳世事，便趁時拐騙起來，京都幾處生意，漸亦銷耗。薛蟠素聞得都□乃第一繁華之地，正思一游，便趁此機會，一來送妹待選，二來望親，三來親自入部銷算舊賬，再計新支：其實只爲游覽上國風光之意。因此早已檢點下行裝細軟，以及□送親友各色土物人情等類，正擇日起身，不想偏遇了那拐子，買了英蓮。薛蟠見英□生得不俗，立意買了，又遇馮家來奪，因恃強喝令手下豪奴，將馮淵打死。他便將家□

事務，一一囑託了族中人並幾個家人，他便帶了母、妹等，竟自□身長行去了。人命官司，他却視□兒戲，自謂花上幾個臭錢，沒有□了的。

在路不計其日。那日已將□都，又聞得母舅王子騰升了九□統制，奉旨出都查邊。薛蟠心中□喜道："我正愁進京去有母舅□轄，不能任意揮霍，如今升出去□可知天從人願。"因和母親商□道："咱們京中雖有幾處房舍□是這十年來沒人居住，那看守□人，未免偷着租賃與人，須得先□人去打掃收拾才好。"他母親道□"何必如此招搖！咱們這進京□原是先拜望親友，或是在你舅□處，或是你姨爹家，他兩家的房□極是寬敞的。咱們且住下，再慢□的着人去收拾，豈不消停些？"□蟠道："如今舅舅正升了外省去□

誰知這拐子又偷賣與薛家，他意欲卷了兩家的銀子而逃。誰知又走不脫，兩家拿住，打個半死，都不肯收銀，各要領人。那薛公子豈肯讓人？便喝令下人動手，將馮公子打個稀爛。

葉雄

雨村低了頭，半日方說道："依你怎麼樣？"門子道："小人已想了個極好的主意□此……老爺細想，此計如何？"雨村笑道："不妥，不妥。等我再斟酌斟酌，或可□服口聲也罷了。"

戴敦邦

家裏自然忙亂起身，咱們這回子反一窩一拖的奔了去，豈不沒眼色些？"他母親道："你舅舅雖升了去，還有你姨爹家。況這幾年來，你舅舅、姨娘兩處，每每帶信捎書，接咱們來。如今既來了，你舅舅雖忙着起身，你賈家的姨娘未必不苦留我們。咱們且忙忙的收拾房子，豈不使人見怪？你的意思我却知道，守着舅舅、姨母住着，未免拘緊了你，不如各住，好任意施爲。你既如此，你自去挑所宅子去住，我和你姨娘，姊妹們別了這幾年，却要厮守幾日。我帶了你妹子去投你姨娘家去，你道好不好？"薛蟠見母親如此說，情知扭不過的，只得吩咐人夫，一路奔榮國府而來。

那時王夫人已知薛蟠官司一事，虧賈雨村就中維持了，才放了心。又見哥哥升了遷缺，正愁少了娘家的親戚來往，略加寂寞。過了幾日，忽家人報："姨太太帶了哥兒、姐兒合家進京，在門外下車了。"喜的王夫人忙帶了人，接出大廳來，將薛姨娘等接了進去。姊妹們暮年相見，悲喜交集，自不必説。叙了一番契闊，又引着拜見賈母，將人情土物各種酬獻了。合家俱厮見過，又治席接風。

薛蟠拜見過賈政、賈璉，又引着見了賈赦、賈珍等。賈政便使人上來對王夫人說："姨太太已有了春秋，外甥年輕，不知庶務，在外住着，恐又要生事。咱們東南角上梨香院，一所十來間，白空閑着，叫人打掃了，請姨太太和姐兒哥兒住了甚好。"王夫人原要留住，賈母也就遣人來説："請姨太太就在這裏住下，大家親密些。"薛姨媽正欲同居一處，方可拘緊些兒；若另在外，恐縱性惹禍，遂忙道謝應允。又私與王夫人說明："一應日費供給，一概免却，方是處常之法。"王夫人知他家不難于此，遂亦從其願。從此後薛家母子就在梨香院中住了。

原來這梨香院，乃當日榮公暮年養靜之所，小小巧巧，約有十餘間房舍，前廳後舍俱全；另有一門通街，薛蟠家人就走此門出入；西南又有一角門，通一夾道，出了夾道便是王夫人正房的東院了。每日或飯後，或晚間，薛姨媽便過來，或與賈母閑談，或與王夫人相叙。寶釵日與黛玉、迎春姊妹等一處，或看書下棋，或做針黹，倒也十分樂業。只是薛蟠起初原不欲在賈府中居住，生恐姨父管束，不得自在；無奈母親執意在此，賈宅中又十分殷勤苦留，只得暫且住下，一面使人打掃出自家的房屋，再移居過去。誰知自此間住了不上一月，賈宅族中凡有的子侄，俱已認熟了一半，都是那些紈袴氣習，莫不喜與他來往。今日會酒，明日觀花，甚至聚賭嫖娼，無所不至，引誘的薛蟠比當日更壞了十倍。雖説賈政訓子有方，治家有法，一則族大人多，照管不到；二則現在房長乃是賈珍，彼乃寧府長孫，又現襲職，凡族中事，都是他掌管；三則公私冗雜，且素性瀟洒，不以俗事爲要，每公暇之時，不過看書着棋而已。況這梨香院相隔兩層房舍，又有街門別開，任意可以出入，這些子弟們可以放意暢懷的，因此遂將移居之念，漸漸打滅了。日後何如，下回分解。

第伍回

賈寶玉神游太虛境 警幻仙曲演紅樓夢

第四回中，既將薛家母子在榮府中寄居等事，略已表明，此回則暫不能寫矣。如今且說林黛玉自在榮府，一來賈母萬般憐愛，寢食起居，一如寶玉，而迎春、惜春、探春三個孫女，倒且靠後；便是寶玉和黛玉二人之親密友愛處，亦較別個不同：日則同行同坐，夜則同止同息，真是言和意順，似漆如膠。不想如今忽然來了一個薛寶釵，年紀雖大不多，然品格端方，容貌美麗，人謂黛玉所不及。而寶釵行爲豁達，隨分從時，不比黛玉孤高自許，目無下塵，故深得下人之心。便是那些小丫頭們，亦多與寶釵頑笑。因此黛玉心中便有些不忿之意，寶釵卻渾然不覺。那寶玉亦在孩提之間，況自天性所稟，一片愚拙偏僻，視姊妹兄弟皆出一意，並無親疏遠近之別。如今與黛玉同處賈母房中坐臥，故略比別個姊妹熟慣些。既熟慣，則更覺親密；既親密，則不免有求全之毀，不虞之隙。這日不知爲何，他二人言語有些不合起來，黛玉又在房中獨自垂淚，寶玉又自悔言語冒撞，前去俯就，那黛玉方漸漸回轉來。

因東邊寧府花園內梅花盛開，賈珍之妻尤氏乃治酒具，請賈母、邢夫人、王夫人等賞花。是日先帶了賈蓉夫妻二人來面請。賈母等于早飯後過來，就在會芳園游玩。先茶後酒，不過是寧、榮二府眷屬家宴，並無別樣新文趣事可記。

一時寶玉倦怠，欲睡中覺，賈母命人好生哄着，歇息一回再來。賈蓉之妻秦氏，便忙笑道：「我們這裏有給寶叔收拾下的屋子，老祖宗放心，只管交與我就是了。」親向寶玉的奶娘丫鬟等道:"嬤嬤、姐姐們,請寶叔隨我這裏來。"賈母素知秦氏是極妥當的人,生得嬝娜纖巧,行事又溫柔和平,乃重孫媳中第一個得意之人。見他去安置寶玉,自是安穩的。

當下秦氏引了一簇人,來至上房內間,寶玉抬頭看見是一幅畫貼在上面,人物固好,其故事乃是《燃藜圖》也,心中便有些不快。又有一副對聯,寫的是:

> 世事洞明皆學問,人情練達即文章。

及看了這兩句,縱然室宇精美,鋪陳華麗,亦斷斷不肯在這裏了,忙說:"快出去! 快出去!"秦氏聽了笑道:"這裏還不好,往那裏去呢?不然,往我屋裏去罷。"寶玉點頭微笑。有一嬤嬤說道:"那裏有個叔叔往侄兒媳婦房裏睡覺的禮?"秦氏笑道:"嗳喲,不怕他惱:他能多大了,就忌諱這些麼?上月你沒有看見我那個兄弟來了,雖然和寶叔同年,兩個人若站在一處,只怕那一個還高些呢。"寶玉道:"我怎麼沒有見過他?你帶他來我瞧瞧。"眾人笑道:"隔着二三十里,那裏帶去?見的日子有呢。"說着,大家來至秦氏房中。剛至房中,便有一股細細的甜香襲人。寶玉便覺得眼餳骨軟,連說:"好香!"入房向壁上看時,有唐伯虎畫的《海棠春睡圖》,兩邊有宋學士秦太虛寫的一副對聯云:

> 嫩寒鎖夢因春冷,芳氣襲人是酒香。

案上設着武則天當日鏡室中設的寶鏡,一邊擺着趙飛燕立着舞的金盤,盤內盛着安祿山擲過傷了太真乳的木爪。上面設着壽昌公主于含章殿下臥的寶榻,懸的是同昌公主製的連珠帳。寶玉含笑道:"這裏好! 這裏好!"秦氏笑道:"我這屋子,大約神仙也可以住得的。"說着親自展開了西子浣過的紗衾,移了紅娘抱過的鴛枕。于是眾奶姆伏侍寶玉臥好了,款款散去,只留下襲人、秋紋、晴雯、麝月四個丫鬟為伴。秦氏便吩咐小丫頭們,好生在檐下看着猫兒打架。

那寶玉才合上眼,便恍恍惚惚的睡去,猶似秦氏在前,遂悠悠蕩蕩,隨了秦氏至一所在。但見朱欄玉砌,綠樹清溪,真是人迹不逢,飛塵罕到。寶玉在夢中歡喜,想道:"這個去處有趣,我就在這裏過一生,雖然失了家也願意,強如天天被父母、先生打去。"正胡思之間,聽見山後有人作歌曰:

> 春夢隨雲散,飛花逐水流;寄言眾兒女,何必覓閒愁。

寶玉聽了,是女兒的聲氣。歌音未息,早見那邊走出一個麗人來,蹁躚嬝娜,與凡人不同。有賦為證:

> 方離柳塢,乍出花房。但行處,鳥驚庭樹;將到時,影度迴廊。仙袂乍飄兮,聞麝

霽月難逢,彩雲易散。心比天高,身為下賤。風流靈巧招人怨。壽夭多因誹謗生,多情
子空牽念。

戴敦邦 畫

晴雯

心比天高 身為下賤。

己辰歲末 戴邦作 紅樓人物

之馥郁;荷衣欲動兮,聽環珮之鏗鏘。靨笑春桃兮,雲堆翠髻;唇綻櫻顆兮,榴齒含香
盼纖腰之楚楚兮,風迴雪舞;耀珠翠之輝煌兮,鴨綠鵝黃。出沒花間兮,宜嗔宜喜;徘徊
池上兮,若飛若揚。蛾眉顰笑兮,將言而未語;蓮步乍移兮,欲止而欲行。羨彼之良質兮
冰清玉潤;慕彼之華服兮,烟爍文章。愛彼之容貌兮,香培玉篆;羨彼之態度兮,鳳翥
翔。其素若何?春梅綻雪。其潔若何?秋蕙披霜。其靜若何?松生空谷。其艷若何?霞映
塘。其文若何?龍游曲沼。其神若何?月射寒江。應慚西子,實愧王嬙。奇矣哉!生于孰地
來自何方?信矣乎!瑤池不二,紫府無雙。果何人哉,若斯之美也!

　　寶玉見是一個仙姑,喜的忙來作揖,笑問道:"神仙姐姐,不知從那裏來,如今要往
那裏去?我也不知這裏是何處,望乞携帶携帶。"那仙姑道:"吾居離恨天之上,灌愁海
之中,乃放春山遣香洞太虛幻境警幻仙姑是也。司人間之風情月債,掌塵世之女怨男
痴。因近來風流冤孽,纏綿于此,是以前來訪察機會,布散相思。今日與爾相逢,亦非偶
然。此離吾境不遠,別無他物,僅有自采仙茗一盞,親釀美酒一瓮,素練魔舞歌姬數人
新填《紅樓夢》仙曲十二支,可試隨我一游否?"

　　寶玉聽了,喜躍非常,便忘了秦氏在何處,竟隨了仙姑,至一所在,有石牌橫建,上
書"太虛幻境"四大字,兩邊一副對聯,乃是:

　　　假作真時真亦假,無爲有處有還無。

　　轉過牌坊,便是一座宮門,上橫書四個大字,道是:"孽海情天"。又有一副對聯,大
書云:

　　　厚地高天,堪嘆古今情不盡;痴男怨女,可憐風月債難酬。

寶玉看了,心下自思道:"原來如此。但不知何爲'古今之情'?又何爲'風月之債'?從今
倒要領略領略。"寶玉只顧如此一想,不料早把些邪魔招入膏肓了。當下隨了仙姑,進
入二層門內,只見兩邊配殿,皆有匾額對聯,一時看不盡許多,惟見幾處寫着的是:"癡
情司"、"結怨司"、"朝啼司"、"暮哭司"、"春感司"、"秋悲司"。看了,因向仙姑道:"敢煩
仙姑,引我到那各司中游玩游玩,不知可使得?"仙姑道:"此中各司,貯的是普天之下
所有的女子過去未來的簿册,爾凡眼塵軀,未便先知的。"寶玉聽了,那裏肯依,復央求
再四。警幻便看這司的匾說:"也罷,就在此司內略隨喜隨喜罷。"寶玉喜不能勝,抬頭
看這司的匾上,乃是:"薄命司"三字,兩邊寫着對聯道:

　　　春恨秋悲皆自惹,花容月貌爲誰妍。

　　寶玉看了,便知感嘆。進入門中,只見有十數個大橱,皆用封條封着。看那封條
上,皆有各省字樣。寶玉一心只揀自己家鄉的封條看。只見那邊橱上封條大書"金陵

枉自温柔和順, 空云似桂如蘭。堪羨優伶有福, 誰知公子無緣。

戴敦邦 畫

龍玉

人

枉自溫柔和順空云似桂如蘭堪羨優伶有福誰知公子無緣 敢邦己巳春

十二釵正册”，寶玉因問：“何爲‘金陵十二釵正册’？”警幻道：“即
貴省中十二冠首女子之册，故爲正册。”寶玉道：“常聽人說，
金陵極大，怎麼只十二個女子？如今單我們家裏，上上下下，
就有幾百個女孩兒。”警幻微笑道：“貴省女子固多，不過擇其
緊要者録之。兩邊二櫥則又次之。餘者庸常之輩，則無册可録
矣。”寶玉再看下首一櫥，上寫着“金陵十二釵副册”；又一櫥上
寫着“金陵十二釵又副册”。寶玉便伸手先將“又副册”櫥門
開了，拿出一本册來，揭開看時，只見這首頁上畫的，既非
人物，亦非山水，不過是水墨瀚染，滿紙烏雲濁霧而已。後
有幾行字迹，寫道是：

霽月難逢，彩雲易
散。心比天高，身爲下
賤。風流靈巧招人怨。
壽夭多因誹謗生，多情
公子空牽念。

寶玉看了，又見後
面畫着一簇鮮花，一
床破席，也有幾句言
詞，寫道是：

枉自温柔和順，空云似桂如蘭。堪羨
伶有福，誰知公子無緣。

寶玉看了不解。遂擲下這個，去開了“副册”
門，拿起一本册來，揭開看時，只見畫着一
桂花，下面有一池沼，其中水涸泥乾，蓮枯
敗。後面書云：

根並荷花一莖香，平生遭際實堪傷。自從兩地生
木，致使香魂返故鄉。

寶玉看了又不解。又去取“正册”看，只見頭一頁上，便畫着兩株枯木，木上懸着一圍

根並荷花一莖香，平生遭際實堪傷。自從兩地生孤木，致使香魂返故鄉。　　戴敦邦
欲潔何曾潔，云空未必空。可憐金玉質，終掉陷泥中。　　戴敦邦
桃李春風結子完，到頭誰似一盆蘭。如冰水好空相妒，枉與他人作笑談。　　戴敦邦

；又有一堆雪，雪下一股金簪。也有四句詩道：

    可嘆停機德，誰憐詠絮才？玉帶林中挂，金簪雪裏埋。

寶玉看了仍不解。待要問時，知他必不肯泄漏天機；待要丟下，又不捨，遂往後看時，只
畫着一張弓，弓上挂着一香櫞。也有一首歌詞云：

    二十年來辨是非，榴花開處照宮闈。三春怎及初春景，虎兔相逢大夢歸。

後面又畫着兩人放風箏，一片大海，一隻大船，船中有一女子，掩面泣涕之狀。也有四句
寫云：

    才自清明志自高，生于末世運偏消。清明涕送江邊望，千里東風一夢遙。

後面又畫幾縷飛雲，一灣逝水。其詞曰：

    富貴又何爲，襁褓之間父母違。展眼吊斜暉，湘江水逝楚雲飛。

後面又畫着一塊美玉，落在泥污之中。

其斷語云：

    欲潔何曾潔，云空未必空。可
  憐金玉質，終掉陷泥中。

後面忽畫一惡狼，追撲一美女，欲啖之
狀。其書云：

    子係中山狼，得志便猖狂。金
  閨花柳質，一載赴黃粱。

後面便是一所古廟，裏面有一美人，在
內看經獨坐。其判云：

    勘破三春景不長，緇衣頓改
  昔年妝。可憐繡戶侯門女，獨臥青
  燈古佛旁。

後面便是一片冰山，上有一隻雌鳳。其
判云：

    凡鳥偏從末世來，都知愛慕
  此生才。一從二令三人木，哭向金
  陵事更哀。

後面又是一座荒村野店，有一美人在
那裏紡績。其判曰：

    勢敗休云貴，家亡莫論親。偶
  因濟劉氏，巧得遇恩人。

詩後又畫一盆茂蘭，旁有一位鳳冠霞帔的美人。也有判云：

　　　　桃李春風結子完，到頭誰似一盆蘭。如冰水好空相妒，枉與他人作笑談。

詩後又畫一座高樓，上有一美人懸梁自盡。其判云：

　　　　情天情海幻情身，情既相逢必主淫。漫言不肖皆榮出，造釁開端實在寧。

寶玉還欲看時，那仙姑知他天分高明，性情穎慧，恐泄漏天機，便掩了卷冊，笑向寶玉道："且隨我去游玩奇景，何必在此打這悶葫蘆！"

寶玉恍恍惚惚，不覺棄了卷冊，又隨了警幻來至後面。但見朱綉幕，畫棟雕檐，說不盡的光搖朱戶金鋪地，雪照瓊窗玉作宮。更仙花馥郁，異草芳芬，真個好所在。又聽警幻笑道："你們快出迎接貴客！"一言未了，只見房中走出幾個仙子來，皆是荷蹁躚，羽衣飄舞，嬌若春花，媚如秋月。一見了寶玉，都怨警幻道："我們不知係何'貴客'，忙的接了出來。姐姐曾今日今時，必有絳珠妹子的生魂前來游玩，故我久待。故反引這濁物來污染這清净女兒之境？"寶玉聽如此說，便嚇得欲退不能，果覺自形污穢不堪。警幻忙攜住寶玉的手，向眾姊妹笑道："你等不知原委。今日原欲往榮去接絳珠，適從寧府經過，偶遇榮、寧二公之靈，囑吾云'吾家自國朝定鼎以來，功名奕世，富貴流傳，已歷百年。運終數盡，不可挽回。我等之子孫雖多，竟無可以繼業者。嫡孫寶玉一人，稟性乖張，性情怪譎，雖聰明靈慧，略可望成，無奈吾家運數合終，恐無人規引入正。幸仙姑偶來，可望以情欲聲色等事警其痴頑，或能使彼跳出迷人圈子，入于正路，亦吾兄弟之幸矣！'如此囑吾，故發慈心，引彼至此。先令彼家上、中、下三等女子之終身冊籍，令彼熟玩，尚未覺悟，故引彼再到此處，令其歷飲饌聲色之幻，或冀將來一悟，未可知也。"

說畢，攜了寶玉入室。但聞一縷幽香，不知所聞何物，寶玉遂不住相問。警幻冷笑道

情天情海幻情身，情既相逢必主淫。漫言不肖皆榮出，造釁開端實在寧。　　戴敦邦

飲酒間，又有十二個舞女上來，請問演何調曲。警幻道："就將新製《紅樓夢》十二支演來。"舞女們答應了，便輕敲檀板，款按銀箏。　　顧曾平

此香塵世中所無，爾何能知？此係諸名山勝境初生異卉之精，合各種寶林珠樹之油所
製，名爲'羣芳髓'。"寶玉聽了，自是羨慕而已。大家入座，小鬟捧上茶來。寶玉自覺香清
味美，迥非常品，因又問何名。警幻道："此茶出在放春山遣香洞，又以仙花靈葉上所帶
之露而烹，此茶名曰'千紅一窟'。"寶玉聽了，點頭稱賞。因看房內瑤琴、寶鼎、古畫、新
詩，無所不有。更喜窗下亦有唾絨，盒間時漬粉污。壁上亦有一副對聯，書云：

　　　　幽微靈秀地，無可奈何天。

　　寶玉看畢，無不羨慕。因又請問衆仙姑姓名，一名痴夢仙姑，一名鍾情大士，一名引

賈寶玉神游太虛境　警幻仙曲演紅樓夢

愁金女,一名度恨菩提,各各道號不一。少刻有小鬟來調桌安椅,擺設酒饌。真是瓊
滿泛玻璃盏,玉液濃斟琥珀杯,更不用再說此饌之盛。寶玉因此酒香冽異常,又不禁
問。警幻道:"此酒乃以百花之蕊,萬木之汁,加以麟髓之醅,鳳乳之麯釀成,因名爲'
艷同杯'。"寶玉稱賞不迭。

飲酒間,又有十二個舞女上來,請問演何調曲。警幻道:"就將新製《紅樓夢》十二
演上來。"舞女們答應了,便輕敲檀板,款按銀箏,聽他歌道是:

　　　　開闢鴻蒙……

方歌了一句,警幻道:"此曲不比塵世中所填傳奇之曲,必有生旦凈末之則,又
南北九宮之限。此或咏嘆一人,或感懷一事,偶成一曲,即可譜入管絃。若非個中人,
知其中之妙。料爾亦未必深明此調,若不先閱其稿,後聽其曲,反成
嚼蠟矣。"說畢,回頭命小鬟取了《紅樓夢》原稿來,遞與寶玉。
寶玉接過來,一面目視其文,耳聆其歌曰:

　　　　〔紅樓夢引子〕開闢鴻蒙,誰爲情種?都只爲風
月情濃。奈何天,傷懷日,寂寥時,試遣愚衷。因此
上,演出這悲金悼玉的《紅樓夢》。

　　　　〔終身誤〕都道金玉良緣,俺只念木石前
盟。空對着,山中高士晶瑩雪;終不忘,世外仙
姝寂寞林。嘆人間,美中不足今方信。縱然是
齊眉舉案,到底意難平。

　　　　〔枉凝眉〕一個是閬苑仙葩,一個是美玉無
瑕。若說沒奇緣,今生偏又遇着他!若說有奇
緣,如何心事終虛話?一個枉自嗟呀,一個空勞
牽挂。一個是水中月,一個是鏡中花。想眼中能
有多少淚珠兒,怎經得秋流到冬,春流到夏!

却說寶玉聽了此曲,散漫無稽,未見得
好處;但其聲韵凄婉,竟能銷魂醉魄。因此也

〔分骨肉〕一帆風雨路三千,把骨肉家園,齊來抛閃。恐哭損殘年。告爹娘,休把兒懸念
自古窮通皆有定,離合豈無緣?從今分兩地,各自保平安。奴去也,莫牽連! 戴敦邦
〔枉凝眉〕一個是閬苑仙葩,一個是美玉無瑕。若說沒奇緣,今生偏又遇着他!若說有
緣,如何心事終虛話?一個枉自嗟呀,一個空勞牽挂。一個是水中月,一個是鏡中花。
眼中能有多少淚珠兒,怎經得秋流到冬,春流到夏! 劉旦宅

不問其原委，也不究其來歷，就暫以此釋悶而已。因又看下面道：

〔恨無常〕喜榮華正好，恨無常又到。眼睜睜，把萬事全拋。蕩悠悠，芳魂銷耗。望家鄉，路遠山高。故向爹娘夢裏相尋告：兒命已入黃泉，天倫呵，須要退步抽身早！

〔分骨肉〕一帆風雨路三千，把骨肉家園，齊來拋閃。恐哭損殘年。告爹娘，休把兒懸念：自古窮通皆有定，離合豈無緣？從今分兩地，各自保平安。奴去也，莫牽連！

〔樂中悲〕襁褓中，父母嘆雙亡。縱居那綺羅叢，誰知嬌養？幸生來，豪闊大寬宏量，從未將兒女私情，略縈心上。好一似，霽月光風耀玉堂。配得才貌仙郎，博得個地久天長，准折得幼年時坎坷形狀。終久是雲散高唐，水涸湘江。這是塵寰中消長數應當，何必枉悲傷？

〔世難容〕氣質美如蘭，才華馥比仙。天生成孤癖人皆罕。道是啖肉食腥膻，視綺羅俗厭；却不知：好高人愈妒，過潔世同嫌。可嘆這：青燈古殿人將老；孤負了，紅粉朱樓春色闌。到頭來依舊是風塵骯髒違心願。好一似，無瑕白玉遭泥陷；又何須，王公子嘆無緣？

〔喜冤家〕中山狼，無情獸，全不念當日根由。一味的，驕奢淫蕩貪還構。觀着那，侯門艷質同蒲柳；作踐的，公府千金似下流。嘆芳魂艷魄，一載蕩悠悠。

〔虛花悟〕將那三春看破，桃紅柳綠待如何？把只韶華打滅，覓那清淡天和。說什麼，天上天桃盛，雲中杏蕊多。到頭來，誰見把秋挨過？則看那：白楊村裏人嗚咽，青楓林下鬼吟哦。更兼着，連天衰草遮墳墓。這的是，昨貧今富人勞碌，春榮秋謝花折磨。似這般，生關死劫誰能躲？聞說道，西方寶樹喚婆娑，上結着長生果。

〔聰明累〕機關算盡太聰明，反算了卿卿性命！

〔聰明累〕機關算盡太聰明，反算了卿卿性命！前生心已碎，死後性空靈。家富人寧，終一個，家亡人散各奔騰。枉費了，意懸懸半世心；好一似，蕩悠悠三更夢。忽喇喇似大廈傾，昏慘慘似燈將盡。呀！一場歡喜忽悲辛。嘆人世，終難定！　　　　戴敦邦

〔樂中悲〕襁褓中，父母嘆雙亡。縱居那綺羅叢，誰知嬌養？幸生來，英豪闊大寬宏量，從未將兒女私情，略縈心上。好一似，霽月光風耀玉堂。厮配得才貌仙郎，博得個地久天長，准折得幼年時坎坷形狀。終久是雲散高唐，水涸湘江。這是塵寰中消長數應當，何必枉悲傷？　　　　戴敦邦

〔喜冤家〕中山狼，無情獸，全不念當日根由。一味的，驕奢淫蕩貪還構。觀着那，侯門艷質同蒲柳；作踐的，公府千金似下流。嘆芳魂艷魄，一載蕩悠悠。　　　　戴敦邦

前生心已碎，死後性空靈。家富人寧，終有個，家亡人散各奔騰。枉了，意懸懸半世心，好一似，蕩悠悠三更夢。忽喇喇似大廈傾，昏慘慘似燈將盡。呀！一場歡喜忽悲辛。嘆人世，終難定！

〔留餘慶〕留餘慶，留餘慶，忽遇恩人；幸娘親，幸娘親，積得陰功。勸人生，濟困扶窮，休似俺那愛銀錢、忘骨肉的狠舅奸兄！正是乘除加減，上有蒼穹。

〔晚韶華〕鏡裏恩情，更那堪夢裏功名！那美韶華去之何迅！再休提繡帳鴛衾。只這戴珠冠，披鳳襖，也抵不了無常性命。雖說是，人生莫受老來貧，也須要陰騭積兒孫。氣昂昂，頭戴簪纓，光燦燦，胸懸金印；威赫赫，爵祿高登，昏慘慘，黃泉路近。問古來將相可還存？也只是虛名兒與後人欽敬。

〔好事終〕畫梁春盡落香塵。擅風情，秉月貌，便是敗家的根本。箕裘頹墮皆從敬，家事消亡首罪寧。宿孽總因情。

〔飛鳥各投林〕為官的，家業凋零；富貴的，金銀散盡；有恩的，死裏逃生；無情的，分明報應。欠命的，命已還；欠淚的，淚已盡。冤冤相報豈非輕，分離聚合皆前定。欲知命短問前生，老來富貴也真僥倖。看破的，遁入空門；痴迷的，枉送了性命。好一似食盡鳥投

〔虛花悟〕將那三春看破，桃紅柳綠待如何？把只韶華打滅，覓那清淡天和。說什麼，天天桃盛，雲中杏蕊多。到頭來，誰見把秋捱過？則看那：白楊村裏人嗚咽，青楓林下鬼哦。更兼着，連天衰草遮墳墓。這的是，昨貧今富人勞碌，春榮秋謝花折磨。似這般，關死劫誰能躲？聞說道，西方寶樹喚婆娑，上結着長生果。　　　戴敦邦　畫

〔留餘慶〕留餘慶，留餘慶，忽遇恩人；幸娘親，幸娘親，積得陰功。勸人生，濟困扶休似俺那愛銀錢、忘骨肉的狠舅奸兄！正是乘除加減，上有蒼穹。　　　戴敦邦　畫

那寶玉恍恍惚惚，依警幻所囑之言，未免有兒女之事，難以盡述。至次日，便柔情繾綣軟語溫存，與可卿難解難分。因二人攜手出去游玩之時，忽然至一個所在，但見荊榛遍地狼虎同行，迎面一道黑溪阻路，並無橋梁可通。正在猶豫之間，忽見警幻從後追來，說道"快休前進，作速回頭要緊！"　　　顧曾平　畫

紅樓夢　0052　第伍回

賈寶玉神游太虛境 警幻仙曲演紅樓夢

歌畢，還又歌副歌。警幻見寶玉甚無趣味，因嘆："痴兒竟尚未悟！"那寶玉忙止歌姬不必再唱，自覺朦朧恍惚，告醉求臥。警幻便命撤去殘席，送寶玉至一香閨綉閣中，其間鋪陳之盛，乃素所未見之物。更可駭者，早有一位女子在内，其鮮艷嫵媚，有似乎寶釵；風流嬝娜，則又如黛玉。正不知何意，忽警幻道："塵世中多少富貴之家，那些綠窗風月，綉閣烟霞，皆被淫污紈袴與那些流蕩女子悉皆玷辱。更可恨者，自古來，多少輕薄浪子，皆以'好色不淫'爲解，又以'情而不淫'作案，此皆飾非掩醜之語也。好色即淫，知情更淫。是以巫山之會，雲雨之歡，皆由既悦其色，復戀其情所致也。吾所愛汝者，乃天下古今第一淫人也。"

寶玉聽了，唬的忙答道："仙姑差了。我因懶于讀書，家父母尚每垂訓飭，豈敢再冒'淫'字？況且年紀尚幼，不知'淫'爲何物。"警幻道："非也。淫雖一理，意則有別。如世之好淫者，不過悦容貌，喜歌舞，調笑無厭，雲雨無時，恨不能天下之美女，供我片時之趣興：此皆皮膚濫淫之蠢物耳。如爾則天分中生成一段痴情，吾輩推之爲'意淫'。惟'意淫'二字，可心會而不可口傳，可神通而不能語達。汝今獨得此二字，在閨閣中固可爲良友，然于世道中，未免迂闊怪詭，百口嘲謗，萬目睚眦。今既遇令祖寧、榮二公，剖腹深囑，吾不忍君獨爲我閨閣增光而見棄于世道，故引子前來，醉以美酒，沁以仙茗，警以妙曲，再將吾妹一人，乳名兼美，表字可卿者，許配與汝。今夕良時，即可成姻。不過令汝領略此仙閨幻境之風光尚然如此，何況塵境之情景哉？而今後萬萬解釋，改悟前情，留意于孔孟之間，委身于經濟之道。"説畢，便秘授以雲雨之事，推寶玉入房中，將門掩上自去。

那寶玉恍恍惚惚，依警幻所囑之言，未免有兒女之事，難以盡述。至次日，便柔情綣縫，軟語温存，與可卿難解難分。因二人携手出去游玩之時，忽然至一個所在，但見荆榛遍地，狼虎同行，迎面一道黑溪阻路，並無橋梁可通。正在猶豫之間，忽見警幻從後追來，説道："快休前進，作速回頭要緊！"寶玉忙止步問道："此係何處？"警幻道："此乃迷津也。深有萬丈，遥亘千里，中無舟楫可通，只有一個木筏，乃木居士掌舵，灰侍者撑篙，不受金銀之謝，但遇有緣者渡之。爾今偶游至此，設如墮落其中，則深負我從前諄諄警戒之語矣。"話猶未了，只聽迷津内響如雷聲，有許多夜叉海鬼，將寶玉拖將下去。嚇得寶玉汗下如雨，一面失聲喊叫："可卿救我！"嚇得襲人輩衆丫鬟忙上來摟住，叫："寶玉不怕，我們在這裏！"

却説秦氏正在房外囑咐小丫頭們好生看着猫兒狗兒打架，忽聞寶玉在夢中唤他小名，因納悶道："我的小名，這裏從無人知道，他如何知得，在夢中叫出來？"正在不解，且聽下回分解。

第陸回

賈寶玉初試雲雨情　劉老老一進榮國府

却說秦氏因聽見寶玉在夢中喚他的乳名，心中自是納悶，又不好細問。彼時寶玉迷迷惑惑，若有所失。衆人忙端上桂圓湯來，喝了兩口，遂起身整衣。襲人伸手與他繫褲帶時，剛伸手至大腿處，只覺冰冷一片粘濕，唬的忙退出手來，問：“是怎麼了？”寶玉紅漲了臉，把他的手一捻。襲人本是個聰明女子，年紀又比寶玉大兩歲，近來也漸省人事。今見寶玉如此光景，心中便覺察了一半，不覺羞得紅漲了臉面，遂不敢再問。仍舊理好了衣裳，隨至賈母處來，胡亂吃過晚飯，過這邊來。

襲人趁衆奶娘丫鬟不在旁時，另取出一件中衣，與寶玉換上。寶玉含羞央道：“好姐姐，千萬別告訴別人。”襲人含羞笑問道：“你夢見什麼故事了？是那裏流出來的那些髒東西？”寶玉道：“一言難盡。”便把夢中之事，細說與襲人知了。說至警幻所授雲雨之情，羞的襲人掩面伏身而笑。寶玉亦素喜襲人柔媚姣俏，遂與襲人同領警幻所訓雲雨之事。襲人自知係賈母將他與了寶玉的，今便如此，亦不爲越理，遂和寶玉偷試了一番，幸無人撞見。自此寶玉視襲人更與別個不同，襲人侍寶玉越發盡職。暫且別無話說。

按榮府一宅中合算起來，人口雖不多，從上至下，也有三百餘口，事雖不多，一天也有一二十件，竟如亂麻一般，並沒有個頭緒可作綱領。正思從那一件事、那一個人寫起方妙，却好忽從千里之外，芥豆之微，小小一個人家，因與榮府略有些瓜葛，這日正往榮府中來，因此便就這一家説起，倒還是個頭緒。

　　原來這小小之家，姓王，乃本地人氏，祖上曾做過一個小小京官，昔年曾與鳳姐之祖、王夫人之父認識。因貪王家的勢利，便連了宗，認作侄兒。那時只有王夫人之大兄鳳姐之父，與王夫人隨在京的，知有此一門遠族，餘者皆不知也。目今其祖早故，只有一個兒子，名喚王成，因家業蕭條，仍搬出城外原鄉中住了。王成亦相繼身故，有子小名狗兒，取妻劉氏，生子小名板兒，又生一女，名喚青兒。一家四口，以務農爲業。因狗兒白日間又作些生計，劉氏又操井臼等事，青、板姊弟兩個無人管着，狗兒遂將岳母劉老老接來，一處過活。這劉老老乃是個久經世代的老寡婦，膝下又無子息，只靠兩畝薄田度日。如今女婿接了養活，豈不願意?遂一心一計，幫着女兒、女婿過活起來。

　　因這年秋盡冬初，天氣冷將上來，家中冬事未辦，狗兒未免心中煩慮，吃了幾杯悶酒，在家閑尋氣惱，劉氏不敢頂撞。因此劉老老看不過，乃勸道："姑爺，你別嗔着我多嘴。咱們村莊人家，那一個不是老老誠誠，守着多大碗兒吃多大的飯?你皆因年小時，託着那老的福，吃喝慣了，如今所以把持不定。有了錢就顧頭不顧尾，沒了錢就瞎生氣，成了什麼男子漢大丈夫了! 如今咱們雖離城住着，終是天子腳下。這'長安'城中，遍地皆是錢，只可惜沒人會去拿罷了。在家跳蹋也沒用! "狗兒聽了道："你老只會在炕頭上坐着混說，難道叫我打劫去不成?"劉老老説道："誰叫你打劫去呢?也到底大家想個方法兒才好。不然那銀子錢會自己跑到咱們家裏來不成?"狗兒冷笑道："有法兒還等到這會子呢! 我又沒有收稅的親戚，做官的朋友，有什麼法子可想的?便有也只怕他們未必來理我們呢。"

　　劉老老道："這倒也不然。'謀事在人，成事在天。'咱們謀到了，靠菩薩的保佑，有些機會，也未可知。我倒替你們想出一個機會來:當日你們原是和金陵王家連過宗的，二十年前，他們看承你們還好，如今是你們拉硬屎，不肯去俯就他，故疏遠起來。想當初我和女兒還去過一遭，他家的二小姐，着實爽快，會待人的，倒不拿大，如今現是榮國府賈二老爺的夫人。聽得他們說，如今上了年紀，越發憐貧恤老，最愛齋僧布施。如今王府雖升了邊任，只怕二姑太太還認得咱們，你何不去走動走動?或者他還念舊，有些好處，亦未可知。只要他發一點好心，拔一根寒毛比咱們的腰還壯呢! "劉氏一旁插口道："你老説得是! 你我這樣嘴臉，怎麼好到他門上去?只怕他那門上人也不肯去報，沒的去打嘴現世! "

　　誰知狗兒利名心重，聽如此説，心下便有些活動起來，又聽他妻這番話，便笑道："老老既如此説，況且當日你又見過這姑太太一次，何不你老人家明日就去走一遭

紅樓夢 第陸回

可卿蓉圃

春夢隨雲散
飛花逐水流
寄言眾兒女
何必覓閒愁

歲在戊子暮春
新篁三人繪可卿於海上聽雨庵

先試試風頭看?"劉老老道:"噯喲! 可是説的,'侯門似海',我是個什麼東西! 他家人又不認得我,去了也是白去的。"狗兒道:"不妨,我教你個法兒:你竟帶了外孫小板兒,先去找陪房周瑞,若見了他,就有些意思了。這周瑞先時曾和我父親交過一椿事,我們本極好的。"劉老老道:"我也知道。只是許多時不走動,知道他如今是怎樣?——這説不得的了。你又是個男人,這樣個嘴臉,自然去不得;我們姑娘年輕媳婦,也難賣頭賣腳的去。倒還是捨了我這副老臉,去碰一碰,果然有些好處,也大家有益。"當晚計議已定。

　　次日天未明時,劉老老便起來梳洗了,又將板兒教了幾句話。五六歲的孩子,聽見帶了他進城逛去,便喜的無不應承。于是劉老老帶了板兒,進城至寧榮街來。至榮府大門前石獅子旁,只見簇簇的轎馬。劉老老便不敢過去,且撣撣衣服,又教板兒幾句話,然後蹲在角門前。只見幾個挺胸凸肚、指手畫腳的人,坐在大門上,説東談西的。劉老老只得挨上前來問:"太爺們納福。"衆人打量了他一會,便問:"是那裏來的?"劉老老陪笑道:"我找太太的陪房周大爺的,煩那位太爺,替我請他出來。"那些人聽了,都不睬他,半日方説道:"你遠遠的那墻脚下等着,一會子他們家裏有人就出來的。"内中有一年老的説道:"不要誤了他的事,何苦耍他。"因向劉老老道:"那周大爺往南邊去了。他在後一帶住着,他娘子却在家。你從這邊繞到後街門上找就是了。"劉老老謝了,遂携着板兒繞至後門上。只見門上歇着些生意擔子,也有賣吃的,也有賣頑耍的物件,鬧吵吵三二十個孩子在那裏廝鬧。劉老老便拉住一個道:"我問哥兒一聲,有個周大娘可在家麼?"孩子道:"那個周大娘?我們這周大娘有三個呢,還有兩位周奶奶,不知是那一行當上的?"劉老老道:"他是太太的陪房。"孩子道:"這個容易,你跟我來。"引着劉老老進了後院,至一院墻邊,指道:"這就是他家。"忙又叫道:"周大媽,有個老奶奶來找你呢。"

　　周瑞家的在内忙迎了出來,問:"是那位?"劉老老迎上來,問了個:"好呀,周嫂子。"周瑞家的認了半日,方笑道:"劉老老,你好呀! 你説,這幾年不見,我就忘了。請家裏坐。"劉老老一面走,一面笑説道:"你老是貴人多忘事了,那裏還記得我們?"説着來至房中,周瑞家的命雇的小丫頭倒上茶來吃着。周瑞家的又問:"板兒倒長了這麼大了!"又問些別後閑話。又問劉老老:"今日還是路過,還是特來的?"劉老老便説:"原是特來瞧瞧你嫂子,二則也請請姑太太的安。若可以領我見一見更好,若不能,便借重嫂子轉致意罷了。"

　　周瑞家的聽了,便已猜着幾分來意。只因他丈夫昔年爭買田地一事,多得狗兒之

寶玉亦素喜襲人柔媚姣俏,遂與襲人同領警幻所訓雲雨之事。襲人自知係賈母將他與了寶玉的,今便如此,亦不爲越理,遂和寶玉偷試了一番。

戴敦邦 畫

賈寶玉初試雲雨情

劉老老一進榮國府

力，今見劉老老如此，心中難却其意；二則也要顯弄自己的體面。便笑說："老老你放心⋯
大遠的誠心誠意來了，豈有個不教你見個正佛去的?論理，人來客至回話，却不與我相⋯
干。我們這裏，都是各占一樣兒：我們男的只管春秋兩季地租子，閑時帶着小爺們出門⋯
就完了；我只管跟太太奶奶們出門的事。皆因你老是太太的親戚，又拿我當個人，投奔⋯
了我來，我竟破個例，與你通個信去。但只一件，老老有所不知，我們這裏不比五年前⋯
了。如今太太不大理事，都是璉二奶奶當家了。你道這璉二奶奶是誰?就是太太内侄女⋯
兒，當日大舅老爺的女兒，小名鳳哥的。"劉老老聽了，罕問道："原來是他?怪道呢，我⋯
當日就說他不錯的。這等說來，我今兒還得見了他?"周瑞家的道："這個自然的。如今⋯
有客來，都是這鳳姑娘周旋接待。今兒寧可不見太太，倒要見他一面，才不枉走這一遭⋯
兒。"劉老老道："阿彌陀佛! 這全仗嫂子方便了。"周瑞家的說："老老說那裏話來。俗語⋯
說的：'自己方便，與人方便。' 不過用我一句話兒，那裏費了我什麼事?"說着，便唤小⋯
丫頭到倒廳上，悄悄的打聽老太太屋裏擺了飯沒有，小丫頭去了。

　　這裏二人又說了些閑話。劉老老因說："這位鳳姑娘，今年不過二十歲罷了，就這⋯
等有本事，當這樣的家，可是難得的。"周瑞家的聽了道："嘻! 我的老老，告訴不得你⋯
呢。這位鳳姑娘，年紀雖小，行事却比世人都大呢! 如今出跳得美人一般的模樣兒，心⋯
說些有一萬個心眼子；再要賭口齒，十個會說的男人也說不過他呢，回來你見了就知⋯
道了。就只一件，待下人未免嚴了些。"說着，小丫頭回來說："老太太屋裏已擺完了⋯
飯，二奶奶在太太屋裏呢。"周瑞家的聽了，連忙起身，催着劉老老："快走，這一下來⋯
他吃飯是空兒，咱們先等着去了，若遲一步，回事的人多了，就難說話。再歇了中覺⋯
越發沒了時候了。"說着，一齊下了炕，整頓衣服，又教了板兒幾句話，隨着周瑞家的，迤⋯
迤往賈璉的住宅來。

　　先至倒廳，周瑞家的將劉老老安插在那裏略等一等，自己先過影壁，走進了院⋯
門，知鳳姐未出來，先找着了鳳姐的一個心腹通房大丫頭名唤平兒的。周瑞家的先將⋯
劉老老起初來歷說明，又說："今日大遠的來請安，當日太太是常會的，今兒不可不⋯
見，所以我帶了他進來。等奶奶下來，我細細回明，諒奶奶也不責我莽撞的。"平兒聽⋯
了，便作了個主意："叫他們進來，先在這裏坐着就是了。"周瑞家的方出去領了他們⋯
進來。上了正房臺階，小丫頭打起了猩紅氈簾，才入堂屋，只聞一陣香撲了臉來，竟不⋯
辨是何氣味，身子便似在雲端裏一般。滿屋中之物，都是耀眼爭光，使人頭暈目眩。劉⋯

劉老老陪笑道："我找太太的陪房周大爺的，煩那位太爺，替我請他出來。"那些人聽了，
都不睬他，半日方說道："你遠遠的那墙脚下等着，一會子他們家裏有人就出來的。"内
有一年老的說道："不要誤了他的事，何苦要他。"因向劉老老道："那周大爺往南邊去了，
他在後一帶住着，他娘子却在家。你從這邊繞到後街門上找就是了。"

戴敦邦 畫

老老此時點頭咂嘴念佛而已。于是引他到東邊這間屋裏，乃是賈璉的大女兒睡覺之所。平兒站在炕沿邊，打量了劉老老兩眼，只得問個"好"，讓了坐。劉老老見平兒遍身綾羅，插金戴銀，花容月貌的，便當是鳳姐兒了，才要稱"姑奶奶"，只見周瑞家的説："他是平姑娘。"又見平兒趕着周瑞家的叫他"周大娘"，方知不過是個有體面的丫頭于是讓劉老老和板兒上了炕，平兒和周瑞家的對面坐在炕沿上，小丫頭們倒了茶來吃了。

劉老老只聽見咯當咯當的響聲，大有似乎打羅櫃篩麵的一般，不免東瞧西望的。忽見堂屋中柱子上掛着一個匣子，底下又墜着一個秤鉈般一物，却不住的亂晃。劉老老心中想着："這是什麼東西？有煞用呢？"正呆時，陸聽得"當"的一聲，又若金鐘銅一般，倒唬了一跳，展眼，接着又是一連八九下。于欲問時，只見小丫頭們一齊亂跑，説"奶奶下來了。"平兒與周瑞家的忙起身説："劉老老只管坐着，等是時候，我們來請你。"説着迎出去了。

劉老老只屏聲側耳默候。只聽遠遠有人笑聲，約有一二十個婦人，衣裙悉索，漸入堂屋，往那邊屋內去了。又見三兩個婦人，都捧着大紅漆捧盒，進這邊來等候。聽得那邊説道："擺飯。"漸漸的人才散出去，只有伺候端菜幾人。半日，鴉雀不聞。忽見兩個

劉老老只聽見咯當咯當的響聲，大有似乎打羅櫃篩麵的一般，不免東瞧西望的。忽見堂屋中柱子上掛着一個匣子，底下又墜着一個秤鉈般一物，却不住的亂晃。劉老老心中想着"這是什麼東西？有煞用呢？"

葉雄 畫

鳳姐慢慢的道："怎麼還不請進來？"一面説，一面抬身要茶時，只見周瑞家的已帶了兩人立在面前了，這才忙欲起身猶未起身，滿面春風的問好，又嗔周瑞家的怎麼不早説。老老已是在地下拜了數拜，問姑奶奶安。鳳姐忙説："周姐姐，攙着不拜罷。我年輕，不認得，可也不知是什麼輩數，不敢稱呼。"周瑞家的忙回道："這就是我才回的那個老老了鳳姐點頭。

葉雄 畫

台了一張炕桌來,放在這邊炕上,桌上碗盤擺列,仍是滿滿的魚肉在内,不過略動了幾樣。板兒一見了,便吵着要肉吃,劉老老一巴掌打了開去。忽見周瑞家的笑嘻嘻走過來,招手兒叫他。劉老老會意,于是帶着板兒下炕,至堂屋中,周瑞家的又和他唧唧了一會,方蹭到這邊屋内。

　　只見門外銅鈎上懸着大紅洒花軟簾,南窗下是炕,炕上大紅條氈,靠東邊板壁立着一個鎖子錦靠背與一個引枕,鋪着金心綠閃緞大坐褥,旁邊有銀唾盒。那鳳姐家常帶着紫貂昭君套,圍着那攢珠勒子,穿着桃紅洒花襖,石青刻絲灰鼠披風,大紅洋縐銀鼠皮裙,粉光脂艷,端端正正坐在那裏,手内拿着小銅火箸兒,撥手爐内的灰。

平兒站在炕沿邊,捧着小小的一個填漆茶盤,盤内一個小蓋鍾。鳳姐也不接茶,也不抬頭,只管撥手爐的灰,慢慢的道:「怎麼還不請進來?」一面說,一面抬身要茶時,只見周瑞家的已帶了兩個人立在面前了,這才忙欲起身猶未起身,滿面春風的問好,又嗔周瑞家的怎麼不早說。劉老老已是在地下拜了數拜,問姑奶奶安。鳳姐忙說:「周姐姐,攙着不拜罷。我年輕,不大認得,可也不知是什麼輩數,不敢稱呼。」周瑞家的忙回道:「這就是我才回的那個老老了。」鳳姐點頭。劉老老已在炕沿上坐下了。板兒便躲在他身後,百端的哄他出來作揖,他死也不肯。

鳳姐笑道："親戚們不大走動，都疏遠了。知道的呢，說你們棄厭我們，不肯常來﹔不知道的那起小人，還只當我們眼裏沒有人似的。"劉老老忙念佛道："我們家道艱難，走不起，來了這裏，沒的給姑奶奶打嘴，就是管家爺們看着也不像。"鳳姐笑道："這話沒的教人惡心。不過借賴着祖父虛名，作個窮官兒罷了，誰家有什麼﹖不過是個舊日的空架子。俗語說，'朝廷還有三門子窮親'呢，何況你我。"說着，又問周瑞家的："回了太太了沒有﹖"周瑞家的道："如今等奶奶的示下。"鳳姐兒道："你去瞧瞧，要是有人有事就罷﹔得閑呢，就回，看怎麼說。"周瑞家的答應去了。

這裏，鳳姐叫人抓些果子與板兒吃，剛問了幾句閑話時，就有家下許多媳婦兒管事的來回話。平兒回了，鳳姐道："我這裏陪客呢，晚上再來回。若有要緊的，你就帶進來辦。"平兒出去，一會進來說："我問了，沒什麼緊事，我就叫他們散了。"鳳姐點頭。只見周瑞家的回來，向鳳姐道："太太說了﹕今日不得閑，二奶奶陪着便一樣的。多謝費心想着。白來逛逛呢便罷，若有甚說的，只管告訴二奶奶，都是一樣。"劉老老道："也沒甚的說，不過是來瞧瞧姑太太、姑奶奶，也是親戚們情分。"周瑞家的說道："沒有甚說的便罷，若有話，只管回二奶奶，是和太太一樣的。"一面說，一面遞眼色與劉老老。劉老老會意，未語先飛紅的臉，欲待不說，今日又所爲何來﹖只得忍恥道："論理，今日初次見姑奶奶，却不該說的，只是大遠的奔了你老這裏來，少不得說了。"

剛說到這裏，只聽二門上小斯們回說："東府裏小大爺進來了。"鳳姐忙止道："劉老老，不必說了。"一面便問："你蓉大爺在那裏呢﹖"只聽一路靴子脚響，進來了一個十七八歲的少年，面目清秀，身材夭嬌，輕裘寶帶，美服華冠。劉老老此時坐不是，立不是，藏沒處藏。鳳姐笑道："你只管坐着，這是我侄兒。"劉老老方扭扭捏捏在炕沿上坐了。賈蓉笑道："我父親打發我來求嬸子，說上回老舅太太給嬸子的那架玻璃炕屏，明日請一個要緊的客，借去略擺一擺就送過來的。"鳳姐道："遲了一日，昨兒已給了人了。"賈蓉聽說，便嘻嘻的笑着，在炕沿子上下個半跪，道："嬸子若不借，我父親又說我不會說話了，又挨了一頓好打呢。嬸子只當可憐侄兒罷。"鳳姐笑道："也沒見我們王家的東西都是好的，你們那裏也放着那些好東西，只是看不見我的東西才罷，一見了就要想得去。"賈蓉笑道："只求開恩罷。"鳳姐道："碰壞一點，你可仔細你的皮！"因命平兒："拿了樓門上鑰匙，傳幾個妥當人來抬去。"賈蓉喜的眉開眼笑，忙說："我親自帶了人拿去，別由他們亂碰。"說着，便起身出去了。這鳳姐忽又想起一事來，便向窗外叫："蓉兒，回

那劉老老先聽見告艱苦，只當是沒想頭了﹔又聽見給他二十兩銀子，喜得眉開眼笑道："我們也知艱難的。但俗語道：'瘦死的駱駝比馬還大些。'憑他怎樣，你老拔一根寒毛比我們的腰還壯哩！"周瑞家的在旁，聽見他說的粗鄙，只管使眼色止他。鳳姐笑而不睬，叫平兒把昨兒那包銀子拿來，再拿一串錢來，都送至劉老老跟前。

葉雄 畫

姥姥進府
之三
庚辰
仲夏日
葉雄畫

來!"外面幾個人接聲說:"請蓉大爺快回來。"賈蓉忙轉回來,垂手侍立,聽何指示。那鳳姐只管慢慢地吃茶,出了半日神,方笑道:"罷了,你且去罷。晚飯後你來再説罷。這會子有人,我也没精神了。"賈蓉方慢慢退去。

這劉老老身心方安,便説道:"我今日帶了你侄兒,不爲別的,只因他爹娘在家裏連吃的也没有。天氣又冷了,只得帶了你侄兒奔了你老來。"説着又推板兒道:"你爹在家裏怎麽教你的?打發咱們來作煞事的?只顧吃果子呢。"鳳姐早已明白了,聽他不會説話,因笑止道:"不必説了,我知道了。"因問周瑞家的道:"這老老不知可用了早飯没有呢?"劉老老忙道:"一早就往這裏趕咧,那裏還有吃飯的工夫咧。"鳳姐忙命:"快傳飯來。"一時,周瑞家的傳了一桌客饌來,擺在東邊屋裏,過來帶了劉老老和板兒過去吃飯。鳳姐説道:"周姐姐好生讓着些兒,我不能陪。"于是過東邊房裏來。鳳姐又叫過周瑞家的去,道:"方才回了太太,説些什麽?"周瑞家的道:"太太説:他們原不是一家子,是當年他們的祖與老太爺在一處做官,因連了宗的。這幾年不大走動。當時他們來了却也從没空過的。今來瞧瞧我們,也是他的好意,不可簡慢了他。便有什麽話説,叫二奶奶裁奪着就是了。"鳳姐聽了,説道:"怪道,既是一家子,我如何連影兒也不知道。"

説話間,劉老老已吃完了飯,拉了板兒過來,磕唇咂嘴的道謝。鳳姐笑道:"且請坐下,聽我告訴你老人家。方才的意思,我已知道了。論親戚之間,原該不待上門來,就該照應才是。但如今家中事情太多,太太上了年紀,一時想不到是有的。況我接着管事,就不大知道這些親戚們。一則外面看着雖是烈烈轟轟,不知大有大的難處,説與人也未必信呢。今你既大遠的來了,又是頭一次兒向我張口,怎好教你空手回去?可巧昨兒太太給我的丫頭們作衣裳的二十兩銀子,還没動呢,你不嫌少,且先拿了去用罷。"那劉老老先聽見告艱苦,只當是没想頭了;又聽見給他二十兩銀子,喜得眉開眼笑道:"我們也知艱難的。但俗語道:'瘦死的駱駝比馬還大些。'憑他怎樣,你老拔一根寒毛比我們的腰還壯哩!"周瑞家的在旁,聽見他説的粗鄙,只管使眼色止他。鳳姐笑而不睬,叫平兒把昨兒那包銀子拿來,再拿一串錢來,都送至劉老老跟前。鳳姐道:"這是二十兩銀子,暫且給這孩子們作件冬衣罷。改日無事,只管來逛逛,方是親戚們的意思。天也晚了,不虛留你們了,到家該問好的,都問個好兒。"一面説,一面就站了起來了。

劉老老只是千恩萬謝的,拿了銀錢,隨周瑞家的走至外廂。周瑞家的道:"我的娘,你怎麽見了他倒不會説了?開口就是'你侄兒'。我説句不怕你惱的話:便是親侄兒,也要説和軟些。那蓉大爺才是他的侄兒呢!他怎麽又跑出這樣侄兒來了?"劉老老笑道:"我的嫂子!我見了他,心眼兒愛還愛不過來,那裏還説上話兒來?"二人説着,又至周瑞家坐了片刻。劉老老要留下一塊銀與周家的孩子們買果子吃,周瑞家的如何放在眼裏,執意不肯。劉老老感謝不盡,仍從後門去了。未知劉老老去後如何,且聽下回分解。

話說周瑞家的送了劉老老去後，便上來回王夫人話。誰知王夫人不在上房，問丫鬟們，方知往薛姨媽那邊閑話去了。周瑞家的聽說，便出東角門至東院，往梨香院來。剛至院門前，只見王夫人的丫鬟金釧兒，和那一個才留了頭的小女孩兒站在臺階上頑。見周瑞家的來了，便知有話來回，因向內努嘴兒。周瑞家的輕輕掀簾進去，只見王夫人和薛姨媽長篇大套的說些家務人情等話。周瑞家的不敢驚動，遂進裏間來。

只見薛寶釵家常打扮，頭上只挽着鬏兒，坐在炕裏邊，伏在小炕几上，同丫鬟鶯兒正描花樣子呢。見他進裏來，寶釵便放下筆，轉身來，滿面堆笑讓：“周姐姐坐。”周瑞家的也忙陪笑，問道：“姑娘好？”一面炕沿邊坐了。因說：“這有兩三天也沒見姑娘到那邊逛逛去，只怕是你寶兄弟衝撞了你不成？”寶釵笑道：“那裏的話。只因我那種病又發了兩天，所以且靜養兩日。”周瑞家的道：“正是呢，姑娘到底有什麼病根兒？也該趁早請個大夫認真醫治。小小的年紀倒作下個病根，也不是頑的。”寶釵聽說，笑道：“再不要提起，為這病根，也不知請了多少大夫，吃了多少藥，花了多少錢，總不見一點效驗。後來還虧了一個禿頭和尚，專治無名之病，因請他看了。他說我這是從胎裏帶來的一股熱毒，幸而我先天結壯，還不相干，若吃丸藥，是不中用的。他就說了一個海上方，又給了一包末藥作引，異香異氣的。他說發了時，吃一丸就好。倒也奇怪，這倒效驗些。”

周瑞家的因問道：“不知是什麼海上

方?姑娘説了，我們也好記着，説與人知道；倘遇見這樣的病，也是行好的事。"寶釵笑道："不問這方兒還好，若問這方，真真把人瑣碎壞了。東西藥料一概都有限，易得的，只難得'可巧'二字：要春天開的白牡丹花蕊心十二兩，夏天開的白荷花蕊十二兩，秋天白芙蓉蕊十二兩，冬天的梅花蕊十二兩。將這四樣花蕊于次年春分這日曬乾，和在末藥一處，一齊研好；又要雨水這日的天落水十二錢……"周瑞家的忙笑道："噯喲！這樣説來，這就得三年的工夫。倘或雨水這日不下雨，可又怎處呢？"寶釵笑道："所以了，那裏有這樣可巧的雨？也只好再等罷了。還要白露這日的露水十二錢，霜降這日的霜十二錢，小雪這日的雪十二錢。把這四樣水調勻，和了龍眼大的丸子，盛在舊磁壇內，埋在花根底下。若發了病時，拿出來吃一丸，用十二分黃柏，煎湯送下。"周瑞家的聽了，笑道："阿彌陀佛！真巧死了人。等十年都未必這樣巧呢。"寶釵道："竟好，自他説了去後，一二年間，可巧都得了，好容易配成一料。如今從南帶至北，現埋在梨花樹下。"周瑞家的又道："這藥本有名字沒有呢？"寶釵道："有。這也是那癩和尚説下的，叫作'冷香丸'。"周瑞家的聽了點頭兒，因又説："這病發了時到底覺怎樣？"寶釵道："也不覺什麼，只不過喘嗽些，吃一丸也就罷了。"

周瑞家的還要説話時，忽聽王夫人問道："誰在裏頭？"周瑞家的忙出去答應了，便回了劉老老之事。略待半刻，見王夫人無話，方欲退出去，薛姨媽忽又笑道："你且站住。我有一種東西，你帶了去罷。"説着，便叫："香菱。"簾櫳響處，才和金釧兒頑的那個小丫頭進來了，問："奶奶叫我做什麼？"薛姨媽道："把那匣子裏的花兒拿來。"香菱答應了，向那邊捧了個小錦匣兒來。薛姨媽道："這是宮裏頭作的新鮮花樣兒，堆紗花十二支。昨兒我想起來，白放着可惜舊了，何不給他們姊妹們戴去。昨兒要送去，偏又忘了。你今兒來得巧，就帶了去罷。你家的三位姑娘，每位二支，剩下六支，送林姑娘二支，那四支給鳳姐兒罷。"王夫人道："留着給寶丫頭戴也罷了，又想着他們。"薛姨媽："姨媽知,寶丫頭古怪呢,他從來不愛這些花兒粉兒的。」

說着,周瑞家的拿了匣子,走出房門,見金釧兒仍在那裏曬日陽。周瑞家的因問他道:「那香菱小丫頭子,可就是時常說的,臨上京時買的,為他打人命官司的那個小丫頭子?」金釧道:「可不就是他。」正說着,只見香菱笑嘻嘻的走來。周瑞家的便拉了他的手,細細的看了一回,因向金釧兒笑道:「這個模樣兒,竟有些像咱們的東府裏蓉大奶奶的品格。」金釧兒笑道:「我也是這麼說呢。」周瑞家的又問香菱:「你幾歲投身到這裏?」又問:「你父母今在何處?今年十幾歲了?本處是那處人?」香菱聽問,搖頭說:「不記得了。」周瑞家的和金釧兒聽了,倒反為嘆息感傷一回。

一時周瑞家的携花至王夫人正房後。原來近日賈母說孫女們太多,一處擠着倒不便,只留寶玉、黛玉二人在這邊解悶,却將迎春、探春、惜春三人移到王夫人這邊房後三間抱厦內居住,令李紈陪伴照管。如今周瑞家的故順路先往這裏來。只見幾個小丫頭兒都在抱厦內廊唤,默坐。迎春丫鬟司棋與探春的丫鬟侍書二人正掀簾子出來,手裏都捧着茶盤茶鍾。周瑞家的便知他姊妹在一處坐着,也進入內房。只見迎春、探春二人正在窗下圍棋。周瑞家的將花送上,說明原故,他二人忙住了棋,都欠身道謝,命丫鬟們收了。

周瑞家的答應了,因說:「四姑娘不在房裏,只怕在老太太那邊呢。」丫鬟們道:「在那屋裏不是?」周瑞家的聽了,便往這邊屋裏來。只見惜春正同水月庵的小姑子智能兩個一處頑笑,見周瑞家的進來,惜春便問他何事。周瑞家的便將花匣打開,說明原故。惜春笑道:「我這裏正和智能兒說,我明兒也剃了頭,同他作姑子去,可巧兒又送了花來;若剃了頭,却把這花戴在那裏?」說着,大家取笑一回,惜春命丫鬟入畫來收了。周瑞家的因問智能:「你是什麼時候來的?你師父那禿歪剌那裏去了?」智能道:「我們一早就來了。我師父見過太太,就往於老爺府裏去了,叫我在這裏等他呢。」周瑞家的又道:「十五的月例香供銀子,可得了沒有?」智能道:「不知道。」惜春聽了,便問周瑞家的:「如今各廟月例銀子,是誰管着?」周瑞家的道:「是余信管着。」惜春聽了笑道:「這就是了。他師父一來了,余信家的就趕上來和他師父咕唧了半日,想就是為這事了。」

那周瑞家的又和智能兒嘮叨了一回,便往鳳姐處來。穿夾道,從李紈後窗下,越過西花牆,出西角門,進入鳳姐院中。走至堂屋,只見小丫頭豐兒坐在鳳姐的房門檻上。一見周瑞家的來了,連忙擺手兒,叫他往東屋裏去。周瑞家的會意,忙的躡手躡腳的往東邊房裏來,只見奶子拍着大姐兒睡覺呢。周瑞家的悄問奶子:「姐兒睡中覺呢?也該請醒了。」奶子搖頭兒。正問着,只聽那邊一陣笑聲,却有賈璉的聲音。接着,房門響處,平兒拿着大銅盆出來,叫豐兒舀水進去。平兒便這邊來,一見了周瑞家的,便問:「你老人家又來作什麼?」周瑞家的忙起身,拿匣子與他,說:「送花來。」平兒聽了,便打開匣子,拿了四支,轉身去了。半刻工夫,手裏拿出兩支來,先叫彩明來,吩咐他:「送到那邊府裏,給小蓉大奶奶戴。"次後方命周瑞家的回去道謝。周瑞家的這才往賈母這邊來。

過了穿堂,頂頭忽見他的女兒,打扮着才從他婆家來。周瑞家的忙問:"你這會子跑來作什麼?"他女兒說:"媽一向身上好?我在家裏等了這半日,媽竟不出去,什麼事情這樣忙的不回家?我等煩了,自己先到了老太太跟前請了安了,這會子請太太安去。媽還有什麼不了的差事?手裏是什麼東西?"周瑞家的笑道:"噯!今兒偏生來了個劉姥姥,我自己多事,爲他跑了半日。這會子被姨太太看見了,叫送這幾支花兒與姑娘、奶奶們,這會子還沒送完呢。你這會子來,一定有什麼事情的。"他女兒笑道:"你老人家倒會猜着。實對你老人家說,你女婿因前兒多吃了幾杯酒,和人分争起來,不知怎的被人放了一把邪火,說他來歷不明,告到衙門裏,要遞解還鄉。所以我來和你老人家商議商議,這個情分,求那一個可了事?"周瑞家的聽了道:"我就知道的。這有什麼大不了的!你且家去等我,我送這林姑娘的花兒去了,就回家來。此時太太、二奶奶都不得閒兒,你回去等我。這有什麼忙的?"他女兒聽說,便回去了,還說:"媽,好歹快來!"周瑞家的道:"是了。小人兒家,沒經過什麼事的,就急得這樣的。"說着,便到黛玉房中去了。

誰知此時黛玉不在自己房裏,却在寶玉房中,大家解九連環作戲。周瑞家的進來笑道:"林姑娘,姨太太着我送花來與姑娘戴。"寶玉聽說,便說:"什麼花?拿來與我看。"一面便伸手接過來了。開匣看時,原來是兩支宮製堆紗新巧的假花。黛玉只就寶玉手中看了一看,便問道:"還是單送我一人,還是別的姑娘們都有的?"周瑞家的道:"各位都有了,這兩支是姑娘的了。"黛玉冷笑道:"我就知道,別人不挑剩下的也不給我。"周瑞家的聽了,一聲兒不言語。寶玉問道:"周姐姐,你作什麼到那邊去了?"周瑞家的因說:"太太在那裏,我回話去了,姨太太就順便叫我帶來的。"寶玉道:"寶姐姐在家裏作什麼呢?怎麼這幾日也不過來?"周瑞家的道:"身上不大好呢。"寶玉聽了,便和丫頭們:"誰去瞧瞧?就說我和林姑娘打發來問姨娘、姐姐安。問姐姐是什麼病,吃什麼藥。論理,我該親自來,就說才從學裏回來,也着了些涼,改日再親來。"說着,茜雪便答應去了。周瑞家的自去,無話。

原來周瑞家的女婿,便是雨村的好友冷子興,近日因賣古董和人打官司,故叫女人來討情分。周瑞家的仗着主子的勢,把這些事也不放在心上,晚間只求鳳姐兒便完了。

至掌燈時,鳳姐已卸了妝,來見王夫人,回說:"今兒甄家送來的東西,我已收了。咱們送他的,趁着他家有年下送鮮的船,交給他帶了去了。"王夫人點點頭。鳳姐又道

周瑞家的進來笑道:"林姑娘,姨太太着我送花來與姑娘戴。"寶玉聽說,便說:"什麼花?拿來與我看。"一面便伸手接過來了。開匣看時,原來是兩支宮製堆紗新巧的假花。黛玉只就寶玉手中看了一看,便問道:"還是單送我一人,還是別的姑娘們都有的?"周瑞家的道:"各位都有了,這兩支是姑娘的了。"黛玉冷笑道:"我就知道,別人不挑剩下的也不給我。"

顧曾平 畫

臨安伯老太太生日的禮，已經打點了，太太派誰送去？」王夫人道：「你瞧誰閑着，叫四個女人去就完了，又來問我。」鳳姐又道：「今日珍大嫂子來，請我明日去逛逛。明日有沒有什麼事？」王夫人道：「有事沒事，都害不着什麼。每常他來請，有我們，你自然不便；他既不請我們，單請你，可知是他誠心叫你散淡散淡，別辜負了他的心，倒該過去走走才是。」鳳姐答應了。當下李紈、迎、探等姊妹們亦各定省畢，各歸房無話。

次日，鳳姐梳洗了，先回王夫人畢，方來辭賈母。寶玉聽了，也要逛去。鳳姐只得答應着，立等換了衣裳，姐兒兩個坐了車，一時進入寧府。早有賈珍之妻尤氏與賈蓉之妻秦氏婆媳兩個，引了多少侍妾丫鬟等，接出儀門。那尤氏一見了鳳姐，必先嘲笑一陣，一手携了寶玉，同入上房來。歸坐，秦氏獻茶畢，鳳姐便説：「你們請我來作什麼？拿什麼東西來孝敬，就獻上來，我還有事呢。」尤氏、秦氏未及答應，幾個媳婦們先笑道：「二奶奶今日不來就罷，既來了，就依不得你了，二奶奶。」正説着，只見賈蓉進來請安。寶玉因問：「大哥哥今日不在家麼？」尤氏道：「今日出城請老爺安去了。」又

道："可是，你怪悶的，坐在這裏，何不出去逛逛？"

秦氏笑道："今日可巧，上回寶叔要見我兄弟，今兒也在這裏，想在書房裏，寶叔何不去瞧一瞧？"寶玉即下炕要走。尤氏便吩咐人："小心跟着，別委曲着他，倒比不得跟着老太太過來就罷了。"鳳姐道："既這麼着，何不請進這小爺來，我也見見，難道是見不得他的？"尤氏笑道："罷，罷！可以不必見他。比不得咱家的孩子們，胡打海摔跌慣了的。人家的孩子，都是斯斯文文慣了的，不像你這'潑辣貨'形像，倒要被你話死了呢。"鳳姐笑道："我不笑話就罷。"竟叫："快領去！"賈蓉道："他生得腼腆，沒見過大陣仗兒，嬸子見了，沒得生氣。"鳳姐啐道："他是'哪吒'，我也要見一見。別放你娘的屁了！再不帶來，給你一頓好嘴巴子！"賈蓉笑道："我不敢強，就帶他來。"一會兒，果然帶了一個小後生來，較寶玉略瘦些，眉清目秀，粉面朱唇，身材俊俏，舉止風流，似在寶玉之上。只是怯怯羞羞，有女兒之態，腼腆含糊的向鳳姐作揖問好。鳳姐喜的先推寶玉，笑道："比下去了！"便探身一把携了這孩子的手，就命他身旁坐下，慢慢的問他年紀、讀書等事，方知他學名叫秦鍾。早有鳳姐跟的丫鬟媳婦們，看見鳳姐初會秦鍾，並未備得表禮來，遂忙過那邊去告訴平兒。平兒素知鳳姐與秦氏厚密，遂自作主意，拿了一匹尺頭、兩個狀元及第的小金錁子，交付來人送過去，鳳姐還說太簡薄些。秦氏等謝畢。一時吃過了飯，尤氏、鳳姐、秦氏等抹骨牌，不在話下。

寶玉、秦鍾二人，隨便起坐說話。那寶玉自一見秦鍾人品，心中便有所失，痴了半日，自己心中又起了呆意，乃自思道："天下竟有這等的人物！如今看了，我竟成了泥猪癩狗了。可恨我爲什麼生在這侯門公府之家！若也生在寒儒薄宦之家，早得與他交接，也不枉生了一世。我雖比他尊貴，可知綾綿紗羅，也不過裹了我這枯株朽木；美酒羊羔，也只不過填了我這糞窟泥溝。'富貴'二字，不啻遭我荼毒了！"秦鍾自見寶玉形容出衆，舉止不浮，更兼金冠繡服，艷婢嬌童："果然怨不得人人溺愛他。可恨我偏生于清寒之家，那能與他交接？可知'貧富'二字限人，亦世界上大不快事。"二人一樣的胡思亂想。寶玉又問他讀什麼書，秦鍾見問，便依實而答。二人你言我語，十來句後，越覺親熱起來。

一時擺上茶果吃茶。寶玉便説："我們兩個又不吃酒，把果子擺在裏間小炕上，我們那裏坐去，省得鬧你們。"于是二人進裏間來吃茶。秦氏一面張羅與鳳姐擺果酒，一面進來囑寶玉道："寶叔，你侄兒年小，倘或言語不防頭，你千萬看着我，不要睬他。他雖腼腆，却性子左強，不大隨和些是有的。"寶玉笑道："你去罷，我知道了。"秦氏又囑他兄弟一回，方去陪鳳姐。一時鳳姐、尤氏又打發人來問寶玉："要吃什麼，外面有，只管要去。

衆人見他太撒野，只得上來了幾個，揪翻捆倒，拖往馬圈裏去。焦大益發連賈珍都説出來，亂嚷亂叫。

戴敦邦 畫

寶玉只答應着，也無心在飲食間。只問秦鍾近日家務等事。秦鍾因言："業師于去歲辭館，家父年紀老了，賤疾在身，公務繁冗，因此尚未議及延師，目下不過在家溫習舊課而已。再讀書一事，也必須有一二知己爲伴，時常大家討論，才能進益。"寶玉不待説完，便道："正是呢，我們家却有個家塾，合族中有不能延師的，便可入塾讀書，親戚子弟，可以附讀。我因上年業師回家去了，也現荒廢着。家父之意，亦欲暫送我去，且溫習着舊書，待明年業師上來，再各自在家亦可。家祖母因説：一則家學裏子弟太多，生恐大家淘氣，反不好；二則也因我病了幾天，遂暫且耽擱着。如此説來，尊翁如今也爲此事懸心。今日回去，何不稟明，就往我們這敝塾中來，我亦相伴，彼此有益，豈不是好事？"秦鍾笑道："家父前日在家，提起延師一事，也曾提起這裏的義學倒好，原要來和這裏的親翁商議引薦。因這裏又有事忙，不便爲這點小事來聒絮的。寶叔果然度小侄或可磨墨滌硯，何不速速的作成，彼此不致荒廢，又可以常相談聚，又可以慰父母之心，又可以得朋友之樂，豈不美事？"寶

玉道："放心，放心。咱們回來，先告訴你姊夫姐姐和璉二嫂子。今日你回家就稟明令尊，我回去稟明了祖母，再無不速成之理。"二人計議已定，那天氣已是掌燈時分。出來又看他們頑了一回牌，算賬時，却又是秦氏、尤氏二人輸了戲酒的東道，言定後日吃這東道。一面又吃了晚飯。

因天黑了，尤氏説："派兩個小子，送了秦相公家去。"媳婦們傳出去半日，秦鍾告辭起身。尤氏問："派誰送去？"媳婦們回説："外頭派了焦大，誰知焦大醉了，又罵呢。"尤氏、

秦氏都道：「偏又派他作什麼？那個小子派不得？偏又惹他！」鳳姐道：「成日家説你太軟弱了，縱得家裏人這樣，還了得呢！」尤氏道：「你難道不知這焦大的？連老爺都不理他的，你珍大哥哥也不理他。因他從小兒跟着太爺出過三四回兵，從死人堆裏把太爺背了出來，得了命；自己挨着餓，却偷了東西給主子吃；兩日沒水，得了半碗水，給主子吃他自己喝馬溺。不過仗着這些功勞情分，有祖宗時，都另眼相待，如今誰肯難爲他？他自己又老了，又不顧體面，一味的好酒，喝醉了無人不罵。我常説給管事的，以後不要派他差使，只當他是個死的就完了。今兒又派了他！」鳳姐道：「我何曾不知這焦大？到底是你們沒主意，何不遠遠的打發他到莊子上去就完了。」説着，因問：「我們的車可備了？」衆媳婦們説：「伺候齊了。」

鳳姐也起身告辭，和寶玉携手同行。尤氏等送至大廳口，見燈火輝煌，衆小厮都在丹墀站立。那焦大又恃賈珍不在家，因趁着酒興，先罵大總管賴二，説他：「不公道，欺軟怕硬，有好差使派了別人，這樣黑更半夜送人，就派我。沒良心的忘八羔子！瞎眼管家！你也不想想，焦大太爺蹺起一隻腿，比你的頭還高些。二十年頭裏的焦大太爺，眼裏有誰？別説你們這一把子的雜種們！」正罵得興頭上，賈蓉送鳳姐的車出來。衆人喝他不住，賈蓉忍不得便罵了幾句，叫人：「捆起來！等明日酒醒了，問他還尋死不尋死！」那焦大那裏有賈蓉在眼裏？反大叫起來，趕着賈蓉叫：「蓉哥兒，你別在焦大跟前使主子性兒！別説你這樣兒的，就是你爹、你爺爺，也不敢和焦大挺腰子呢！不是焦大一個人，你們作官兒，享榮華，受富貴？你祖宗九死一生，挣下這個家業，到如今不報我的恩，反和我充起主子來了！不和我説別的還可，再説別的，咱們白刀子進去，紅刀子出來！」鳳姐在車上説與賈蓉：「還不早些打發了没王法的東西！留在家裏，豈不是害？親友知道，豈非笑話咱們這樣的人家，連個規矩都沒有？」賈蓉答應：「是了。」

衆人見他太撒野，只得上來了幾個，揪翻捆倒，拖往馬圈裏去。焦大益發連賈珍都説出來，亂嚷亂叫説：「我要往祠堂裏哭太爺去。那裏承望到如今生下這些畜生來！每日偷狗戲雞，爬灰的爬灰，養小叔的養小叔子，我什麼不知道？咱們『胳膊折了往袖子裏藏』！」衆小厮見他説出來的話有天沒日的，唬得魂飛魄喪，便把他捆起來，用土和馬糞滿滿的填了他一嘴。

鳳姐和賈蓉也遥遥聽得，都妝作不聽見。寶玉在車上聽見，因問鳳姐道：「姐姐，你聽他説『爬灰的爬灰』，是什麼？」鳳姐連忙喝道：「少胡説！那是醉漢嘴裏胡唚，你是什麼樣的人，不説不聽見，還倒細問？等我回了太太，仔細捶你不捶你！」嚇得寶玉連忙央告：「好姐姐，我再不敢説這些話了。」鳳姐哄他道：「好兄弟，這才是。等回去咱們回了老太太，打發人家學裏説明了，請了秦鍾家學裏念書去要緊。」説着，自回榮府而來。要知端的，且聽下回分解。

〈第捌回〉

賈寶玉奇緣識金鎖｜薛寶釵巧合認通靈

話説寶玉和鳳姐回家，見過衆人，寶玉便回明賈母要秦鍾上家塾之事，自己也有個伴讀的朋友，正好發憤；又着實稱贊秦鍾的人品行事，最使人憐愛。鳳姐又在一旁幫着説："改日秦鍾還來拜老祖宗哩。"説得賈母喜悦起來。鳳姐又趁勢請賈母後日過去看戲。賈母雖年高，卻極有興頭。至後日，尤氏來請，遂携了王夫人、林黛玉、寶玉等過去看戲。至晌午，賈母便回來歇息了。王夫人本是好清净的，見賈母回來，也就回來了。然後鳳姐坐了首席，盡歡至晚而罷。

卻説寶玉送賈母回來，待賈母歇了中覺，竟欲還去看戲，又恐擾的秦氏等人不便，因想起寶釵近日在家養病，未去親候，意欲去望他。若從上房後角門過去，又恐遇見別事纏繞，又恐遇他父親，更爲不安，寧可繞遠路而去。當下衆嬤嬤丫鬟伺候他換衣服，見不換，仍出二門去了，衆嬤嬤丫鬟只得跟隨出來，還只當他去那邊府中看戲。誰知到了穿堂，便向東向北繞廳後而去。偏頂頭遇見了門下清客相公詹光、單聘仁二人走來，一見了寶玉，便都趕上來笑着，一個抱住腰，一個携着手，都道："我的菩薩哥兒！我説做了好夢呢，好容易遇見了你。"説着，請了安，又問好，嘮叨了半日才走開。老嬤叫住，因問："你二位爺，是往老爺跟前來的不是？"他二人點頭道："老爺在夢坡齋小書房裏歇中覺呢，不妨事的。"一面説，一面走了。説的寶玉也笑了。于是轉灣向北，奔梨香院來。可巧銀庫房的總領名喚吳新登與倉上的頭目名戴良，還有幾個管事的頭目，共七個人，從賬房裏出來，

一見寶玉，趕來都一齊垂手站立。獨有一個買辦，名喚錢華，因他多日未見寶玉，忙來打千兒，請寶玉的安，寶玉忙含笑拉他起來。眾人都笑說："前兒在一處看見二爺寫的斗方兒，字法越發好了。多早晚賞我們幾張貼貼。"寶玉笑道："在那處看見了?"眾人道："好幾處都有，都稱贊的了不得，還和我們尋呢。"寶玉笑道："不值什麼，你們說給我的小幺兒們就是了。"一面說，一面前走。眾人待他過去，方都各自散了。閑言少述。

　　且說寶玉來至梨香院中，先入薛姨娘屋中來，見薛姨媽打點針綫與丫鬟們呢，寶玉忙請了安。薛姨媽忙一把拉住了他，抱入懷中，笑說："這麼冷天，我的兒! 難為你想着來，快上炕來坐着罷。"命人："倒滾滾的茶來!"寶玉因問："哥哥不在家?"薛姨媽嘆道："他是沒籠頭的馬，天天逛不了，那裏肯在家一日。"寶玉道："姐姐可大安了?"薛姨媽道："可是呢，你前兒又想着，打發人來瞧他。他在裏間不是?你去瞧他。那裏比這裏暖和，你那裏坐着，我收拾收拾就進來和你說話兒。"寶玉聽了，忙下炕來至裏間門前，只見吊着半舊的紅綢軟簾。寶玉掀簾，一步進去，先就看見寶釵坐在炕上作針綫，頭上挽着黑漆油光的䯼髻兒，蜜合色棉襖，玫瑰紫二色金銀鼠比肩褂，葱黃綾棉裙，一色半新不舊，看去不覺奢華。唇不點而紅，眉不畫而翠，臉若銀盆，眼如水杏。罕言寡語，人謂裝愚；安分隨時，自云守拙。寶玉一面看，一面問："姐姐可大愈了?"寶釵抬頭，只見寶玉進來，連忙起身，含笑答道："已經大好了，多謝記挂着。"說着，讓他在炕沿上坐了，即令鶯兒

寶釵因笑說道："成日家說你的這玉，究竟未曾細細的賞鑒，我今兒倒要瞧瞧。"說着，挪近前來，寶玉亦湊了上去，從項上摘了下來，遞在寶釵手內。寶釵托在掌上，只見大如雀卵，燦若明霞，瑩潤如五色酥，花絞纏護。

袁輝 畫

紅樓夢 0076 第捌回

倒茶來。"一面又問老太太、姨娘安,又問別的姊妹們好,一面看寶玉:頭上戴着累絲嵌寶紫金冠,額上勒着二龍捧珠金抹額,身上穿着秋香色立蟒白狐腋箭袖,繫着五色蝴蝶鸞縧,項上掛着長命鎖、記名符,另外有那一塊落草時銜下來的寶玉。寶釵因笑説道:"成日家説你的這玉,究竟未曾細細的賞鑒,我今兒倒要瞧瞧。"説着,便挪近前來,寶玉亦湊了上去,從項上摘了下來,遞在寶釵手内。寶釵托在掌上,只見大如雀卵,燦若明霞,瑩潤如五色酥,花絞纏護。

　　看官們須知道:這就是大荒山中青埂峰下的那塊頑石幻相。後人曾有詩嘲云:

　　　　女媧煉石已荒唐,又向荒唐演大荒。失去幽靈真境界,幻來新就臭皮囊。好知運敗
　　金無彩,堪嘆時乖玉不光。白骨如山忘姓氏,無非公子與紅妝。

那頑石亦曾記下他這幻相,並癩僧所鐫的篆文,今亦按圖畫于後。但其真體最小,方從胎中小兒口中銜下。今若按其體畫,恐字迹過于微細,使觀者大廢眼光,亦非暢事。故按其形式,無非略展放些,使觀者便于燈下醉中可閱。今注明此故,方不至以胎中之兒有多大,怎得銜此狼犺蠢大之物爲謗。

　　　　正面玉寶靈通　　　　反面玉寶靈通
　　　　玉　寶靈頑　　　　　戈餘幻崇
　　　　　寶靈仙莫　　　　　弍癩龜瘀
　　　　　　仙壽失　　　　　弍知禍
　　　　　　　壽恆忘　　　　　　福

　　寶釵看畢,又從先翻過正面來細看,口裏念道:"莫失莫忘,仙壽恒昌。"念了兩遍,回頭向鶯兒笑道:"你不去倒茶,也在這裏發呆作甚麼?"鶯兒嘻嘻的笑道:"我聽這兩句話,倒像和姑娘項圈上的兩句話,是一對兒。"寶玉聽了,忙笑道:"原來姐姐那項圈上,也有八個字?我也賞鑒賞鑒。"寶釵道:"你別聽他的話,沒有什麼字。"寶玉央道:"好姐姐,你怎麼瞧我的呢?"寶釵被他纏不過,因説道:"也是個人給了兩句吉利話兒,所以鏨上了,所以天天帶着;不然沉甸甸的,有什麼趣兒?"一面説,一面解了排扣,從裏面大紅襖上,將那珠寶晶瑩、黄金燦爛的瓔珞摘將出來。寶玉忙托着鎖看時,果然一面有四個字,兩面八個字,共成兩句吉讖。亦曾按式畫下形相:

　　　正面鎖金　　　　反面鎖金

寶玉看了，也念了兩遍，又念自己的兩遍，因笑問："姐姐這八個字，倒與我的是一對兒。"鶯兒笑道："是個癩頭和尚送的，他說必須鏨在金器上……"寶釵不待他說完，嗔他不去倒茶，一面又問寶玉從那裏來。

寶玉此時與寶釵就近，只聞一陣陣氣，不知是何氣味，遂問："姐姐熏的是香？我竟從未聞過這味兒。"寶笑道："我最怕熏香，好好的服，熏的烟火氣的。"寶道："既如此，是什香？"寶釵想了一說："是了，是我早吃了冷香丸的氣。"寶玉笑道："麼'冷香丸'？這樣聞。好姐姐，給丸嘗嘗。"寶釵笑道"又混鬧了。一個藥，也是混吃的？"

一語未了，聽外面人說："林娘來了。"話猶了，林黛玉已搖擺擺的來了。一寶玉，便笑道："喲！我來的不了。"寶玉等忙起讓坐。寶釵因笑道"這話怎麼說？"黛道："早知他來，我就不

鶯兒嘻嘻的笑道："我聽這兩句話，倒像和姑娘項上的兩句話，是一對兒。"寶玉聽
忙笑道："原來姐姐那項圈上，也有八個字？我也賞鑒賞鑒。" 戴敦邦 畫

。"寶釵道："我不解這意。"黛玉笑道："要來時一齊來，要不來一個也不來；今兒他來，明兒我來，如此間錯開了來，豈不天天有人來了?也不至太冷落，也不至太熱鬧。姐姐如何不解這意思?"

寶玉因見他外面罩着大紅羽緞對衿褂子，因問："下雪了麼?"地下婆子們説："下這半日了。"寶玉道："取了我的斗篷來。"黛玉便笑道："是不是?我來了，他就該去了。"寶玉道："我何曾説要去?不過拿來預備着。"寶玉的奶母李嬤嬤因説道："天又下了，也要看早晚的，就在這裏和姐姐妹妹一處頑頑罷。姨媽那裏擺茶果呢。我叫丫頭去取了斗篷來，説給小幺兒們散了罷?"寶玉應了。李嬤嬤出去，命小廝們："都散了。"

這裏，薛姨媽已擺了幾樣細巧茶果，留他們吃茶。寶玉因夸前日在那邊府裏珍大嫂子的好鵝掌鴨信，薛姨媽連忙把自己糟的取來與他嘗。寶玉笑道："這個須就酒方妙。"薛姨媽便命人灌了上等的酒來。李嬤嬤便上來道："姨太太，酒倒罷了。"寶玉笑道："媽媽，我只吃一杯。"李媽道："不中用，當着老太太、太太，那怕你吃一罈呢! 想昨日我眼錯不見，一會知是那個沒調教的，只圖討你的好，給了你一口酒吃，葬送我挨了兩日的罵。姨太太不知，他性子又可惡，吃了酒更弄性。有一日老太太高興，儘着他吃；什麼日子，又不許他吃。何苦我白賠在裏面?"薛姨媽笑道："老貨，你只管放心吃你的去! 我也不許他吃多了。便是老太太問，有我呢。"一面命小丫頭："來，你奶奶去也吃杯，搪搪寒氣。"那李嬤嬤聽如此説，只得且和眾人吃酒去。這裏寶玉説："不必燙暖了，我只愛吃冷的。"薛姨媽道："這可使不得，吃了冷酒，寫字手打顫兒。"寶釵笑道："寶兄弟，虧你每日家雜學旁收的，難道就不知道酒性最熱，若熱吃下去，發散的就快；若冷吃下去，便凝結在內，五臟去暖他，豈不受害?從此還不改了，快別要吃那冷的了!"寶玉聽這話有情理，便放下冷的，令人燙來方飲。

黛玉磕着瓜子兒，只管抿着嘴笑。可巧黛玉的丫鬟雪雁走來，與黛玉送小手爐。黛玉因含笑問他説："誰叫你送來的?難爲他費心，那裏就冷死了我!"雪雁道："紫鵑姐姐怕姑娘冷，叫我送來的。"黛玉一面接了，抱在懷中，笑道："也虧你倒聽他的話，我平日和你説的，全當耳旁風；怎麼他説了你就依，比聖旨還快些!"寶玉聽這話，知黛玉借此奚落他，也無回覆之詞，只嘻嘻的笑一陣罷了。寶釵素知黛玉是如此慣了的，也不去睬他。薛姨媽因道："你素日身子單弱，禁不得冷，他們記挂着你倒不好?"黛玉笑道："姨媽不知道，幸虧是姨媽這裏，倘或在別人家，豈不要惱的?難道看人家連個手爐也沒有，巴巴兒的從家裏送個手爐來?不説丫頭們太小心，還只當我素日是這等輕狂慣了呢。"薛姨媽道："你是個多心的，有這樣想，我就沒有這些心。"

説話時，寶玉已是三杯過去了。李嬤嬤又上來攔阻。寶玉正在個心甜意洽之時，又姊妹們説説笑笑的，那裏肯不吃?只得屈意央告："好媽媽，我再吃兩杯就不吃了。"

李嬤嬤道："你可仔細！今兒老爺在家，堤防着問你的書。"寶玉聽了此話，便心中大不悅，慢慢的放了酒，垂了頭。黛玉忙說："掃了大家的興。舅舅若叫你，只說姨媽留着呢。這個媽媽，他吃了酒，又拿我們來醒脾了。"一面悄推寶玉，使他賭賭氣；一面悄悄的呶嘴說："別理那老貨，咱們只管樂咱們的。"那李媽也素知黛玉的，因說道："林姐兒，不要助着他。你倒勸他，只怕他還聽些。"林黛玉冷笑道："我爲什麼助他？我也不犯着勸他。你這媽媽太小心了，往常老太太又給他酒吃，如今在姨媽這裏多吃了一口，也不妨事。必定姨媽這裏是外人，不當在這裏的，也未可知！"李嬤嬤聽了，又是急，又是笑，說道："真真這林姐兒，說出一句話來，比刀子還利害！我這話算什麼？"寶釵也忍不住，笑着把黛玉腮上一擰，說道："真真這個顰丫頭的一張嘴，叫人恨又不是，喜歡又不是。"薛姨媽一面又說："別怕，別怕，我的兒！來了這裏，沒好的你吃，別把這點子東西嚇的存在心裏，倒叫我不安。只管放心吃，有我呢！越發吃了晚飯去。便醉了，就跟着我睡罷。"因命："再燙些酒來，姨媽陪你吃兩杯，可就吃飯罷。"寶玉聽了，方又鼓起來。李嬤嬤因吩咐小丫頭："你們在這裏小心着，我家去換了衣服就來。"悄悄的回姨太："別由他的性兒多吃了。"說着，便家去了。

這裏雖還有兩三個婆子，都是不關痛癢的，見李嬤嬤走了，也都悄悄自尋方便去了。只剩兩個小丫頭，樂得討寶玉的歡喜。幸而薛姨媽千哄萬哄，只容他吃了幾杯，忙收過了。作了酸笋鷄皮湯，寶玉痛喝了幾碗，又吃了半碗多碧粳粥。一時薛、林二人也吃完了飯，又釅釅的吃了幾碗茶，薛姨媽方放了心。雪雁等三四人也吃了飯，進來伺候。黛玉因問寶玉道："你走不走？"寶玉乜斜倦眼道："你要走，我和你一同走。"黛玉聽說，遂起身道："咱們來了這一日，也該回去了。"說着，二人便告辭。

小丫頭忙捧過斗笠來，寶玉便把頭略低一低，叫他戴上。那丫頭便將這大紅猩氈笠一抖，才往寶玉頭上一合，寶玉便說："罷了，罷了！好蠢東西！你也輕些兒，難道沒別人戴過？讓我自己戴罷。"黛玉站在炕沿上道："過來，我與你戴罷。"寶玉忙近前來，黛玉用手輕輕籠住束髮冠兒，將笠沿抹在抹額之上，將那一顆核桃大的絳絨簪纓扶起，顫巍巍露于笠外。整理已畢，端相了一會，說道："好了，披上斗篷罷。"寶玉聽了，方把斗篷披上。薛姨媽忙道："跟你們的媽媽都還沒來呢，且略等等。"寶玉道："我們倒等他們？有丫頭們跟着也夠了。"薛姨媽不放心，吩咐兩個婦女跟着，送了他兄妹們去。

寶玉此時與寶釵就近，只聞一陣陣香氣，不知是何氣味，遂問："姐姐熏的是何香？我竟未聞過這味兒。"寶釵笑道："我最怕熏香，好好的衣服，熏的烟火氣的。"寶玉道："既此，是什麼香？"寶釵想了一想說："是了，是我早起，吃了冷香丸的香氣。"寶玉笑道："什麼'冷香丸'？這樣好聞。好姐姐，給我一丸嘗嘗。"寶釵笑道："又混鬧了。一個藥，也是混吃的？"

袁輝 書

也二人道了擾，一徑回至賈母房中。

賈母尚未用晚飯，知是薛姨媽處來，更加歡喜。因見寶玉吃了酒，遂命他自回房中歇着，不許再出來了。因命人好生看待着。忽想起跟寶玉的人來，遂問衆人："李奶子怎麼不見？"衆人不敢直說他家去了，只說："才進來的，想有事，又出去了。"寶玉跟蹌回頭道："他比老太太還受用呢！問他作什麼？沒有他，只怕我還多活兩日。"一面說，一面來至自己卧室，只見筆墨在案。晴雯先接出來，笑道："好，好，叫我研了墨，早起高興，只寫了三個字，丟下筆就走了，哄我等了這一天。快來給我寫完了這些墨才罷！"寶玉才想起早起的事來，因笑道："我寫的那三個字在那裏呢？"晴雯笑道："這個人可醉了。你頭裏過那府裏去，囑咐我貼在門斗兒上的。我生怕別人貼壞了，親自爬高上梯，貼了半日，這會兒還凍得手僵呢。"寶玉笑道："我忘了。你手冷，我替你渥着。"便伸手攜着晴雯的手，同看門斗上新寫的三個字。

一時黛玉來了，寶玉笑道："好妹妹，你別撒謊，你看這三個字那一個好？"黛玉仰頭看見是"絳芸軒"三字，笑道："個個都好。怎麼寫得這樣好了？明兒也替我寫個匾。"寶玉笑道："又哄我呢。"說着又問："襲人姐姐呢？"晴雯向裏間炕上努嘴，寶玉看時，只見襲人和衣睡着。寶玉笑道："好，太睡早了些。"又問晴雯道："今兒我那邊吃早飯，有一碟兒豆腐皮的包子，我想着你愛吃，和

珍大嫂子說了，只說我留着晚上吃，叫人送過來的。你可曾見麼?"晴雯道:"快別挺
了! 一送來，我便知道是我的，偏才吃了飯，就擱在那裏。後來李奶奶來了，看見說
'寶玉未必吃了，拿去給我孫子吃罷。'就叫人送了家去了。"正說着，茜雪捧上茶來，
寶玉還讓:"林妹妹吃茶。"眾人笑道:"林姑娘早走了，還讓呢! "

　　寶玉吃了半盞茶，忽又想起早晨的茶來，因問茜雪道:"早起沏了一碗楓露茶，我
說過，那茶是三四次後出色的，這會子怎麼又沏上這個茶來?"茜雪道:"我原是留着的，
那會子李奶奶來了，吃了去。"寶玉聽了，將手中杯子順手往地下一擲，豁啷一聲，打個
粉碎，潑了茜雪一裙子。又跳起來問着茜雪道:"他是你那一門子的奶奶?你們這樣孝
敬他! 不過是我小時候吃過他幾日奶罷了，如今慣的比祖宗還大，攆了出去，大家乾
淨! "說着，立刻便要去回賈母攆他乳母。

　　原來襲人實未睡着，不過是故意妝睡，引寶玉來慪他頑耍。先聞得說字、問包子等事
也還可以不必起來;後來摔了茶鍾，動了氣，遂連忙起來解釋勸阻。早有賈母遣人來問是
怎麼了。襲人忙道:"我才倒茶來，被雪滑倒了，失手砸了鍾子。"一面又勸寶玉道:"你立
意要攆他也好，我們都願意出去，不如趁勢連我們一齊攆了，我們也好，你也不愁沒有好
的來伏侍你。"寶玉聽了，方無言語，被襲人等挾至炕上，脫了衣裳。不知寶玉口內還說些
什麼，只覺口齒纏綿，眉眼愈加餳澀，忙伏侍他睡下。襲人摘下那通靈寶玉來，用手帕包
好，塞在褥子下，次日帶時，便冰不着脖子。那寶玉到枕就睡着了。彼時李嬤嬤等已進來
了，聽見醉了，也就不敢上前，只悄悄的打聽睡了，方放心散去。

　　次日醒來，就有人回:"那邊小蓉大爺，帶了秦鍾來拜。"寶玉忙接出去，領了拜見
賈母。賈母見秦鍾形容標致，舉止溫柔，堪陪寶玉讀書，心中十分歡喜。便留茶留飯，又
命人帶去見王夫人等。眾人因愛秦氏，見了秦鍾是這樣人品，也都歡喜，臨去時，都有
表禮。賈母又與了一個荷包並一個金魁星，取"文星和合"之意。又囑咐他道:"你家住的
遠，或一時寒熱不便，只管住在我這裏。只和你寶叔在一處，別跟着那不長進的東西們
學。"秦鍾一一的答應，回家稟知他父親。

　　他父親秦邦業，現任營繕郎，年近七旬，夫人早亡。因當年無兒女，便向養生堂抱
了一個兒子並一個女兒。誰知兒子又死了，只剩女兒，小名喚可兒。長大時，生得形容
嬝娜，性格風流，因素與賈家有些瓜葛，故結了親。秦邦業五旬之上，方得了秦鍾。因去
歲業師回南，在家溫習舊課，正要與賈親家商議，附往他家塾中去，可巧遇見寶玉這個
機會，又知賈家塾中司塾的乃賈代儒，現今之老儒，秦鍾此去，可望學業進益，從此成
名，因十分喜悅。只是宦囊羞澀，那邊都是一雙富貴眼睛，少了拿不出來，兒子的終身
大事，說不得東併西湊，恭恭敬敬封了二十四兩贄見禮，帶了秦鍾，到代儒家來拜見。然
後聽寶玉揀的好日子，一同入塾。塾中鬧事如何，下回分解。

第玖回

訓劣子李貴承申飭　嗔頑童茗烟鬧書房

話説秦邦業父子專候賈家的人來送上學之信。原來寶玉急于要和秦鍾相遇,遂擇了後日一定上學,打發人送了信。至日一早,寶玉起來時,襲人早已把書筆文物收拾停妥,坐在床沿上發悶,見寶玉來,只得伏侍他梳洗。寶玉見他悶悶的,因問道:"好姐姐,你怎麼又不自在了?難道怪我上學去,丢的你們冷清了不成?"襲人笑道:"這是那裏的話?讀書是極好的事,不然就潦倒了一輩子,終久怎麼樣呢。但只一件:只是念書的時節,想着書;不念的時節,想着家。終別和他們一處頑鬧,碰見老爺,不是頑的。雖説是奮志要強,那工課寧可少些,一則貪多嚼不爛,二則身子也要保重。這就是我的意思,你可時時體諒。"襲人説一句,寶玉應一句。襲人又道:"大毛衣服我也包好了,交給小子們去了。學裏冷,好歹想着添換,比不得家裏有人照顧。脚爐、手爐也交出去了的,你可逼着他們給你籠上。那一起懶賊,你不説,他們樂得不動,白凍壞了你。"寶玉道:"你放心,我出外頭,自己都會調停的。你們也可別悶死在這屋裏,長和林妹妹一處去頑耍才好。"説着,俱已穿戴齊備,襲人催他去見賈母、賈政、王夫人等。寶玉又囑咐了晴雯、麝月幾句,方出來見賈母。賈母也未免有幾句囑咐的話。然後去見王夫人,又出來到書房中見賈政。

偏生這日賈政回家早,正在書房中與相公清客們閑話。忽見寶玉進來請安,回説上學裏去,賈政冷笑道:"你如果再提'上學'兩個字,連我也羞死了!依我的話,你竟頑你的去是正經。仔細站髒了我這地,靠髒了我這門!"衆清客相公們都起身笑道:"老世翁何必如此。今日世兒一去,二三年就可顯身成名的了,斷不似往年仍作小兒之態的。天也將飯時,世兄竟快請罷。"說着,便有兩個年老的,携了寶玉出去。

賈政因問:"跟寶玉的是誰?"只聽見外面答應了一聲,早進來三四個大漢,打千兒請安。賈政看時,認得寶玉奶姆之子,名喚李貴的,因向他道:"你們成日家跟他上學,他到底念了些什麼書?倒念了些流言混語在肚子裏,學了些精緻的淘氣。等我閑一閑,先揭了你的皮,再和那不長進的算賬!"嚇的李貴忙雙膝跪下,摘了帽子碰頭,連連答應"是"。又回說:"哥兒已念到第三本《詩經》,什麼'攸攸鹿鳴,荷葉浮萍',小的不敢撒謊。"說的滿座哄然大笑起來,賈政也掌不住笑了。因說道:"那怕再念三十本《詩經》,也都是'掩耳盜鈴',哄人而已。你去請學裏太爺的安,就道我說的:什麼《詩經》、古文,一概不用虛應故事,只是先把《四書》一齊講明背熟,是最要緊的。"李貴忙答應"是",見賈政無話,方退出去。

此時寶玉獨站在院外,屏聲靜候,待他們出來,便同走了。李貴等一面撣衣服,一面說道:"哥兒可聽見了不曾?先要揭我們的皮呢!人家的奴才跟主子賺些好體面,我們這些奴才白陪着挨打受罵的。從此也可憐見些才好。"寶玉笑道:"好哥哥,你別委屈,我明兒請你。"李貴道:"小祖宗,誰敢望'請'?只求聽一兩句話就有了。"說着,又至賈母這邊。秦鍾早已來了,賈母正和他說話呢。于是二人見過,辭了賈母。寶玉忽想起未辭黛玉,又忙至黛玉房中來作辭。彼時黛玉在窗下對鏡理妝,聽寶玉說上學去,因笑道:"好,這一去,可是要'蟾宮折桂'了。我不能送你了。"寶玉道:"好妹妹,等我下學再吃晚飯。那胭脂膏子也等我來再製。"嘮叨了半日,方抽身去了。黛玉忙又叫住,問道:"你怎麼不去辭辭你寶姐姐來?"寶玉笑而不答,一徑同秦鍾上學去了。

原來這義學,也離家不遠,原係當日始祖所立,恐族中子弟有力不能延師者,即此中讀書。凡族中爲官者,皆有幫助銀兩,以爲學中膏火之費。舉年高有德之人爲塾師,如今秦、寶二人來了,一一的都互相拜見過,讀起書來。自此後,二人同來同往,同起同坐,愈加親密。兼賈母愛惜,也常留下秦鍾,一住三五天,自己重孫一般看待。因見秦鍾家中不甚寬裕,又助些衣服等物。不上一兩月工夫,秦鍾在榮府裏便慣熟了。寶玉終是個不能安分守理的人,一味的隨心所欲,因此發了癖性,又向秦鍾悄說:"咱們兩個人

寶玉見他悶悶的,因問道:"好姐姐,你怎麼又不自在了?難道怪我上學去,丟的你們冷清了不成?"襲人笑道:"這是那裏的話?讀書是極好的事,不然就潦倒了一輩子,終久怎麼樣呢?但只一件:只是念書的時節,想着書;不念的時節,想着家。終別和他們一處頑鬧,碰見老爺,不是頑的。雖說是奮志要強,那工課寧可少些,一則貪多嚼不爛,二則身子要保重。這就是我的意思,你可時時體諒。"襲人說一句,寶玉應一句。

戴敦邦 畫

训劣子李贵承申饬　嗔顽童茗烟闹书房

一樣的年紀，況又同窗，以後不必論叔侄，只論兄弟朋友就是了。"先是秦鍾不敢當，寶玉不從，只叫他"兄弟"，或叫他的表字"鯨卿"；秦鍾也只得混着亂叫起來。

原來這學中，雖多是本族子弟與些親戚家的子侄，俗語說的好："一龍九種，種種各別。"未免人多了，就有龍蛇混雜，下流人物在內。自秦、寶二人來了，都生的花朵兒一般的模樣，又見秦鍾腼腆溫柔，未語先紅，怯怯羞羞，有女兒之風；寶玉又是天生成慣能作小服低，賠身下氣，性情體貼，話語纏綿。因此二人又這般親厚，也怨不得那起同窗人，起了嫌疑之念，背地裏你言我語，訕諦謠諑，布滿書房內外。

原來薛蟠自來王夫人處住後，便知有一家學，學中廣有青年子弟，偶動了龍陽之興。因此也假說了來上學，不過是三日打魚，兩日曬網，白送些束修禮物與賈代儒，卻不曾有一些進益，只圖結交些契弟。誰想這學內的小學生，圖了薛蟠的銀錢穿吃，被他哄上手的，也不消多記。又有兩個多情的小學生，亦不知是那一房的親眷，亦未考真姓名，只因生得嫵媚風流，滿學中都送了兩個外號，一叫"香憐"，一叫"玉愛"。雖係都有竊慕之意，將"不利于孺子"之心，只是都懼薛蟠的威勢，不敢來沾惹。如今秦、寶二人一來了，見了他兩個，亦不免繾綣羨愛，亦皆知係薛蟠相知，故未敢輕舉妄動。香、玉二人心中，一般的留情與秦、寶，因此四人心中雖有情意，只未發迹。每日一入學中，四處各坐，卻八目勾留。或設言託意，或咏桑寓柳，遥以心照，卻外面自爲避人眼目。不料又有幾個滑賊看出形景來，都背後擠眉弄眼，或咳嗽揚聲，這也非止一日。

可巧這日代儒有事回家，只留下一句七言對聯，令學生對了，明日再來上書。將學中之事，又命長孫賈瑞管理。妙在薛蟠如今不大上學應卯了，因此秦鍾趁此和香憐弄眼擠眼，二人假出小恭，走至後院說話。秦鍾先問他："家裏的大人，可管你交朋友不管？"一語未了，只聽見背後咳嗽了一聲，二人嚇的忙回顧時，原來是窗友名金榮的。香憐有些性急，便羞怒相激，問他道："你咳嗽什麼？難道不許我們說話不成？"金榮笑道："許你們說話，難道不許我咳嗽不成？我只問你們：有話不分明說，許你們這樣鬼鬼祟祟的幹什麼故事？我可也拿住了，還賴什麼！先讓我抽個頭兒，咱們一聲兒不言語，不然大家就翻起來！"秦、香二人，就急得飛紅的臉，便問道："你拿住什麼了？"金榮笑道："我拿住了是真的。"說着，又拍着手，笑嚷道："貼得好燒餅！你們都不買一個吃去？"秦鍾香憐二人又氣又急，忙進來向賈瑞前告金榮，說金榮無故欺負他兩個。

原來這賈瑞，最是個圖便宜沒行止的人，每在學中，以公報私，勒索子弟們請他，後又助着薛蟠圖些銀錢酒肉，一任薛蟠橫行霸道，他不但不去管約，反助紂爲虐討好。

這著烟無故就要欺壓人的，如今得了這信，又有賈蔷助着，便一頭進來找金榮。也不叫"某相公"了，只說："姓金的，是什麼東西！"

顧曾平 畫

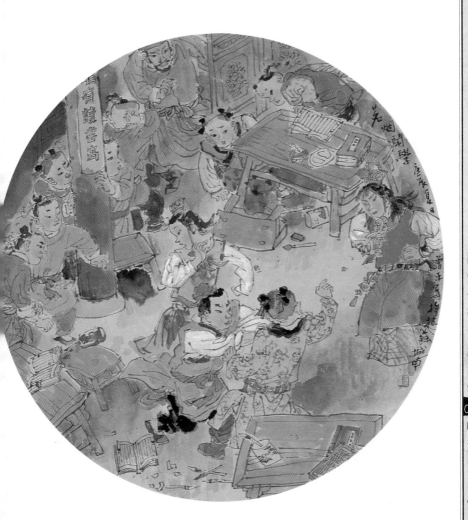

訓劣子李貴承申飭　嗔頑童茗烟鬧書房

兒。偏那薛蟠本是浮萍心性，今日愛東，明日愛西。近來有了新朋友，把香、玉二人丟
開一邊。就連金榮也是當日的好友，自有了香、玉二人，便見棄了金榮，近日連香、玉
亦已見棄。故賈瑞也無了提攜幫襯之人，不怨薛蟠得新厭故，只怨香、玉二人不在薛
蟠前提攜了。因此賈瑞、金榮等一干人，也正醋妒他兩個。今見秦、香二人來告金榮，
賈瑞心中便不自在起來，雖不敢呵叱秦鍾，卻拿着香憐作法，反説他多事，著實搶白
了幾句。香憐反討了沒趣，連秦鍾也訕訕的，各歸坐位去了。金榮越發得了意，搖頭咂
嘴的，口内還説許多閑話。玉愛偏又聽了，兩個人隔坐咕咕唧唧的角起口來。金榮只
一口咬定説："方才明明的撞見他兩個在後院裏親嘴摸屁股，兩個商議
定了，一對兒論長道短之言。"只顧得志亂説，却不防還有別人。誰知早
又觸怒了一個人。

你道這一個人是誰？原來這人名喚賈薔，亦係寧府中之
正派玄孫，父母早亡，從小
兒跟着賈珍過活，如今
長了十六歲，比賈蓉生
得還風流俊俏。他兄弟
二人最相親厚，常共起
居。寧府中人多口雜，那
些不得志的奴僕，專能造言
誹謗主人，因此不知又有什麼
小人詬誶謡諑之辭。賈珍想亦
聞得些口聲不好，自己也要
避些嫌疑，如今竟分與房
舍，命賈薔搬出寧府，自己
立門户過活去了。這賈薔外相
既美，内性又聰敏，雖然虛名
上學，亦不過虛掩眼目而已，仍是
鬥鷄走狗、賞花閲柳爲事。上有賈珍溺
愛，下有賈蓉匡助，因此族中人誰敢觸逆
于他。他既和賈蓉最好，今見有人欺負秦鍾，如何肯依？如今自己要挺身出來報不平，
心中且忖度一番："金榮、賈瑞一等人，都是薛大叔的相知，我又與薛大叔相好，倘或
我一出頭，他們告訴了老薛，我們豈不傷和氣？欲不管，如此謡言，説的大家没趣。如
今何不用計制伏，又止息聲口，又不傷臉面。"想畢，也妝出小恭去，走至後面，悄悄把

眼寶玉的書童茗烟叫至身邊,如此這般,調撥他幾句。

這茗烟乃是寶玉第一個得用的,且又年輕不諳事,如今聽賈薔説:"金榮如此欺負秦鍾,連你的爺寶玉都干連在內。不給他個利害,下次越發狂縱了!"這茗烟無故就要欺壓人的,如今得了這信,又有賈薔助着,便一頭進來找金榮。也不叫"金相公"了,只説:"姓金的,是什麼東西!"賈薔遂跺一跺靴子,故意整整衣服,看看日影兒説:"正時候了。"遂先向賈瑞説有事要早走一步,賈瑞不敢止他,只得隨他去了。這裏茗烟走進來,便一把揪住金榮,問道:"我們臊屁股不臊,管你郫郫相干?横豎没臊你爹就罷了!你是好小子,出來動一動你茗大爺!"嚇的滿室中子弟都忙忙的痴望。賈瑞忙喝:"茗烟,不得撒野!"金榮氣黄了臉,説:"反了!奴才小子都敢如此,我只和你主子説。"便奪手要去抓打寶玉。秦鍾剛轉出身來,聽得腦後颼的一聲,早見一方硯瓦飛來,並不知係何人打來,却打了賈藍、賈菌的座上。這賈藍、賈菌亦係榮府近派的重孫。這賈菌少孤,其母愛非常,書房中與賈藍最好,所以二人同座。誰知這賈菌年紀雖小,志氣最大,極是淘氣不怕人的。他在位上,冷眼看見金榮的朋友暗助金榮飛硯來打茗烟,偏打錯了,落在自己面前,將個磁硯水壺打了粉碎,濺了一書黑水。賈菌如何依得,便駡:"好囚攮的們!這不都動了手了麼?"駡着,也便抓起硯磚來要飛。賈藍是個省事的,忙按住硯磚,極口勸道:"好兄弟,不與咱們相干。"賈菌如何忍得,見按住硯磚,他便兩手抱書篋子來,照這邊搨來。終是身小力薄,却搨不到,反搨到寶玉、秦鍾案上就落下來了。只聽豁啷一響,砸在桌上,書本、紙片、筆、硯等物撒了一桌,又把寶玉的一碗茶也砸得碗碎茶流。那賈菌即便跳出來,要揪打那飛硯的人。金榮此時隨手抓了一根毛竹大板在手,地狹人多,那裏經得舞動長板。茗烟早吃了一下,亂嚷:"你們還不來動手!"寶玉還有幾個小厮,一名掃紅,一名鋤藥,一名墨雨,這三個豈有不淘氣的,一齊亂嚷:"小婦養的!動了兵器了!"墨雨遂掇起一根門閂,掃紅、鋤藥手中都是馬鞭子,蜂擁而上。賈瑞急得攔一回這個,勸一回那個,誰聽他的話?肆行大亂。衆頑童也有幫着打太平拳助樂的,也有膽小藏過一邊的,也有立在桌上拍着手亂笑,喝着聲兒叫打的,登時鼎沸起來。

外邊幾個大僕人李貴等,聽見裏邊作反起來,忙都進來一齊喝住,問是何故。衆聲不一,這一個如此説,那一個又如彼説。李貴且喝駡了茗烟等四個一頓,攆了出去。秦鍾的頭早撞在金榮的板上,打去一層油皮,寶玉正拿褂襟子替他揉,見喝住了衆人,便命李貴:"收書,拉馬來!我去回太爺去!我們被人欺負了,不敢説別的,守禮來告訴瑞大爺,瑞大爺反派我們的不是,聽着人家駡我們,還調唆人家打我們。茗烟見人欺負我,他豈有不為我的?他們反打夥兒打了茗烟,連秦鍾的頭也打破了。還在這裏念書麼?"李貴勸道:"哥兒,不要性急,太爺既有事回家去了,這會子為這點子事去聒噪他老人家,倒顯的咱們没禮似的。依我的主意,那裏的事情,那裏了結,何必驚動老人家。這都

是瑞大爺的不是，太爺不在這裏，你老人家就是這學堂的頭腦了，衆人看你行事。衆人有了不是，該打的打，該罰的罰，如何等鬧到這步田地還不管？"賈瑞道："我吆喝着，都不聽。

李貴道："不怕你老人家惱我：素日你老人家到底有些不是，所以這些兄弟們不聽。就鬧到太爺跟前去，你老人家也脱不了的。還不快作主意，撕羅開了罷！"寶玉道："撕羅什麼？我必要回去的！"秦鍾哭道："有金榮在這裏，我是要回去的了。"寶玉道："這是爲什麼？難道別人家來得，咱們倒來不得的？我必回明白衆人攆了金榮去。"又問李貴："這金榮是那一房的親友？"李貴想一想道："也不用問了。若説起那一房親戚，更傷了兄弟們和氣。"

茗烟在窗外道："他是東衚衕裏璜大奶奶的侄兒。那是什麼硬挣仗腰子的，也來嚇我們！璜大奶奶是他姑媽。你那姑媽只會打旋磨兒，給我們璉二奶奶跪着借當頭。我眼裏就看不起他那樣主子奶奶！"李貴忙喝道："偏這小狗養的知道，有這些蛆嘴！"寶玉冷笑道："我只當是誰的親戚，原來是璜嫂子的侄兒，我就去問問他！"説着便要走，叫茗烟進來包書。茗烟進來包書，又得意洋洋的道："爺也不用自己去見他，等我去他家，説老太太有話問他呢，雇上一輛車子拉進去，當着老太太問他，豈不省事？"李貴忙喝道："你要死！仔細回去我好不好先捶了你，然後回老爺、太太，就説寶哥全是你調唆的。我這裏好容易勸哄的好了一半，你又來生了新法兒。你鬧了學堂，不説變個法兒壓息了才是，倒遂往火裏奔！"茗烟方不敢做聲。

此時賈瑞也生恐鬧不清，自己也不乾净，只得委曲着來央告秦鍾，又央告寶玉。先是他二人不肯，後來寶玉説："不回去也罷了，只叫金榮賠不是便罷。"金榮先是不肯，後來經不得賈瑞也來逼他權賠個不是，李貴等只得好勸金榮，説："原是你起的端，不這樣，怎得了局？"金榮强不得，只得與秦鍾作了揖。寶玉還不依，定要磕頭。賈瑞又要暫息此事，又悄悄的勸金榮説："俗語云：'忍得一時忿，終身無惱悶。'"未知金榮也不從，下回分解。

〈第拾回〉

話說金榮因人多勢眾，又兼賈瑞勒令賠了不是，給秦鍾磕了頭，寶玉方才不吵鬧了。大家散了學，金榮自己回到家中，越想越氣，說：「秦鍾不過是賈蓉的小舅子，又不是賈家的子孫，附學讀書，也不過和我一樣。他因仗着寶玉同他相好，就目中無人。既是這樣，就該行些正經事，也沒的說。他素日又和寶玉鬼鬼祟祟的，只當人多是瞎子，看不見。今日他又去勾搭人，偏偏撞在我眼裏，就是鬧出事來，我還怕什麼不成？」

他母親胡氏，聽見他咕咕唧唧的，說：「你又要管什麼閑事？好容易我望你姑媽說了，你姑媽又千方百計的向他們西府裏璉二奶奶跟前說了，你才得了這個念書的地方。若不是仗着人家，咱們家裏還有力量請得起先生麼？況且人家學裏，茶飯都是現成的，你這二年在那裏念書，家裏也省好大的嚼用呢。省出來的，你又愛穿件鮮明衣服。再者，因你在那裏念書，你就認得什麼薛大爺了。那薛大爺，一年也幫了咱們七八十兩銀子。你如今要鬧出了這個學房，若再要找這樣一個地方，我告訴你說罷，比登天的還難呢！你給我老老實實的頑回子，睡你的覺去，好多着的呢。」于是金榮忍氣吞聲，不多一時，也自睡覺了。次日，仍就上學去了。不在話下。

且說他姑娘，原來給的是賈家「玉」字輩的嫡派，名喚賈璜。但其族人那裏皆能像寧、榮二府的富勢？原不用細說。這賈璜夫妻守着些小小的產業，又時常到寧、榮二府裏去請安，又會奉承鳳姐兒並尤氏，所以鳳姐兒、尤氏也時常資助資助他，方能如此度日。今日正遇天氣晴明，又值家中無事，遂帶了一個婆子，坐上車，來家裏走走，瞧瞧寡嫂並侄兒。閑説之間，金榮的母親偏提起昨日賈家學房裏的事，從頭至尾，一五一十都向他小姑子説了。這璜大奶奶不聽則已，聽了怒從心上起，説道："這秦鍾小子是賈門的親戚，難道榮兒不是賈門的親戚？人多別要勢利了，况且多做的是什麼有臉的事！就是寶玉，也不犯向着他到這個田地。等我去到東府瞧瞧我們珍大奶奶，再和秦鍾的姐姐説説，叫他評評這個理！"這金榮的母親聽了，急的了不得，忙説："這都是我的快嘴，告訴了姑奶奶，求姑奶奶快別去説罷。別管他們誰是誰非，倘或鬧出來，怎麼在這裏站得住。若站不住，家裏不但不能請先生，反在他身上添出許多嚼用來呢。"璜大奶奶説道："那裏管得許多，你等我説了，看是怎麼樣。"也不容他嫂子勸，一面叫老婆子瞧了車，坐了望寧府裏來。

到了寧府，進了東角門，下了車，進去見了賈珍的妻子尤氏。未敢氣高，殷殷勤勤敘過了寒温，説了些閑話，方問道："今日怎麼没見蓉大奶奶？"尤氏説："他這些日子不知怎麼，經期有兩個多月没有來。叫大夫瞧了，又説並不是喜。那兩日，到下半日就懶怠動了，話也懶怠説，眼神發眩。我叫他：'你且不必拘禮，早晚不必照例上來，你竟養養罷。就是有親戚來，還有我呢。就有長輩怪你，等我替你告訴。'連蓉哥我都囑咐了，我説：'你不許累掯他，不許招他生氣，叫他好生静養静養就好了。他要想什麼吃，只管到我這裏來取。倘或他有個好歹，你再要娶這一個媳婦兒，這麼個模樣兒，這麼個性情兒，只怕打着燈籠兒也没處去找呢！他這爲人行事，那個親戚、那個長輩不喜歡他？所以我這兩日，好不心煩。偏生今兒早起他兄弟來瞧他，誰知他那小孩子家不知好歹，看見他姐姐身上不好，這些事也不當告訴他，就受了萬分委曲，也不該向着他説。誰知昨日學房裏打架，不知是那裏附學的學生，倒欺負了他。裏頭還有些不乾不净的話，都告訴了他姐姐。嬸子，你是知道的：那媳婦雖則見了人有説有笑的，他可心細，心又多，不拘聽見什麼話兒，多要忖量個三日五夜才罷。這病就是從這'用心太過'上得來的。今兒聽見有人欺負了他的兄弟，又是惱，又是氣。惱的是那狐朋狗友，搬是弄非，調三惑四；氣的是為他兄弟不學好，不上心讀書，以致如此學裏吵鬧。他爲了這事，索性連早飯還没吃。我才到他那邊安慰了他一會，又勸解了他的兄弟幾句。我叫他兄弟到那邊府裏找寶玉兒去了，我又瞧着他吃了半盞燕窩湯，我才過來的。嬸子，你説我心焦不心焦？况且今又没個好大夫，我想到他這病上，我心裏如同針扎一般。你們知道有什麼好大夫没有？"

金氏聽了這一番話，把方才在他嫂子家的那一團要向秦氏理論的盛氣，早嚇的丢在爪洼國去了。聽見尤氏問他好大夫的話，連忙答道："我們也没聽見人説什麼好大夫

秦氏這些日子不知怎麼，經期有兩個多月没有來。叫大夫瞧了，又説並不是喜。那兩日，到下半日就懶怠動了，話也懶怠説，眼神發眩。

劉旦宅 畫

如今聽起大奶奶這個病來，定不得還是喜呢。嫂子倒別教人混治，倘若治錯了，可了不得！"尤氏道："正是呢。"說話之間，賈珍從外進來，見了金氏，便問尤氏道："這不是你們大奶奶麼？"金氏向前給賈珍請了安。賈珍向尤氏說："讓這大妹妹吃了飯去。"賈珍說着話，便向那屋裏去了。金氏此來，原要向秦氏說秦鍾欺負他兄弟的事，聽見秦氏有病，連提也不敢提了。況且賈珍、尤氏又待的甚好，因轉怒爲喜的，又說了一會子閑話，方家去了。

　　金氏去後，賈珍方過來坐下，問尤氏道："今日他來有什麼說的?"尤氏答道："倒沒說什麼。一進來臉上倒像有些着惱的氣色似的，及至說了半天話，又提起媳婦的病，他倒漸漸的氣色平靜了。你又叫留他吃飯，他聽見媳婦這樣的病，也不好意思只管坐着，又說幾句閑話，就去了，倒沒有求什麼事。如今且說媳婦這病，你那裏尋一個好大夫給他瞧瞧要緊，可別耽誤了。現今咱們家走的這羣大夫，那裏要得?一個個都是聽着人的口氣兒，人怎麼說，他也添幾句文話兒說一遍。可倒殷勤的狠，三四個人，一日輪流着倒有四五遍來看脉，大家商量着立個方兒，吃了也不見效。倒弄得一日三五次換衣服，坐起來見大夫，其實於病人無益。"賈珍說：

可卿春困

"可是這孩子也糊塗，何必又脱脱换换的，倘或又着了凉，更添一層病，還了得?任憑什麼[
好衣裳，又值什麼呢?孩子的身體要緊。就是一天穿一套新的，也不值什麼。我正要告訴
你:方才馮紫英來看我，他見我有些抑鬱之色，問我是怎麼了。我告訴他，媳婦身子大不
快，因爲不得個好太醫，斷不透是喜是病，又不知有妨礙無妨礙，所以我心裏實在着急。馮
紫英因説，他有一個幼時從學的先生，姓張名友士，學問最淵博，更兼醫理極精，且能斷人
的生死。今年是上京給他兒子捐官，現在他家住着呢。這樣看來，或者媳婦的病該在他手
裏除災也未可定。我已叫人拿我的名帖去請了。今日天晚，或未必來，明日想一定來的。且
馮紫英又回家親替我求他，務必請他來瞧的。等待張先生來瞧了再説罷。"

　　尤氏聽説，心中甚喜，因説:"後日又是太爺的壽日，到底怎麼辦法?"賈珍説道:"我才
才到了太爺那裏去請安，兼請太爺來家受一受一家子的禮。太爺因説道:'我是清净慣了的，
我不願意往你們那是非場中去。你們必定説是我的生日，要叫我去受些衆人的頭，你莫不如
把我從前注的《陰騭文》給我好好的叫人寫出來刻了，比叫我無故受衆人的頭還强百倍呢。
倘或明日、後日這兩天一家子要來，你就在家裏好好的款待他們就是了。也不必給我送什
麼東西來，連你後日也不必來。你要心中不安，你今日就給我磕了頭去。倘或後日你又跟許
多人來鬧我，我必和你不依!'如此説了，後日我是再不敢去的了。且叫來昇來，吩咐他預備
兩日的筵席。"尤氏因叫了賈蓉來:"吩咐來昇，照例預備兩日的筵席，要豐豐富富的。你再
親自到西府裏，請老太太、大太太、二太太和你璉二嬸子來逛逛。你父親今日又聽見一個好
大夫，已打發人請去了，想明日必來。你可將他這些日子的病症細細的告訴他。"

　　賈蓉一一答應着出去了。正遇着方才到馮紫英家去請那先生的小子回來了，因回
道:"奴才方才到了馮大爺家，拿了老爺名帖請那先生去。那先生説道:'方才這裏大爺
向我説了。但是今日拜上一天的客，才回到家，此時精神實在不能支持，就是去到府上，
也不能看脉，須得調息一夜，明日務必到府。'他又説:'醫學淺薄，本不敢當此重薦，因冯
大爺和府上既已如此説了，又不得不去。你先代我回明大人就是了。大人的名帖着實不
敢當。'仍叫奴才拿回來了。哥兒替奴才回一聲兒。"賈蓉復轉身進去，回了賈珍和尤氏的
話，一出來叫了來昇，吩咐預備兩日的筵席的話。來昇聽畢，自去照例料理，不在話下。

　　且説次日午間，門上人回道:"請的那張先生來了。"賈珍遂延入大廳坐下。茶畢，
方開言道:"昨日承馮大爺示知老先生人品學問，又兼深通醫學，小弟不勝欽敬。"張先
生道:"晚生粗鄙下士，知識淺陋。昨因馮大爺示知大人家第謙恭下士，又承呼喚，敢不
奉命。但毫無實學，倍增汗顔。"賈珍道:"先生不必過謙。就請先生進去看看兒婦，仰仗

賈蓉于是同先生到外邊屋裏炕上坐了，一個婆子端了茶來。賈蓉道:"先生請茶。"茶畢，
問道:"先生看這脉息，還治得治不得?"

顧曾平　畫

高明，以釋下懷。”

于是賈蓉同了進去。到了内室，見了秦氏，向賈蓉説道：“這就是尊夫人了？”賈蓉道：“正是。請先生坐下，讓我把賤内的病症説一説，再看脉何如？”那先生道：“依小弟□下，竟先看脉，再請教病源爲是。我初造尊府，本也不知道什麽，但我們馮大爺務必□小弟過來看看，小弟所以不得不來。如今看了脉息，看小弟説得是不是，再將這些日□的病勢講一講，大家斟酌一個方兒。可用不可用，那時大爺再定奪就是了。”賈蓉道：□先生實在高明，如今恨相見之晚。就請先生看一看脉息，可治不可治，得以使家父母□心。”于是家下媳婦們捧過大迎枕來，一面給秦氏靠着，一面拉着袖口，露出手腕來。□先生方伸手按在右手脉上，調息了至數，凝神細診了半刻工夫，换過左手，亦復如是。□畢了，説道：“我們外邊坐罷。”

賈蓉于是同先生到外邊屋裏炕上坐了，一個婆子端了茶來。賈蓉道：“先生請茶。”□畢，問道：“先生看這脉息，還治得治不得？”先生道：“看得尊夫人脉息：左寸沉數，左

金寡婦貪利權受辱　張太醫論病細窮源

關沉伏；右寸細而無力，右關虛而無神。其左寸沉數者，乃心氣虛而生火；左關沉伏者，乃肝家氣滯血虧。右寸細而無力者，乃肺經氣分太虛；右關虛而無神者，乃脾土被肝木克制。心氣虛而生火者，應現今經期不調，夜間不寐。肝家血虧氣滯者，應脅下痛脹，月信過期，心中發熱。肺經氣分太虛者，頭目不時眩暈，寅卯間必然自汗，如坐舟中。脾土被肝木克制者，必定不思飲食，精神倦怠，四肢酸軟。據我看這脈，當有這些症候才對。或以這個脈爲喜脈，則小弟不敢聞命矣。"旁邊一個貼身伏侍的婆子道："何嘗不是這樣呢！真正先生說得如神，倒不用我們說的了。如今我們家裏現有好幾位太醫老爺瞧呢，都不能說得這樣真切。有的說道是喜，有的說道是病，這位說不相干，這位又說怕至前後，總沒有個真着話兒。求老爺明白指示指示。"那先生說："大奶奶這個症候，可是衆位耽擱了。要在初次行經的時候就用藥治起，只怕此時已痊愈了。如今既是把病耽到這地位，也是應有此災。依我看起來，病倒尚有三分治得。吃了我這藥看，若是夜間睡的着覺，那時又添了二分拿手了。據我看這脈息，大奶奶是個心性高強、聰明不過的人，但聰明太過，則不如意事常有；不如意事常有，則思慮太過。此病是憂慮傷脾，肝木忒旺，經血所以不能按時而至。大奶奶從前行經的日子問一問，斷不是常縮，必是常長的，是不是？"這婆子答道："可不是，從沒有縮過，或是長兩日三日，以至十日不等，都長過的。"先生聽道："是了，這就是病源了。從前若能以養心調氣之藥服之，何至于此。這如今明顯出一個水虧火旺的症候來。待我用藥看。"于是寫了方子，遞與賈蓉。上寫的是：

益氣養榮補脾和肝湯

人參	白术	雲苓	熟地
歸身	白芍	川芎	黃芪
香附米	醋柴胡	懷山藥	真阿膠
延胡索	炙甘草		

引用建蓮子七粒，去心。大棗二枚。

賈蓉看了，說："高明的狠。還要請教先生，這病與性命終久有妨無妨？"先生笑道："大爺是最高明的人。人病到這個地位，非一朝一夕的症候了。吃了這藥，也要看醫緣了。依小弟看來，今年一冬是不相干的，總是過了春分，就可望痊愈了。"賈蓉也是個聰明人，也不往下細問了。

于是賈蓉送了先生去了，方將這藥方子並脈案都給賈珍看了，說的話也都回了賈珍並尤氏了。尤氏向賈珍道："從來大夫不像他說的痛快，想必用藥不錯。"賈珍道："人家原來不是混飯吃的久慣行醫的人。因爲馮紫英我們相好，他好容易求了他來的。既有了這個人，媳婦的病或者就能好了。他那方子上有人參，就用前日買的那一斤好的罷。"賈蓉說畢話，方出來叫人打藥去煎給秦氏吃。不知秦氏服了此藥，病勢何如，且聽下回分解。

〈第拾壹回〉

慶壽辰寧府排家宴　見熙鳳賈瑞起淫心

話說是日賈敬的壽辰，賈珍先將上等可吃的東西、稀奇的果品，裝了十六大捧盒，着賈蓉帶領家下人送與賈敬去，向賈蓉說道：「你留神看太爺喜歡不喜歡，你就行了禮起來，說：『父親遵太爺的話，不敢前來，在家裏率領合家都朝上行了禮了。』」賈蓉聽罷，即率領家人去了。

這裏漸漸的就有人來。先是賈璉、賈薔來看了各處的座位，並問：「有什麼頑意兒沒有？」家人答道：「我們爺算計，本來請太爺今日來家，所以並未敢預備頑意兒。前日聽見太爺不來了，現叫奴才們找了一班小戲兒，並一檔子打十番的，都在園子裏戲臺上預備着呢。」

次後，邢夫人、王夫人、鳳姐兒、寶玉都來了，賈珍並尤氏接了進去。尤氏的母親已先在這裏，大家見過了，彼此讓了坐。賈珍、尤氏二人遞了茶，因笑道：「老太太原是個老祖宗，我父親又是侄兒，這樣年紀日子，原不敢請他老人家來；但是這時候天氣又涼爽，滿園的菊花盛開，請老祖宗過來散散悶，看看眾兒孫熱熱鬧鬧的，是這個意思。誰知老祖宗又不賞臉。」鳳姐兒未等王夫人開口，先說道：「老太太昨日還說要來呢，因為晚上看見寶兄弟吃桃兒，他老人家又嘴饞了，吃了有大半個，五更天時候就一連起來了兩次，今日早晨略覺身子倦些，因叫我回大爺，今日斷不能來了。說有好吃的要幾樣，還要狠爛的呢。」賈珍聽了笑道：「我說老祖宗是愛熱鬧的，今日不來，必定有個緣故。這就是了。」

王夫人說：「前日聽見你大妹妹說，蓉

哥媳婦身上有些不大好，到底是怎麼樣？"尤氏道："他這個病得的也奇。上月中秋還跟着老太太、太太頑了半夜，回家來好好的。到了二十日已後，一日比一日覺懶了，又懶得吃東西，這將近有半個多月。經期又有兩個月沒來。"邢夫人接着説道："莫是喜罷？"

正説着，外頭人回道："大老爺、二老爺並一家的爺們都來了，在廳上呢。"賈珍連忙出去了。這裏尤氏復説："從前大夫也有説是喜的。昨日馮紫英薦了他幼時從學過的一個先生，醫道狠好，瞧了説不是喜，是一個大症候。昨日開了方子，吃了一劑藥，今日頭眩的略好些，別的仍不見大效。"鳳姐兒道："我説他不是十分支持不住，今日這樣日子，再也不肯不挣扎着上來。"尤氏道："你是初三日在這裏見他的，他强扎挣了半天，也是因你們娘兒兩個好的上頭，還戀戀的捨不得去。"鳳姐聽了，眼圈兒紅了一會子，方説道："'天有不測風雲，人有旦夕禍福。'這點年紀，倘或因這病上有個長短，人生在世，有什麼趣兒？"

正説着，賈蓉進來，給邢夫人、王夫人、鳳姐兒都請了安，方回尤氏道："方才我給太爺送吃食去，並回説我父親在家伺候老爺們，款待一家子的爺們，遵太爺的話，並不敢來。太爺聽了甚歡喜，説：'這才是。'叫告訴父親、母親，好生伺候太爺、太太們，叫我好生伺候叔叔、嬸子並哥哥們。還説：'那《陰騭文》叫他們急急刻出來，印一萬張散人。'我將此話都回了我父親了。我這會子還得快出去打發太爺們並合家爺們吃飯。"鳳姐兒説："蓉哥兒，你且站着。你媳婦今日到底是怎麼着？"賈蓉皺皺眉兒説道："不好麼。嬸子回來瞧瞧去就知道了。"於是賈蓉出去了。

這裏尤氏向邢夫人、王夫人道："太太們在這裏吃飯，還是在園子裏吃去？有小戲兒現在園子裏預備着呢。"王夫人向邢夫人道："這裏狠好。"尤氏就吩咐媳婦婆子們："快擺飯來。"門外一齊答應了一聲，都各人端各人的去了。不多時，擺上了飯。尤氏讓邢夫人、王夫人並他母親都上坐了，他與鳳姐兒、寶玉側坐了。邢夫人、王夫人道："我們來，原爲給大老爺拜壽，這豈不是我們來過生日來了麼？"鳳姐兒説："大老爺原是好養静的，

鳳姐兒、寶玉方和賈蓉到秦氏這邊來。進了房門，悄悄的走到裏間房內，秦氏見了，要起來，鳳姐兒説："快別起來，看頭暈。"于是鳳姐兒緊行了兩步，拉住了秦氏的手，説："我的奶奶！怎麼幾日不見，就瘦的這樣了！"

戴敦邦 畫

慶壽辰寧府排家宴

0099

見熙鳳賈瑞起淫心

修煉成了，也算得是神仙了。太太們這麼一説，就叫做'心到神知'了。"一句話，説得滿屋裏都笑起來。

尤氏的母親並邢夫人、王夫人、鳳姐兒都吃了飯，漱了口，净了手。才説要往園子裏去，賈蓉進來向尤氏道："老爺們並各位叔叔、哥哥們都吃了飯了。大老爺説家裏有事，二老爺是不愛聽戲，又怕人鬧的慌，都去了。別的一家子爺們，被璉二叔並薔大爺都讓過去聽戲去了。方才南安郡王、東平郡王、西寧郡王、北静郡王四家王爺，並鎮國公牛府

等六家，忠靖侯史府等八家，都差人持名帖送壽禮來。俱回了我父親，先收在賬房裏，禮單都上了檔子了。領謝名帖，都交給各家的來人了，來人也各照例賞過，都讓吃了飯去了。母親該請二位太太、老娘、嬸子都過園子裏去坐着罷。"尤氏道："也是。才吃完了飯，就要過去了。"鳳姐兒説："我回太太，我先瞧瞧蓉哥媳婦去，我再過去罷。"王夫人道："狠是。我們都要去瞧瞧，倒怕他嫌我們鬧的慌，説我們問他好罷。"尤氏道："好妹妹，媳婦聽你的話。你去開導開導他，我也放心。你就快些過園子裏來。"寶玉也要跟着鳳姐兒去瞧秦氏，王夫人道："你看看就過去罷，那是侄兒媳婦呢。"于是尤氏請了王夫人、邢夫人並他母親，都過會芳園去了。

鳳姐兒、寶玉方和賈蓉到秦氏這邊來。進了房門，悄悄的走到裏間房內，秦氏見他要站起來，鳳姐兒説："快別起來，看頭暈。"于是鳳姐兒緊行了兩步，拉住了秦氏的手，説道："我的奶奶！怎麼幾日不見，就瘦的這樣了！"于是就坐在秦氏坐的褥子上。寶玉也問了好，在對面椅子上坐了。賈蓉叫："快倒茶來，嬸子和二叔在上房還未吃茶呢。"

秦氏拉着鳳姐兒的手，强笑道："這都是我没福。這樣人家，公公、婆婆當自家的女兒似的待。嬸娘，你侄兒雖説年輕，却是他敬我，我敬他，從來沒有紅過臉兒。就是一家子的長輩、同輩之中，除了嬸子不用説了，別人也從無不疼我的，也從無不和我好的

鳳姐兒正看園中景致，一步步行來，正贊賞時，猛然從假山石後走出一個人來，向前對鳳姐説道："請嫂子安。"鳳姐兒猛一驚，將身往後一退，説道："這是瑞大爺不是？"賈瑞道："嫂子連我也不認得了？"

袁輝 畫

如今得了這個病，把我那要強的心一分也沒有了。公婆面前未得孝順一天兒；就是嬸娘這樣疼我，我就有十分孝順的心，如今也不能夠了。我自想着，未必熬得過年去。”

　　寶玉正把眼瞅着那“海棠春睡圖”並那秦太虛寫的“嫩寒鎖夢因春冷，芳氣襲人是酒香”的對聯，不覺想起在這裏睡晌覺時夢到“太虛幻境”的事來。正在出神，聽得秦氏說了這些話，如萬箭攢心，那眼淚不覺流下來了。鳳姐兒見了，心中十分難過，但恐病人見了這個樣子，反添心酸，倒不是來開導他、勸解他的意思了，說：“寶玉，你忒婆婆媽媽的了。他病人不過是這樣說，那裏就到這田地？況且年紀又不大，略病病就好。”又回頭向秦氏道：“你別胡思亂想，豈不是自家添病了麼？”賈蓉道：“他這病也不用別的，只吃得下些飯食就不怕了。”鳳姐兒道：“寶兄弟，太太叫你快些過去呢。你倒別在這裏只管

這麼着，倒招得媳婦也心裏不好過。太太那裏又惦着你。」因向賈蓉説道：「你先同寶玉過去，我還略坐坐呢。」賈蓉聽説，即同寶玉過會芳園去了。

這裏鳳姐兒又勸解了一番，又低低説了許多衷腸話兒。尤氏打發人來了兩三遍，鳳姐兒才向秦氏説道：「你好生養着，我再來看你罷。合該你這病要好了，所以前日遇着這個好大夫，再也是不怕的了。」秦氏笑道：「任憑他是神仙，治了病治不了命。嬸子，我也知道這病，不過是挨日子的。」鳳姐兒説道：「你只管這麼想，這那裏能好呢？總要想開了才好。況且聽得大夫説，若是不治，怕的是春天不好。咱們若是不能吃人參的人家，也難説了；你公公、婆婆聽見治得好，別説一日二錢人參，就是二斤也吃得起。好生養着罷，我就過園子裏去了。」秦氏又道：「嬸子，恕我不能跟過去了。閑了的時候，還求過來瞧瞧我呢，咱們娘兒們坐坐，多説幾句閑話兒。」鳳姐兒聽了，不覺眼圈兒又紅了，説道：

「我得了閑兒，必常來看你。」于是帶着跟來的婆子媳婦們並寧府的媳婦婆子們，從裏頭繞進園子的便門來。只見：

黃花滿地，白柳橫坡。小橋通若耶之溪，曲徑接天台之路。石中清流滴滴，蘿落飄香；樹頭紅葉翩翩，疏林如畫。西風乍緊，猶聽鶯啼；暖日當暄，又添蟬語。遙望東南，建幾處依山之榭；近觀西北，結三間臨水之軒。笙簧盈座，別有幽情；羅綺穿林，倍添韵致。

鳳姐兒正看園中景致，一步步行來，正贊賞時，猛然從假山石後走出一個人來，向前對鳳姐説道：「請嫂子安。」鳳姐兒猛一驚，將身往後一退，説道：「這是瑞大爺不是？」賈瑞説道：「嫂子連我也不認得了？」鳳姐兒道：「不是不認得，猛然一見，想不到是大爺在這裏。」賈瑞道：「也是合該我與嫂子有緣。我方才偷出了席，在這裏清净地方略散一散，不想就遇見嫂子。這不是有緣麼？」一面説着，一面拿眼睛不住的觀看鳳姐。

鳳姐是個聰明人，見他這個光景，如何不猜八九分呢？因向賈瑞假意含笑道：「怪不得你哥哥常常提你，説你好。今日見了，聽你這幾句話兒，就知道你是個聰明和氣的人了。這會子我要到太太們那邊去呢，不得合你説話，等閑了再會罷。」賈瑞道：「我要到嫂子家裏去請安，又怕嫂子年輕，不肯輕易見人。」鳳姐又假笑道：「一家骨肉，説什麼年輕不年輕的話。」賈瑞聽了這話，心中暗喜，因想道：「再不想今日得此奇遇!」那情景越發難看了。鳳姐兒說道:「你快去入席去罷,看他們拿住了,罰你的酒。」賈瑞聽了,身上已木了半邊,慢慢的走着,一面回過頭來看。鳳姐兒故意的把腳放遲了,見他去遠了,心裏暗忖道:「這才是『知人知面不知心』呢!那裏有這樣禽獸的人。他果如此,幾時叫他死在我手裏,他才知道我的手段!」

于是鳳姐兒方移步前來。將轉過了一重山坡兒,見兩三個婆子慌慌張張的走來,見鳳姐兒,笑道:「我們奶奶見二奶奶不來,急的了不得,叫奴才們又來請奶奶來了。」鳳姐兒說:「你們奶奶就是這樣『急腳鬼』似的。」鳳姐兒慢慢的走着,問:「戲文唱了幾齣了?」那婆子回道:「唱了八九齣了。」說話之間,已到天香樓後門,見寶玉和一羣丫頭、小子們那裏頑呢。鳳姐兒說:「寶兄弟,別忒淘氣了。」一個丫頭說道:「太太們都在樓上坐着呢,請奶奶就從這邊上去罷。」鳳姐兒聽了,款步提衣上了樓。尤氏已在樓梯口等着。

尤氏笑道:「你們娘兒兩個忒好了,見了面總捨不得來了。你明日搬來,和他同住罷。你坐下,我先敬你一鍾。」于是鳳姐兒在邢夫人、王夫人前告坐。尤氏拿戲單來讓鳳姐兒點戲。鳳姐兒:「太太們在上,如何敢點?」邢夫人、王夫人說道:「我們和親家太太點了好幾齣了,你點幾齣好的我們聽。」鳳姐兒立起身來答應了,接過戲單來。從頭一看,點了一齣《還魂》、一齣《彈詞》,遞過戲單來,說:「現在唱的這《雙官誥》,完了,再唱這兩齣,也就是時候了。」王夫人道:「可不是呢,也該趁早叫你哥哥、嫂子歇歇。他們心裏又不靜。」尤氏說道:「太太們又不是常來的,娘兒們多坐一會子去,才有趣。天氣還早呢。」鳳姐兒立起身來,望樓下一看,說:「爺們都往那裏去了?」旁邊一個婆子道:「爺們才到凝曦軒,帶了十番那裏吃酒去了。」鳳姐兒道:「在這裏不便宜,背地裏又不知幹什麼去了!」尤氏笑道:「那裏都像你這麼正經人呢。」

于是說說笑笑,點的戲都唱完了,方才撤下酒席,擺上飯來。吃畢,大家才出園子來,到上房坐下,吃了茶,才叫預備車,向尤氏的母親告了辭。尤氏率同衆姬妾並家人媳帚們送出來;賈珍率領衆子侄在車旁侍立,都等候着,見了邢、王二夫人,說道:「二位嬸子明日還過來逛逛。」王夫人道:「罷了,我們今兒整坐了一日,也乏了,明日也要歇歇。」于是都上車去了。賈瑞猶不住拿眼看着鳳姐兒。賈珍進去後,李貴才拉過馬來,寶玉騎上,隨了王夫人去了。這裏賈珍同一家子的弟兄子侄吃過飯,方大家散了。

次日仍是眾族人等鬧了一日，不必細說。此後鳳姐不時親自來看秦氏。秦氏也有幾日好些，也有幾日歹些。賈珍、尤氏、賈蓉好不焦心。

　　且說賈瑞到榮府來了幾次，偏都值鳳姐兒往寧府去了。這年正是十一月三十日冬至。到交節的那幾日，賈母、王夫人、鳳姐兒日日差人去看秦氏。回來的人都說：“這幾日未見添病，也未見甚好。”王夫人向賈母說：“這個症候，遇着這樣節氣，不添病就有指望了。”賈母說：“可是呢。好個孩子，若有個長短，豈不叫人疼死？”說着，一陣心酸，向鳳姐兒說道：“你們娘兒們好了一場，明日大初一，過了明日，你再看看他去。你細細的瞧瞧他的光景，倘或好些兒，你回來告訴我。那孩子素日愛吃什麼，你也常叫人送些給他。”鳳姐兒一一答應了。

　　到初二日，吃了早飯，來到寧府裏，看見秦氏光景，雖未添甚病，但那臉上身上的肉，都瘦乾了。于是和秦氏坐了半日，說了些閑話，又將這病無妨的話，開導了一番。秦氏道：“好不好，春天就知道了。如今現過了冬至，又沒怎麼樣，或者好的了也未可知。嬸子回老太太、太太放心罷。昨日老太太賞的那棗泥餡的山藥糕，我倒吃了兩塊，倒像克化的動的是的。”鳳姐兒道：“明日再給你送來。我到你婆婆那裏瞧瞧，就要趕着回去回老太太話去。”秦氏道：“嬸子替我請老太太、太太的安罷。”

　　鳳姐兒答應着就出來了，到了尤氏上房坐下。尤氏道：“你冷眼瞧媳婦是怎麼樣？”鳳姐兒低了半日頭，說道：“這個就沒法兒了。你也該將一應的後事，給他料理料理，冲一冲也好。”尤氏道：“我也暗暗的叫人預備了。就是那件東西，不得好木頭，且慢慢的辦着呢。”于是鳳姐兒吃了茶，說了一會子話兒，說道：“我要快些回去，回老太太的話去呢。”尤氏道：“你可緩緩的說，別嚇着老人家。”鳳姐兒道：“我知道。”

　　于是鳳姐兒就回來了。到家中，見了賈母，說：“蓉哥媳婦請老太太安，給老太太磕頭，說他好些了，求老祖宗放心罷。他再略好些，還給老祖宗磕頭請安來呢。”賈母道：“你看他是怎麼樣？”鳳姐兒說：“暫且無妨，精神還好呢。”賈母聽了，沉吟了半日，因向鳳姐說：“你換換衣服歇歇去罷。”

　　鳳姐兒答應着出來，見過了王夫人。到了家中，平兒將烘的家常衣服給鳳姐兒換了。鳳姐兒方坐下，問：“家中沒有什麼事麼？”平兒方端了茶來，遞了過去，說道：“沒有什麼事。就是那三百兩銀子的利銀，旺兒媳婦送進來，我收了。再有瑞大爺使人來打聽奶奶在家沒有，他要來請安說話。”鳳姐兒聽了，哼了一聲，說道：“這畜生合該作死，看他來了怎麼樣！”平兒回道：“這瑞大爺，是為什麼只管來？”鳳姐兒遂將九月裏在寧府園子裏遇見他的光景，他說的話，都告訴了平兒。平兒說道：“癩蛤蟆想吃天鵝肉。沒人倫的混賬東西！起這樣念頭，叫他不得好死！”鳳姐兒道：“等他來了，我自有道理。”不知賈瑞來時作何光景，且聽下回分解。

〈第拾貳回〉

王熙鳳毒設相思局｜賈天祥正照風月鑒

話說鳳姐正與平兒說話，只見有人回說：「瑞大爺來了。」鳳姐命：「請進來罷。」賈瑞見請，心中暗喜。見了鳳姐，滿面陪笑，連連問好。鳳姐兒也假意殷勤讓坐讓茶。賈瑞見鳳姐如此打扮，越發酥倒。因餳了眼問道：「二哥哥怎麼還不回來？」鳳姐道：「不知什麼緣故。」賈瑞笑道：「別是路上有人絆住了脚，捨不得回來了。」鳳姐道：「可知男人家見一個愛一個，也是有的。」賈瑞笑道：「嫂子這話錯了，我就不是這樣。」鳳姐笑道：「像你這樣的人，能有幾個呢？十個裏也挑不出一個來。」賈瑞聽了，喜的抓耳撓腮，又道：「嫂子天天也悶的狠。」鳳姐道：「正是呢，只盼個人來說話，解解悶兒。」賈瑞笑道：「我倒天天閑着，若天天過來替嫂子解解悶兒，可好麼？」鳳姐笑道：「你哄我呢，你那裏肯往我這裏來？」賈瑞道：「我在嫂子面前，若有一句謊話，天打雷劈！只因素日聞得人說，嫂子是個利害人，在你跟前一點也錯不得，所以唬住了。我如今見嫂子是個有說有笑極疼人的，我怎麼不來？死了也情願！」鳳姐笑道：「果然你是個明白人，比賈蓉兄弟兩個強遠了。我看他那樣清秀，只當他們心裏明白，誰知竟是兩個糊塗蟲，一點不知人心。」

賈瑞聽了這話，越發撞在心坎兒上，由不得又往前凑了一凑，覷着眼看鳳姐的荷包，又問：「戴着什麼戒指？」鳳姐悄悄的道：「放尊重些，別叫丫頭們看見了。」賈瑞如聽綸音佛語一般，忙往後退。鳳姐笑道：「你該去了。」賈瑞道：「我再坐一坐兒，好狠心的嫂子!"鳳姐兒又悄悄的道:"大天白日,人來人往,你就在這裏也不方便。你上去,等到晚上起了更,你來,悄悄的在西邊穿堂兒等我。"賈瑞聽了,如得珍寶,忙問道:"你別哄我。但是那裏人過的多,怎麼好躲呢?"鳳姐道:"你只放心,我把上夜的小廝們都放了假,兩邊門一關了,再沒別人了。"賈瑞聽了,喜之不盡,忙忙的告辭而去,心內以為得手。

盼到晚上,果然黑地裏摸入榮府,趁掩門時,鑽入穿堂。果見漆黑無一人來往,往賈母那邊去的門已倒鎖,只有向東的門未關。賈瑞側耳聽着,半日不見人來,忽聽"咯噔"一聲,東邊的門也關上了。賈瑞急的也不敢則聲,只得悄悄出來,將門撼了撼,關得鐵桶一般。此時要出去,亦不能了,南北俱是大墙,要跳也無攀援。這屋內又是過門風,空落落的。現是臘月天氣,夜又長,朔風凜凜,侵肌裂骨,一夜幾乎不曾凍死。好容易盼到早晨,只見一個老婆子先將東門開了進來,去叫西門。賈瑞瞅他背着臉,一溜烟抱了肩跑出來,幸而天氣尚早,人都未起,從後門一徑跑回家去。

原來賈瑞父母早亡,只有他祖父代儒教養。那代儒素日教訓最嚴,不許賈瑞多走一步,生怕他在外吃酒賭錢,有誤學業。今忽見他一夜不歸,只料定他在外非飲即賭,嫖娼宿妓,那裏想到這段公案,因此氣了一夜。賈瑞也捏着一把汗,少不得回來撒謊,只說:"往舅舅家去的,天黑了,留我住了一夜。"代儒道:"自來出門,非稟我不敢擅出,如何昨日私自去了?據此也該打,何況是撒謊!"因此發狠撅倒,打了三四十板,還不許吃飯,令他跪在院內讀文章,定要補出十天工課來方罷。賈瑞先凍一夜,又遭了打,且餓着肚子跪在風地裏讀文章,其苦萬狀。

此時賈瑞邪心未改,再想不到鳳姐捉弄他。過了兩日,得了空,仍來找尋鳳姐。鳳姐故意抱怨他失信,賈瑞急的賭咒發誓。鳳姐因他自投羅網,少不得再尋別計令他知改,故又約他道:"今日晚上,你別在那裏了。你在我這房後小過道裏那間空屋裏等我,可別冒撞了。"賈瑞道:"果真?"鳳姐道:"誰來哄你?你不信就別來。"賈瑞道:"來,來,來。死也要來!"鳳姐道:"這會子你先去罷。"賈瑞料定晚間必妥,此時先去了。鳳姐在這裏便點兵派將,設下圈套。

那賈瑞只盼不到晚上,偏生家裏親戚又來了,直吃了晚飯才去,那天已有掌燈時分;又等他祖父安歇,方溜進榮府,直往那夾道中屋子裏來等着,熱鍋上螞蟻一般。只是左等不見人影,右聞也沒聲響,心中害怕,不住猜疑道:"別是又不來了,又凍一夜不成?"正自胡猜,只見黑魆魆的來了一個人,賈瑞便意定是鳳姐,不管皂白,等那人剛至面前,便如餓虎撲食、猫兒捕鼠的一般,抱住叫道:"親嫂子,等死我了!"說着,抱到屋裏炕上优親嘴扯褲子，滿口裏"親爹"、"親娘"的亂叫起來。那人只不做聲。賈瑞扯了自己的褲子，硬邦邦就想頂入。忽見燈光一閃，只見賈薔舉着個蠟臺，照道："誰在屋裏?"只見炕上那人笑道："瑞大叔要肏我呢。"賈瑞一見，却是賈蓉，真臊得無地可入，不知怎樣才好，回身就要跑兌，被賈薔一把揪住道："別走! 如今璉二嬸已經告到太太跟前，説你調戲他，他暫用了脱身計，哄你在那裏等着。太太氣死過去，因此叫我來拿你。快跟我去見太太去!"

賈瑞聽了，

鳳姐設局

魂不附體，只説："好侄兒，你只説没有我，我明日重重的謝你。"賈薔道："放你不值什麼，只不知你謝我多少?况且口説無憑，寫一文契來。"賈瑞道："這如何落紙呢?"賈薔道："這也不妨，寫一個'賭錢輸了外人賬目，借頭家銀若干兩'便罷。"賈瑞道："這也容易。"賈薔翻身出來，紙筆現成，拿來命賈瑞寫。他兩個做好做歹，只寫了五十兩銀子，畫了押，賈薔收起來，然後撕攞賈蓉。賈蓉先咬定牙不依，只説："明日告訴族中的人評評理。"賈瑞急的至于叩頭賈薔做好做歹的，也寫了一張五十兩欠契才罷。賈薔又道："如今要放你，我就擔着不是。太太那邊的門早已關了，老爺正在廳上看南京來的東西，那一條路定難過去，如今只好走後門。若這一走，倘或遇見了人，連我也不好。等我先要探探，再來領你。這屋裏你還藏不住，少時就來堆東西，等我尋個地方。"説畢，拉着賈瑞，仍息了燈，出至院外，摸着大臺階底下說道："這窩兒裏好，只蹲着，別哼一聲，等我來再走。"説畢，二人去了。

賈瑞此時身不由己，只得蹲在那臺階下。正要盤算，只聽頭頂上一聲響，唿喇喇一净桶尿糞從上面直潑下來，可巧澆了他一身一頭。賈瑞掌不住"嗳喲"一聲，忙又掩住口，不敢聲張，滿頭滿臉皆是尿屎，渾身冰冷打戰。只見賈薔跑來叫："快走，快走! "賈瑞方得了命，三步兩步，從後門跑到家中。天已三更，只得叫開了門。家人見他這般光景，問："是怎麼了?"少不得撒謊説："天黑了，失脚掉在茅厠裏了。"一面即到自己房中更衣洗濯。心下方想到鳳姐頑他，因此發一回狠;再想想鳳姐的模樣兒標致，又恨不得一時摟在懷裏。胡思亂想，一夜不曾合眼。

自此雖想鳳姐，只不敢往榮府去了。賈蓉等兩個常常來索銀子，他又怕祖父知道。正是相思尚且難禁，况又添了債務，日間工課又緊。他二十來歲人，尚未娶親，還來想着鳳姐不得到手，未免有些指頭兒告了消乏。更兼兩回凍惱奔波，因此三五下裏夾攻，不覺就得了一病:心内發膨脹，口内無滋味，脚下如綿，眼中似醋，黑夜作燒，白日常倦，下溺遺精，嗽痰帶血。諸如此症，不上一年，都添全了。于是不能支持，一頭跌倒，合上眼還只夢魂顛倒，滿口説胡話，驚怖異常。百般請醫療治，諸如肉桂、附子、鱉甲、麥冬、玉竹等藥，吃了有幾十斤下去，也不見個動静。

倏又臘盡春回，這病更又沉重。代儒也着了忙，各處請醫療治，皆不見效。因後又吃"獨參湯"，代儒如何有這力量，只得往榮府裏來尋。王夫人命鳳姐秤二兩給他。鳳姐回説："前兒新近替老太太配了藥，那整的太太又説留着送楊提督的太太配藥，偏偏昨兒我已着人送了去了。"王夫人道："就是咱們這邊没了，你打發個人往那邊婆婆處問問，或是你珍大哥哥那裏有，尋些來，湊着給人家，吃好了，救人一命，也是你們的好處。

賈瑞叫道："讓我拿了鏡子再走! "只説這句，就再不能説話了。旁邊伏侍的人，只見他先還拿着鏡子照，落下來，仍睁開眼拾在手内，末後鏡子掉下來，便不動了。衆人上來看看，已没了氣。

王熙鳳毒設相思局　賈天祥正照風月鑑

處。"鳳姐應了,也不遣人去尋,只將些渣末湊了幾錢,命人送去,只説:"太太送來的再也沒了。"然後向王夫人只説:"都尋了來,共湊了有二兩送去。"

那賈瑞此時要命心急,無藥不吃,只是白花錢,不見效。忽然這日,有個跛足道人來化齋,口稱:"專治冤業之症。"賈瑞偏生在内聽了,直着聲叫喊説:"快去請進那位菩薩來救命!"一面在枕頭上叩首。衆人只得帶了那道士進來。賈瑞一把拉住,連叫:"菩薩救我!"那道士嘆道:"你這病非藥可醫。我有個寶貝與你,你天天看時,此命可保矣。"説畢,從褡褳中取出正反面皆可照人的鏡,背上面鏨着"風月寶鑒"四字,遞與賈瑞道:"這物出自太虛幻境空靈殿上,警幻仙子所製,專治邪思妄動之症,有濟世保生之功。所以帶他到世上來,單與那些聰明傑俊、風雅王孫等看照。千萬不可照正面,只照他的背面,要緊,要緊!三日後吾來收取,管叫他好了。"話畢,徜徉而去,衆人苦留不住。

賈瑞接了鏡子,想道:"這道士倒有意思,我何不照一照試試?"想畢,拿起"風月寶鑒"來,向反面一照,只見一個骷髏立在裏面,唬得賈瑞連忙掩了,罵:"道士混帳,如何嚇我!我倒再照照正面是什麼。"想着,便將正面一照,只見鳳姐站在裏面點手兒叫他。賈瑞心中一喜,蕩悠悠覺得進了鏡子,與鳳姐雲雨一番,鳳姐仍送他出來。到了床上,"嗳喲"了一聲,一睜眼,鏡子從新又掉過來,仍是反面立着一個骷髏。賈瑞自覺汗津津的,底下已遺了一灘精。心中到底不足,又翻過正面來,只見鳳姐還招手叫他,他又進去,如此三四次。到了這次,剛要出鏡子來,只見兩個人走來,拿鐵鎖把他套住,拉了就走。賈瑞叫道:"讓我拿了鏡子再走!"只説這句,就再不能説話了。

旁邊伏侍的人,只見他先還拿着鏡子照,落下來,仍睜開眼拾在手内,末後鏡子掉下來,便不動了。衆人上來看看,已沒了氣,身子底下,冰凉精濕一大灘精。這才忙着穿衣抬床,代儒夫婦哭的死去活來,大罵道士:"是何妖鏡!若不毀此鏡,遺害人世不小!"遂命架火來燒。只聽空中叫道:"誰教你們瞧正面了的。你們自己以假為真,為何燒我此鏡?"忽見那鏡從空中飛出。代儒出門看時,只見還是那個跛足道人,喊道:"誰毀'風月寶鑒'?"説着,搶了鏡子,眼看着他飄然去了。

當下代儒料理喪事,各處去報。三日起經,七日發引,寄靈鐵檻寺,日後帶回原籍。一時賈家衆人齊來吊問。榮府賈赦贈銀二十兩,賈政也是二十兩,寧府賈珍亦有二十兩,其餘族中人貧富不一,或一二兩、三四兩不等。外又有各同窗家中分資,也湊了二三十兩。代儒家道雖然淡薄,得此幫助,倒也豐豐富富完了此事。

誰知這年冬底,林如海因為身染重疾,寫書來特接林黛玉回去。賈母聽了,未免又加憂悶,只得忙忙的打點黛玉起身。寶玉大不自在,争奈父女之情,也不好攔阻。于是賈母定要賈璉送他去,仍叫帶回來。一應土儀盤費,不消繁絮説,自然要妥貼。作速擇了日期,賈璉與林黛玉辭別了衆人,帶領僕從,登舟往揚州去了。要知端的,且聽下回分解。

第拾叁回

話說鳳姐兒自賈璉送黛玉往揚州去後，心中實在無趣，每到晚間，不過同平兒說笑一回，就胡亂睡了。這日夜間，正和平兒燈下擁爐倦繡，早命濃薰繡被，二人睡下，屈指算行程該到何處，不知不覺，已交三鼓。平兒已睡熟了。鳳姐方覺睡眼微蒙，恍惚只見秦氏從外走進來，含笑說道："嬸嬸好睡！我今日回去，你也不送我一程。因娘兒們素日相好，我捨不得嬸嬸，故來別你一別。還有一件心願未了，非告訴嬸嬸，別人未必中用。"鳳姐聽了，恍惚問道："有何心願？只管託我就是了。"秦氏道："嬸嬸，你是個脂粉隊裏的英雄，連那些束帶頂冠的男子，也不能過你。你如何連兩句俗語也不曉得？常言'月滿則虧，水滿則溢'，又道是'登高必跌重'。如今我們家赫赫揚揚，已將百載，一日倘或'樂極生悲'，若應了那句'樹倒猢猻散'的俗語，豈不虛稱了一世詩書舊族了？"鳳姐聽了此話，心胸不快，十分敬畏，忙問道："這話慮的極是。但有何法，可以永保無虞？"秦氏冷笑道："嬸嬸好痴也。'否極泰來'，榮辱自古周而復始，豈人力所能保常的。但如今能于榮時籌畫下將來衰時的世業，亦可以常永保全了。即如今日諸事俱妥，只有兩件未妥，若把此事如此一行，則後日可保永全了。"

鳳姐便問："何事？"秦氏道："目今祖塋雖四時祭祀，只是無一定的錢糧；第二，家塾雖立，無一定的供給。依我想來，如今盛時固不

缺祭祀供給，但將來敗落之時，此二項有何出處？莫若依我定見，趁今日富貴，將祖塋附近多置田莊房舍、地畝，以備祭祀，供給之費皆出自此處，將家塾亦設於此。合同族中長幼大家定了則例，日後按房掌管這一年的地畝錢糧、祭祀供給之事。如此周流，又無爭競，也沒有典賣諸弊。便是有罪，物可入官，這祭祀產

業，連官也不入的。便敗落下來，子孫回家讀書務農，也有個退步，祭祀又可永繼。若目今以爲榮華不絕，不思後日，終非長策。眼見不日又有一件非常喜事，真是烈火烹油鮮花着錦之盛。要知道，也不過是瞬息的繁華，一時的歡樂，萬不可忘了那「盛筵必散」的俗語。若不早爲後慮，只恐後悔無益了。」鳳姐忙問：「有何喜事？」秦氏道：「天機不可泄漏。只是我與嬸嬸好了一場，臨別贈你兩句話，須要記着。」因念道：

　　　　三春去後諸芳盡，各自須尋各自門。

鳳姐還欲問時，只聽二門上傳事雲板連叩四下，正是喪音，將鳳姐驚醒。人回：「東府蓉大奶奶沒了！」鳳姐嚇一身冷汗，出了一回神，只得忙穿衣往王夫人處來。彼時合家皆知，無不納悶，都有些疑心。那長一輩的想他素日孝順，平輩的想他素日和睦親密，下一輩的想他素日的慈愛，以及家中僕從老小想他素日憐貧惜賤、愛老慈幼之恩，莫不悲號痛哭。

　　閑言少叙。却説寶玉因近日林黛玉回去，剩得自己落單，也不和人頑耍，每到晚間

鳳姐方覺睡眼微蒙，恍惚只見秦氏從外走進來，含笑說道：「嬸嬸好睡！我今日回去，你不送我一程。因娘兒們素日相好，我捨不得嬸嬸，故來別你一別。還有一件心願未了，非告訴嬸嬸，別人未必中用。」　　袁輝　畫

賈珍哭的淚人一般，正和賈代儒等說道：「合家大小，遠親近友，誰不知我這媳婦比兒子還強十倍，如今伸腿去了，可見這長房內絕滅無人了。」說着，又哭起來。　　謝倫和　畫

更索然睡了。如今從夢中聽見説秦氏死了，連忙翻身爬起來，只覺心中似戳了一刀的，不覺"哇"的一聲，直奔出一口血來。襲人等慌慌忙忙上來扶着，問："是怎麼樣的?"又要回賈母，去請大夫。寶玉道："不用忙，不相干。這是急火攻心，血不歸經。"説着，便爬起來，要衣服換了，來見賈母，即時要過去。襲人見他如此，心中雖放不下，又不敢攔阻，只得由他罷了。賈母見他要去，因説："才嚥氣的人，那裏不乾净；二則夜裏風大，等明早再去不遲。"寶玉那裏肯依。賈母命人備車，多派跟從人役，擁護前來。

　　一直到了寧國府前，只見府門大開，兩邊燈火，照如白晝，亂烘烘人來人往，裏面哭聲搖山振岳。寶玉下了車，忙忙奔至停靈之室，痛哭一番。然後見過尤氏，誰知尤氏正犯了胃痛舊症，睡在床上。然後又出來見賈珍。彼時賈代儒、代修、賈敕、賈效、賈敦、賈赦、賈政、賈琮、賈瑞、賈珩、賈珖、賈琛、賈瓊、賈璘、賈薔、賈菖、賈菱、賈芸、賈芹、賈㻞、賈萍、賈藻、賈蘅、賈芬、賈芳、賈藍、賈菌、賈芝等都來了。賈珍哭的淚人一般，正和賈代儒等説道："合家大小，遠親近友，誰不知我這媳婦比兒子還強十倍，如今伸腿去了，可見這長房内絶滅無人了。"説着，又哭起來。衆人忙勸道："人已辭世，哭也無益。且

商議如何料理要緊。」賈珍拍手道:「如何料理,不過儘我所有罷了!」

　　正說着,只見秦邦業、秦鍾並尤氏的幾個眷屬、尤氏姊妹也都來了。賈珍便命賈瓊、賈琛、賈璘、賈薔四個人去陪客,一面吩咐去請欽天監陰陽司來擇日,擇准停靈七七四十九日,三日後開喪送訃聞。這四十九日,單請一百零八僧眾,在大廳上拜「大悲懺」超度前亡後化鬼魂;另設一壇于天香樓上,是九十九位全真道士,打十九日解冤洗業醮。然後停靈于會芳園中,靈前另外五十眾高僧,五十位高道,對壇按七作好事。那賈敬聞得長孫媳死了,因自為早晚就要飛升,如何肯又回家染了紅塵,將前功盡棄,故此並不在意,只憑賈珍料理。

　　且說賈珍恣意奢華,看板時,幾副杉木板,皆不中意。可巧薛蟠來吊,因見賈珍尋好板,便說:「我們木店裏有一副板,叫作什麼檣木,出在潢海鐵網山上,作了棺材,萬年不壞。這還是當年先父帶來的,原係義忠親王老千歲要的,因他壞了事,就不曾用。現在還封在店裏,也沒有人買得起。你若是要,就來看看。」賈珍聽說甚喜,即命抬來。大家看時,只見幫底皆厚八寸,紋若檳榔,味若檀麝,以手扣之,聲如玉石。大家稱奇。賈珍笑問道:「價值幾何?」薛蟠笑道:「拿着一千兩銀子,只怕沒買處。什麼價不價,賞他們幾兩銀子作工錢便是了。」賈珍聽說,忙謝不盡,即命解鋸造成。賈政因勸道:「此物恐非常人可享,殮以上等杉木也罷了。」賈珍如何肯聽。

　　忽又聽見秦氏之丫鬟名喚瑞珠的,見秦氏死了,也觸柱而亡。此事可罕,合族都稱嘆。賈珍遂以孫女之禮殮殯之,一併停靈于會芳園之登仙閣。又有小丫鬟名寶珠的,因秦氏無出,乃願為義女,請任摔喪駕靈之任。賈珍甚喜,即時傳命,從此皆呼寶珠為小姐。那寶珠按未嫁女之禮,在靈前哀哀欲絕。于是合族人丁,並家下諸人,都各遵舊制行事,自不得錯亂。

　　賈珍因想道:「賈蓉不過是個黌門監,靈幡上寫時不好看,便是執事也不多。」因此心下甚不自在。可巧這日正是首七第四日,早有大明宮掌宮內監戴權,先備了祭禮遣人來,次坐了大轎,打道鳴鑼,親來上祭。賈珍忙接陪讓坐,至逗蜂軒獻茶。賈珍心中早已定了主意,因而趁便就說要與賈蓉捐個前程的話。戴權會意,因笑道:「想是為喪禮上風光些?」賈珍忙道:「老內相所見不差。」戴權道:「事倒湊巧,正有個美缺。如今三百員龍禁尉缺了兩員,昨兒襄陽侯的兄弟老三來求我,現拿了一千五百兩銀子送到我家裏,你知道,咱們都是老相好,不拘怎麼樣,看着他爺爺的份上,胡亂應了。還剩了一個缺,誰知永興節度使馮胖子要求與他孩子捐,我就沒工夫應他。既是咱們的孩子要捐,快寫

會芳園臨街大門洞開,兩邊起了樂鼓廳,兩班青衣按時奏樂,一對對執事擺的刀斬斧截,更有兩面朱紅銷金大牌竪在門外,上面大書道:「防護內廷紫禁道御前侍衛龍禁尉」。對壇高起着宣壇,僧道對壇。

戴敦邦　畫

個履歷來。"賈珍忙命人寫了一張紅紙履歷來。戴權看了，上寫着：

　　　江南應天府江寧縣監生賈蓉，年二十歲。曾祖，原任京營節度使世襲一等神威將軍賈
代化。祖，丙辰科進士賈敬。父，世襲三品爵威烈將軍賈珍。

戴權看了，回手遞與一個貼身的小廝收了，道："回去送與戶部堂官老趙，說我拜上
他起一張五品龍禁尉的票，再給個執照，就把這履歷填上，明日我來兌銀子送過去。"小
廝答應了。戴權告辭，賈珍款留不住，只得送出府門。臨上轎，賈珍問："銀子還是我到部
去兌，還是送入內相府中？"戴權道："若到部兌，你又吃虧了。不如平准一千兩銀子，送
到我家就完了。"賈珍感謝不盡，因說："待服滿後，親帶大小犬到府叩謝。"于是作別。

接着，又聽喝道之聲，原來是忠靖侯史鼎的夫人來了，史湘雲、王夫人、邢夫人、鳳
姐等剛迎入正房，又見錦鄉侯、川寧侯、壽山伯三家祭禮也擺在靈前。少時，三人下轎，
賈珍接上大廳。如此親朋你來我去，也不能計數。只這四十九日，寧國府街上，一條白
漫漫人來人往，花簇簇官來官去。

賈珍令賈蓉次日換了吉服，領憑回來。靈前供用執事等物，俱按五品職例。靈牌疏
上皆寫"誥授賈門秦氏宜人之靈位"。會芳園臨街大門洞開，兩邊起了樂鼓廳，兩班青
衣按時奏樂，一對對執事擺的刀斬斧截。更有兩面朱紅銷金大牌竪在門外，上面大書
道："防護內廷紫禁道御前侍衛龍禁尉"。對面高起着宣壇，僧道對壇。榜上大書"世襲
寧國公家孫婦防護內廷御前侍衛龍禁尉賈門秦氏宜人之喪，四大部州至中之地，奉天
永建太平之國，總理虛無寂靜教門僧錄司正堂萬虛，總理元始正一教門道紀司正堂葉
生等，敬謹修齋，朝天叩佛"，以及"恭請諸伽藍、揭諦、功曹等神，聖恩普錫，神威遠振，
四十九日銷災洗業平安水陸道場"等語，亦不及繁記。

只是賈珍雖然心意滿足，但裏面尤氏又犯了舊疾，不能料理事務，惟恐各誥命來
往，虧了禮數，怕人笑話，因此心中不自在。當下正憂慮時，因寶玉在側，便問道："事事
都算安貼了，大哥哥還愁什麼？"賈珍便將裏面無人的話，告訴了他。寶玉聽説，笑道：
"這有何難，我薦一個人與你，權理這一個月的事，管保妥當。"賈珍忙問："是誰？"寶玉
見坐間還有許多親友，不便明言，走向賈珍耳邊說了兩句。賈珍聽了，喜不自勝，笑道：
"果然妥貼，如今就去。"說着，拉了寶玉，辭了眾人，便往上房裏來。

可巧這日非正經日期，親友來的少，裏面不過幾位近親堂客，邢夫人、王夫人、鳳
姐並合族中的內眷陪坐。聞人報："大爺進來了。"唬的眾婆娘"唿"的一聲，往後藏之不迭，

那鳳姐素日最喜攬事，好賣弄能幹，今見賈珍如此央他，心中早已允了，又見王夫人有活
動之意，便向王夫人道："大哥説得如此懇切，太太就依了罷。"王夫人悄悄的問道："你
能麼？"鳳姐道："有什麼不能。算外面的大事，已經大哥哥料理清了，不過是裏面照管些
管，便是我有不知的，問太太就是了。"

戴敦邦 畫

商務印書館 📖 讀者回饋咭

　　請詳細填寫下列各項資料，傳真至2565 1113，以便寄上本館門市優惠券，憑券前往商務印書館本港各大門市購書，可獲折扣優惠。

所購本館出版之書籍：＿＿＿＿＿＿＿＿＿＿＿＿＿＿＿＿＿＿＿＿＿＿

購書地點：＿＿＿＿＿＿＿＿＿＿＿＿＿　姓名：＿＿＿＿＿＿＿＿＿＿

通訊地址：＿＿＿＿＿＿＿＿＿＿＿＿＿＿＿＿＿＿＿＿＿＿＿＿＿＿＿
＿＿＿＿＿＿＿＿＿＿＿＿＿＿＿＿＿＿＿＿＿＿＿＿＿＿＿＿＿＿＿＿

電話：＿＿＿＿＿＿＿＿＿＿＿　傳真：＿＿＿＿＿＿＿＿＿＿

電郵：＿＿＿＿＿＿＿＿＿＿＿＿＿＿＿＿＿＿＿＿＿＿＿＿＿＿＿＿＿

你是否想透過電郵或傳真收到商務新書資訊？　1□是　　2□否

性別：1□男　　2□女

出生年份：＿＿＿＿＿年

學歷：1□小學或以下　2□中學　3□預科　4□大專　5□研究院

每月家庭總收入：1□HK$6,000以下　2□HK$6,000-9,999　　3□HK$10,000-14,999

　　　　　　　　4□ HK$15,000-24,999　5□HK$25,000-34,999　6□HK$35,000或以上

子女人數（只適用於有子女人士）1□1-2個　　2□3-4個　　3□5個或以上

子女年齡（可多於一個選擇）　1□12歲以下　2□12-17歲　3□18歲或以上

職業：1□僱主　2□經理級　3□專業人士　4□白領　5□藍領　6□教師

　　　7□學生　8□主婦　9□其他

最常前往的書店：＿＿＿＿＿＿＿＿＿＿＿＿＿＿＿＿＿＿＿＿＿＿＿

每月往書店次數：1□1次或以下　　2□2-4次　　3□5-7次　4□8次或以上

每月購書量：　1□1本或以下　　2□2-4本　　3□5-7本　4□8本或以上

每月購書消費：1□HK$50以下　　2□HK$50-199　3□HK$200-499

　　　　　　　4□HK$500-999　5□HK$1,000或以上

您從哪　得知本書：　1□書店 2□報章或雜誌廣告 3□電台 4□電視　5□書評/書介

　　　　　　　　　6□ 親友介紹 7□商務文化網站　8□其他 (請註明：＿＿＿＿＿＿)

您對本書內容的意見：＿＿＿＿＿＿＿＿＿＿＿＿＿＿＿＿＿＿＿＿＿＿

＿＿＿＿＿＿＿＿＿＿＿＿＿＿＿＿＿＿＿＿＿＿＿＿＿＿＿＿＿＿＿＿

您有否進行過網上買書？　1□有　2□否

您有否瀏覽過商務出版網 (網址：http://www.publish.commercialpress.com.hk)？

　1□有　　　2□否

您希望本公司能加強出版的書籍：

1□辭書　2□外語書籍　3□文學/語言　4□歷史文化　5□自然科學　6□社會科學

7□醫學衛生　8□財經書籍　9□管理書籍　10□兒童書籍　11□流行書

12□其他（請註明：＿＿＿＿＿＿＿＿＿＿＿＿）

根據個人資料「私隱」條例，讀者有權查閱及更改其個人資料。讀者如須查閱或更改其個人資料，請來函本館，信封上請註明「讀者回饋咭-更改個人資料」

香港筲箕灣

耀興道 3 號

東滙廣場 8 樓

商務印書館（香港）有限公司

顧客服務部收

秦可卿死封龍禁尉　王熙鳳協理寧國府

獨鳳姐款款站了起來。賈珍此時也有些病症在身,二則過于悲痛,因挂個拐跛了進來。邢夫人等因說道:“你身上不好,又連日事多,該歇歇才是,又進來做什麼?”賈珍一面挂拐拐挣着要蹲身跪下請安道乏,邢夫人等忙叫寶玉攙住,命人挪椅子與他坐。賈珍不肯坐,因勉强陪笑道:“侄兒進來,有一件事要求二位嬸嬸並大妹妹。”邢夫人等忙問:“什麼事?”賈珍忙忙道:“嬸嬸自然知道,如今孫子媳婦没了,侄兒媳婦又病倒,我看裏頭着實不成體統。要屈尊大妹妹一個月,在這裏料理料理,我就放心了。”邢夫人笑道:“原來爲這個。你大妹妹現在你二嬸嬸家,只和你二嬸嬸説就是了。”王夫人忙道:“他一個小孩子,何曾經過這些事,倘或料理不清,反叫人笑話。倒是再煩别人好。”賈珍笑道:“嬸嬸的意思,侄兒猜着了,是怕大妹妹勞苦了。若説料理不開,從小兒大妹妹頑笑時,就有殺伐決斷,如今出了閣,在那府裏辦事,越發歷練老成了。我想了這幾日,除了大妹妹,再無人可來了。嬸嬸不看侄兒與侄兒媳婦面上,只看死的分上罷。”説着,流下淚來。王夫人心中怕的是鳳姐未經過喪事,怕他料理不起,被人見笑。今見賈珍苦苦的説,心中已活了幾分,却又眼看着鳳姐出神。那鳳姐素日最喜攬事,好賣弄能幹,今見賈珍如此央他,心中早已允了,又見王夫人有活動之意,便向王夫人道:“大哥説得如此懇切,太太就依了罷。”王夫人悄悄的問道:“你可能麼?”鳳姐道:“有什麼不能。算外面的大事,已經大哥料理清了,不過是裏面照管照管,便是我有不知的,問太太就是了。”王夫人見説得有理,便不出聲。賈珍見鳳姐允了,又陪笑道:“也管不得許多了,横竪要求大妹妹辛苦辛苦。我這裏先與大妹妹行禮,等完了事,我再到那府裏去謝。”説着,就作揖下去。鳳姐連忙還禮不迭。

賈珍便命人取了寧國府對牌來,命寶玉送與鳳姐,説道:“妹妹愛怎麼就怎麼樣辦,要什麼只管拿這個去,也不必問我。只求别存心替我省錢,要好看爲上;二則也同那府裏一樣待人才好,不要存心怕人抱怨。只這兩件外,我再没不放心的了。”鳳姐不敢就接牌,只看着王夫人。王夫人道:“你哥哥既這麼説,你就照看照看罷。只是别自作主意,有了事打發人問你哥哥嫂子一聲兒要緊。”寶玉早向賈珍手裏接過對牌來,强遞與鳳姐了。賈珍又問:“妹妹還是住在這裏,還是天天來呢?若是天天來,越發辛苦了。我這裏趕着收拾出一個院落來,妹妹住過這幾日,倒安穩。”鳳姐笑説:“不用,那邊也離不得我,倒是天天來的好。”賈珍説:“也罷,也罷。”然後又説了一回閑話,方才出去。一時女眷散後,王夫人因問鳳姐:“你今兒怎麼樣?”鳳姐道:“太太只管請回去,我須得先理出一個頭緒來,才回去得呢。”王夫人聽説,便先同邢夫人回去,不在話下。

這裏鳳姐來至三間一所抱厦來坐了,因想:頭一件是人口混雜,遺失東西;二件事無專管,臨期推委;三件,需用過費,濫支冒領;四件,任無大小,苦樂不均;五件,家人豪縱,有臉者不能服鈐束,無臉者不能上進。此五件實是寧府中風俗。不知鳳姐如何處治,且聽下回分解。

第拾肆回

林如海捐館揚州城｜賈寶玉路謁北靜王

話說寧國府中都總管來昇，聞知裏面委請了鳳姐，因傳齊同事人等說道：「如今請了西府裏璉二奶奶管理内事，倘或他來支取東西，或是說話，須要小心伺候。每日大家早來晚散，寧可辛苦這一個月，過後再歇息，不要把老臉面丟了。那是個有名的烈貨，臉酸心硬，一時惱了，不認人的。」衆人都道：「有理。」又有一個笑道：「論理，我們裏面也該得他來整治整治，都忒不像了。」正說着，只見來旺媳婦拿了對牌來領呈文經榜紙札，票上開着數目。衆人連忙讓坐倒茶，一面命人按數取紙。來旺抱着，同來旺媳婦一路來至儀門，方交與來旺媳婦自己抱進去了。

鳳姐即命彩明定造冊簿。即時傳了來昇媳婦，要家口花名冊查看，又限明日一早傳齊家人媳婦進府聽差。大概點了一點數目單冊，問了來昇媳婦幾句話，便坐車回家。

至次日卯正二刻便過來了。那寧國府中婆子媳婦，聞得到齊，只見鳳姐與來昇媳婦分派衆人執事，不敢擅入，在窗外打聽。聽見鳳姐和來昇媳婦道：「既託了我，我就說不得要討你們嫌了。我可比不得你們奶奶好性兒，由着你們去。再不要說你們『這府裏原是這樣』的話，如今可要依着我行，錯我半點兒，管不得誰是有臉的，誰是沒臉的，一例清白處治。」

說罷，便吩咐彩明念花名冊，按名一個一個叫進來看視。一時看完，又吩咐道：「這二十個分作兩班，一班十個，每日在内，單管人客來往倒茶，別事不用他們管。這二十個也分作兩班，每日單管本家親戚茶飯，也不管别事。這四十個人也分作兩班，單在靈前上香添油，挂幔守靈，供飯供茶，隨起舉哀，也不管别事。這四個人專在内茶房收管杯碟茶器，若少了一件，四人分賠這四個人單管酒飯器皿，少一件也是分賠。這八個人單管收祭禮。這八個單管各處燈油、蠟燭、紙札，我總支了來交與你八個人，然後按我的定數再往各處去分派。這三十個每日輪流各處上夜，照管門户，監察火燭，打掃地方。這下剩的按房屋分開，某人守某處，某處所有桌椅古玩起，至于痰盒撣帚，一草一苗，或丢或壞，就問這看守之人賠補。來昇家的每日攬總查看，或有偷懶的，賭錢吃酒、打架拌嘴的，立刻來回我。你要徇情，經我查出，三四輩子的老臉就顧不成了。如今都有了定規，以後那一行亂了，只和那一行説話。素日跟我的人，隨身俱有鐘錶，不論大小事，皆有一定時刻，横竪你們上房裏也有時辰鐘。卯正二刻我來點卯，巳正吃早飯，凡有領牌回事的，只在午初二刻，戌初燒過黄昏紙，我親到各處查一遍，回來上夜的交明鑰匙。第二日仍是卯正二刻過來，説不得咱們大家辛苦這幾日罷，事完了，你們大爺自然賞你們的。”

説畢，又吩咐按數發與茶葉、油燭、雞毛撣子、笤帚等物。一面又搬取傢伙：桌圍、椅搭、坐褥、氈席、痰盒、脚踏之類。一面交發，一面提筆登記，某人管某處，某人領物件，開得十分清楚。衆人領了去，也都有了投奔，不似先時只揀便宜的做，剩下苦差没個招攬。各房中也不能趁亂迷失東西，便是人來客往，也都安静了，不比先前紊亂無頭緒一切偷安竊取等弊，一概都蠲了。

鳳姐自己威重令行，心中十分得意。因見尤氏犯病，賈珍也過于悲哀，不大進飲食，自己每日從那府中熬了各樣細粥，精美小菜，令人送來勸食。賈珍也另外吩咐每日送上等菜到抱厦内，單與鳳姐。鳳姐不畏勤勞，天天按時刻過來點卯理事，獨在抱厦内起坐，不與衆妯娌合羣。便有眷客來往，也不迎送。

這日乃五七正五日上，那應佛僧正開方破獄，傳燈照亡，參閻君，拘都鬼，延請地藏王，開金橋，引幢幡；那道士們正伏章申表，朝三清，叩玉帝；禪僧們行香，放焰口，拜水懺，又有十二衆青年尼僧，搭綉衣，靸紅鞋，在靈前默誦接引諸咒，十分熱鬧。

那鳳姐知道今日人客不少，寅正便起來梳洗，及收拾完備，更衣盥手，吃了兩口奶子，漱口已畢，正是卯正二刻了。來旺媳婦率領衆人伺候已久。鳳姐出至廳前，上了車，前面一對明角燈，上寫“榮國府”三個大字。來至寧府大門首，門燈朗挂，兩邊一色矗燈，照如白晝，白汪汪穿孝家人兩行侍立。請車至正門上，小廝退去，衆媳婦上來揭起車簾。鳳姐下了車，一手扶着豐兒，兩個媳婦執着手把燈照着，擁擁鳳姐進來。寧府諸媳婦迎着

鳳姐和來昇媳婦道：“既託了我，我就説不得要討你們嫌了。我可比不得你們奶奶好性兒由着你們去。再不要説你們‘這府裏原是這樣’的話，如今可要依着我行，錯我半點兒管不得誰是有臉的，誰是没臉的，一例清白處治。”

孟慶江 畫

請安。鳳姐款步入會芳園中登仙閣靈前，一見棺材，那眼淚恰似斷綫之珠，滾將下來。院中多少小廝垂手侍立，伺候燒紙。鳳姐吩咐一聲："供茶燒紙。"只聽一棒鑼鳴，諸樂齊奏，早有人端過一張大圈椅來，放在靈前，鳳姐坐了放聲大哭。于是裏外上下男女，都按聲嚎哭。

一時賈珍、尤氏令人勸止，鳳姐方止住。來旺媳婦倒茶漱口畢，鳳姐方起身，別了族中諸人，自入抱廈來，按名查點。各項人數，俱已到齊，只有迎送親客上的一人未到，即令傳來。那人惶恐。鳳姐冷笑道："原來是你誤了！你比他們有體面，所以不聽我的話。"那人回道："小的天天都來的早，只有今兒來遲了一步，求奶奶饒過初次。"正説着，只見榮國府中的王興媳婦來，在前探頭。鳳姐且不發放這人，却問："王興媳婦來作什麽？"王興媳婦近前説："領牌取綫，打車轎網絡。"説着將個帖兒遞上去。鳳姐令彩明念道："大轎兩頂，小轎四頂，車四輛，共用大小絡子若干根，每根用珠兒綫若干斤。"鳳姐聽了數目相合，便命彩明登記，取榮國對牌擲下。王興家的去了。鳳姐方欲説話，只見榮國府的四個執事人進來，都是要支取東西領牌的。鳳姐命他們要了帖念過，聽了一共四件，因指兩件道："這個開銷錯了，再算清了來領。"説着將帖子擲下。那二人掃興而去。鳳姐因見張材家的在旁，因問："你有什麽事？"張材家的忙取帖子回道："就是方才車轎圍做成，領取裁縫工銀若干兩。"鳳姐聽了，收了帖子，命彩明登記。待王興交過，得了買辦的回押相符，然後與張材家的去領。一面又命念那一件，是爲寶玉外書房完竣，支買紙料糊裱。鳳姐聽了，即命收帖兒登記，待張材家的繳清再發。

鳳姐便説道："明兒他也來遲了，後兒我也來遲了，將來都没有人了。本來要饒你，只是我頭一次寬了，下次就難管別人了，不如開發的好。"登時放下臉來，命："帶出去，打二十板子！"衆人見鳳姐動怒，不敢怠慢，拉出去照數打了，進來回覆。鳳姐又擲下寧府對牌："説與來昇，革他一月銀米！"吩咐："散了罷。"衆人方各自辦事去了。那時被打之人，亦含羞飲泣而去。彼時榮、寧兩處領牌交牌人往來不絶，鳳姐又一一開發了。于是寧府中人，才知鳳姐利害，自此各兢兢業業，不敢偷安。不在話下。

如今且説寶玉，因見人衆，恐秦鍾受了委曲，遂同他往鳳姐處坐坐。鳳姐正吃飯，見他們來了，笑道："好長腿子，快上來罷！"寶玉道："我們偏了。"鳳姐道："在這邊外頭吃的，還是那邊吃的？"寶玉道："同那些渾人吃什麽！原是那邊，我還同老太太吃了來的。"説着，一面歸坐。

鳳姐飯畢，就有寧府一個媳婦來領牌，爲支取香燈。鳳姐笑道："我算着你今兒該來支取，想是忘了。要終久忘了，自然是你包出來，都便宜了我。"那媳婦笑道："何嘗不是忘了？方才想起來，再遲一步，也領不成了。"説畢，領牌而去。

鳳姐自己威重令行，心中十分得意。

華三川 畫

一時登記交牌。秦鍾因笑道："你們兩府裏都是這牌，倘別人私造一個，支了銀子去怎樣？"鳳姐笑道："依你說，都沒王法了。"寶玉因道："怎麼咱們家沒人來領牌子東西？"鳳姐道："他們來領的時候，你還做夢呢。我且問你，你們多早晚才念夜書呢？"寶玉道："巴不得今日就念才好。只是他們不快給收拾出書房來，也是沒法。"鳳姐笑道："你請我一請，包管就快了。"寶玉道："你也不中用，他們該做到那裏的時候，自然有了。"鳳姐道："就是他們做，也得要東西，擱不住我不給對牌，是難的。"寶玉聽說，便猴向鳳姐身上，立刻要牌說："好姐姐，給他們牌，好支東西去收拾。"鳳姐道："我乏的身上生痛，還擱的住你這揉搓？你放心罷，今兒才領了裱紙糊去了。他們該要的還等叫去呢，可不傻了？"寶玉不信，鳳姐便叫彩明查冊子與寶玉看了。

正鬧着，人來回："蘇州去的昭兒來了。"鳳姐急命喚進來。昭兒打千兒請安。鳳姐便問："回來做什麼的？"昭兒道："二爺打發回來的。林姑老爺是九月初三巳時沒的。二爺帶了林姑娘，同送林姑爺的靈到蘇州，大約趕年底就回來。二爺打發小的來報個信請安，討老太太示下，還瞧瞧奶奶家裏，好叫把大毛衣服帶幾件去。"鳳姐道："你見過別人了沒有？"昭兒道："都見過了。"說畢，連忙退出。鳳姐向寶玉笑道："你林妹妹可在咱們家住長了。"寶玉道："了不得！想來這幾日，他不知哭的怎樣呢！"說着蹙眉長嘆。

鳳姐見昭兒回來，因當着人不及細問賈璉，心中自是記掛，待要回去，奈事未了畢，少不得耐到晚上回來，復令昭兒進來，細問一路平安信息。連夜打點大毛衣服，和平兒親自檢點包裹，再細細追想所需何物，一併包裹，交付昭兒。又細細吩咐昭兒："在外好生小心伏侍，不要惹你二爺生氣，時時勸他少吃酒，別勾引他認得混賬女人——回來打折你的腿！"趕亂完了，天已四更，睡下，不覺早又天明，忙梳洗過寧府來。

那賈珍因見發引日近，親自坐車，帶了陰陽司吏，往鐵檻寺來踏看寄靈所在，又一一囑咐住持色空，好生預備新鮮陳設，多請名僧以備接靈使用。色空忙備晚齋，賈珍也無心茶飯，因天晚不及進城，竟在淨室胡亂歇了一夜。次日早，便進城來料理出殯之事，一面又派人先往鐵檻寺，連夜另外修飾停靈之處，並廚茶等項，接靈人口。

鳳姐見日期在限，也預先逐細分派料理，一面又派榮府中車轎人從跟王夫人送殯，又顧自己送殯去占下處。目今正值繕國公誥命亡故，王、邢二夫人又去打祭送殯；西安郡王妃華誕，送壽禮；鎮國公誥命生了長男，預備賀禮；又有胞兄王仁連家眷回南，一面寫家信稟叩父母並帶往之物；又有迎春染疾，每日請醫服藥，看醫生啓帖、症源、藥案……各事冗雜，亦難盡述。又兼發引在邇，因此忙得鳳姐茶飯無心，坐臥不寧。剛到了寧府，榮府的人跟着；既回到榮府，寧府的人又跟着。鳳姐雖然如此之忙，只因素性

一時只見寧府大殯，浩浩蕩蕩，壓地銀山一般從北而至。

戴敦邦 畫

林如海捐館揚州城　賈寶玉路謁北靜王

好勝，惟恐落人褒貶，故費盡精神，籌畫得十分整齊。于是合族中上下，無不稱嘆。這日伴宿之夕，裏面兩班小戲並耍百戲的，與親朋等伴宿。尤氏猶臥于內室，一切張羅款待獨是鳳姐一人周全承應。合族中雖有許多妯娌，也有羞口羞腳的，也有不慣見人的，也有懼貴怯官的，種種之類，俱不及鳳姐舉止大雅，言語典則，因此也不把眾人放在眼裏，揮霍指示，任其所爲，旁若無人。一夜中，燈明火彩，客送官迎，那百般熱鬧，自不用說。

至天明吉時，一般六十四名青衣請靈，前面銘旌上大書："誥封一等寧國公冢孫婦防護內廷紫禁道御前侍衛龍禁尉享強壽賈門秦氏宜人之靈柩"。一應執事陳設，皆係現趕新做出來的，一色光彩奪目。寶珠自行未嫁女之禮，摔喪駕靈，十分哀苦。

　　那時官客送殯的，有鎮國公牛清之孫現襲一等伯牛繼宗，理國公柳彪之孫現襲一等子柳芳，齊國公陳翼之孫世襲三品威鎮將軍陳瑞文，治國公馬魁之孫世襲三品威遠將軍馬尚，修國公侯曉明之孫世襲一等子侯孝康。繕國公誥命亡故，其孫石光珠守孝，不得來。這六家與榮、寧二家，當日所稱"八公"的便是。餘者更有南安郡王之孫，西寧郡王之孫，忠靖侯史鼎，平原侯之孫世襲二等男蔣子寧，定城侯之孫世襲二等男兼京營游擊謝鯤，襄陽侯之孫世襲二等男戚建輝，景田侯之孫五城兵馬司裘良。餘者錦鄉伯公子韓奇，神武將軍公子馮紫英，陳也俊，衛若蘭等諸王孫公子，不可枚數。堂客也共有十來頂大轎，三四十頂小轎，連家下大小轎車輛，不下百十餘乘。連前面各色執事、陳設、百耍，浩浩蕩蕩，一帶擺三四里遠。

　　走不多時，路上彩棚高搭，設席張筵，和音奏樂，俱是各家路祭：第一棚是東平王府的祭，第二棚是南安郡王的祭，第三棚是西寧郡王的祭，第四棚便是北靜郡王的祭。原來這四王，當日惟北靜王功最高，及今子孫猶襲王爵。現今北靜王世榮，年未弱冠，生得美秀異常，情性謙和。近今寧國府冢孫婦告殂，因想當日彼此祖父有相與之情，同難同榮，未以異姓相視，因此不以王位自居，上日也曾探喪上祭，如今又設路奠，命麾下各官在此伺候。自己五更入朝，公事一畢，便換了素服，坐大轎，鳴鑼張傘而來。至棚前落轎，手下各官，兩旁擁侍，軍民人眾，不得查遷。

　　一時只見寧府大殯，浩浩蕩蕩，壓地銀山一般從北而至。早有寧府開路傳事人等報與賈珍，賈珍急命前面駐扎，同賈赦、賈政三人連忙迎來，以國禮相見。世榮在轎內欠身，含笑答禮，仍以世交稱呼接待，並不自大。賈珍道："犬婦之喪，累蒙郡駕下臨，闔家生輩何以克當？"世榮笑道："世交至誼，何出此言。"遂回頭令長府官主祭代奠。賈赦等一旁還禮，復親身來謝恩。世榮十分謙遜，因問賈政道："那一位是銜玉而誕者？久欲一見爲快，今日一定在此，何不請來？"賈政忙退下，命寶玉更衣，領他前來謁見。那寶玉素聞得世榮是個賢王，且才貌俱全，風流跌宕，不爲官俗國體所縛。每思相會，只是父親拘束，不克如願，今見反來叫他，自是歡喜。一面走，一面瞥見那世榮坐在轎內，好個儀表。不知近前又是怎樣，且聽下回分解。

第拾伍回

王鳳姐弄權鐵檻寺　秦鯨卿得趣饅頭庵

話説寶玉舉目見北靜王世榮頭上戴着淨白簪纓銀翅王帽，穿着江牙海水五爪龍白蟒袍，繫着碧玉紅鞓帶，面如美玉，目似明星，真好秀麗人物。寶玉忙搶上來參見，世榮忙從轎內伸手挽住。見寶玉戴着束髮銀冠，勒着雙龍出海抹額，穿着白蟒箭袖，圍着攢珠銀帶，面若春花，目如點漆。世榮笑道："名不虛傳，果然如'寶'似'玉'。"問："銜的那寶貝在那裏？"寶玉見問，連忙從衣內取出，遞與世榮。世榮細細看了，又念了那上頭的字，因問："果靈驗否？"賈政忙道："雖如此說，只是未曾試過。"世榮一面極口稱奇，一面理順彩繸，親自與寶玉帶上，又携手問寶玉幾歲，現讀何書，寶玉一一答應。

世榮見他語言清朗，談吐有致，一面又向賈政笑道："令郎真乃龍駒鳳雛，非小王在世翁前唐突，將來'雛鳳清于老鳳聲'，未可諒也。"賈政陪笑道："犬子豈敢謬承金獎，賴藩郡餘禎，果如所言，亦蔭生輩之幸矣。"世榮又道："只是一件，令郎如此資質，想老太夫人輩自然鍾愛極矣。但吾輩後生，甚不宜溺愛，溺愛則未免荒失了學業。昔小王曾蹈此轍，想令郎亦未必不如是也。若令郎在家難以用功，不妨常到寒第，小王雖不才，却多蒙海內眾名士凡至都者，未有不垂青目，是以寒第高人頗聚。令郎常去談談會會，則學問可以日進矣。"賈政忙躬身答道："是。"世榮又將腕上一串念珠卸下來，遞與寶玉道："今日初會，倉卒無敬賀之物，此係聖上所賜蕶苓香念珠一串，權爲賀敬之禮。"寶玉連忙接了，回身奉與賈政。賈政與寶玉一齊謝過了。于是賈赦、賈珍等一齊上來請回輿。世榮道：「逝者已登仙界，非碌碌你我塵寰中人也。小王雖□叨天恩，虛邀郡襲，豈可越仙輀而進也？」賈赦等見執意不從，方得告辭謝恩，回來命□下人掩樂停音，將殯過完，方讓世榮過去。不在話下。

　　且說寧府送殯，一路熱鬧非常。剛至城門，又有賈赦、賈政、賈珍等諸同寅屬下各家□棚接祭，一一的謝過，然後出城，竟奔鐵檻寺大路而來。彼時賈珍帶賈蓉來到諸長輩前，請□坐轎上馬，因而賈赦一輩的各自上了車轎，賈珍一輩的也將要上馬。鳳姐因記挂着寶玉，怕他在郊外縱性，不服家人的話，賈政管不着，惟恐有閃失，因此命小廝來喚他。寶玉只得□到他車前。鳳姐笑道：「好兄弟，你是個尊貴人，同女孩兒一般人品，別學他們猴在馬上。下□來，咱們姐兒兩個同車，豈不好麼？」寶玉聽說，便下了馬，爬上鳳姐車內，二人說笑前進。

　　不一時，只見那邊兩騎馬直奔鳳姐車，下馬扶車回道：「這裏有下處，奶奶請歇歇更□衣。」鳳姐命請王、邢二夫人示下。那二人回說：「太太們說不歇了，叫奶奶自便。」鳳姐便命□「歇歇再走。」小廝帶着轅馬，岔入人群，往北而來。寶玉在車急命：「請秦相公！」那時秦鍾□騎着馬，隨他父親的轎，忽見寶玉的小廝跑來，請他去打尖。秦鍾遠看這寶玉所騎的馬搭着□鞍籠，隨着鳳姐的車往北而去，便知寶玉同鳳姐一車，自己也帶馬趕上來，同入一莊門內。

　　那莊農人家，無多房舍，婦女無處回避。那些村姑莊婦，見了鳳姐、寶玉、秦鍾的人□品衣服，幾疑天人下降。鳳姐進入茅屋，先命寶玉等出去頑頑。寶玉會意，因同秦鍾帶着□小廝們各處游玩。凡莊家動用之物，俱不曾見過的，寶玉見了，都以為奇，不知何名何□用。小廝中有知道的，一一告訴了名目並其用處。寶玉聽了，因點頭道：「怪道古人詩上□說：『誰知盤中食，粒粒皆辛苦。』正為此也。」一面說，一面又到一間房內，見炕上有個□紡車，越發以為稀奇。小廝們又告以紡綫織布之用。寶玉便上炕搖轉作耍。只見一個□妝丫頭，約有十七八歲，走來說道：「別弄壞了！」眾小廝忙喝住了。寶玉也住了手，說道：□「我因不曾見過，所以試一試頑兒。」那丫頭道：「你們不會，我轉給你瞧。」秦鍾暗拉寶□玉道：「此卿大有意趣。」寶玉推他道：「再胡說，我就打了。」說着，只見那丫頭紡起綫來，□果然好看。忽聽那邊老婆子叫道：「二丫頭，快過來！」那丫頭丟了紡車，一徑去了。

　　寶玉悵然無趣。只見鳳姐打發人來叫他兩個進去。鳳姐洗了手，換了衣服，問他換□不換。寶玉道：「不換也就罷了。」僕婦們端上茶食果品來，又倒上香茶來。鳳姐等吃過□茶，待他們收拾完備，便起身上車。外面旺兒預備賞封，賞了那莊戶人家，那莊婦人等□來謝賞。寶玉留心看時，並不見紡綫之女。走不多遠，卻見這二丫頭懷裏抱了個小孩子，□想是他的兄弟，同着幾個小女孩子說笑而來。寶玉情不自禁，然身在車上，只得以目□

送。一時電卷風馳，回頭已無踪迹了。

　　說笑間，忽已趕上大殯。早又前面法鼓金鐃，幢幡寶蓋，鐵檻寺中僧眾已列路旁。少時到了寺中，另演佛事，重設香壇，安靈于内殿偏室之中，寶珠安理寢室爲伴。外面賈珍款待一應親友，也有擾飯的，也有就告辭的，一一謝過乏，從公、侯、伯、子、男，一起一起的，散至未末方散盡了。裏面的堂客，皆是鳳姐陪伴接待，先從誥命散起，也到晌午方散完了。只有幾個近親本族，等做過三日道場方去呢。那時邢、王二夫人知鳳姐必不能回家，便要進城。王夫人要帶了寶玉同去，寶玉乍到郊外，那裏肯回去，只要跟鳳姐住着。王夫人只得交與鳳姐而去。

　　原來這鐵檻寺是寧、榮二公當日修造的，現今還有香火地畝，以備京中老了人口，在此停靈。其中陰陽兩宅，俱是預備妥帖的，好爲送靈人口寄居。不想如今後人繁盛，其中貧富不一，或情性參商：有那家艱難安分的，便住在這裏了；那有錢勢尚排場的，只說這裏不方便，一定另外或村莊或尼庵尋個下處，爲事畢宴退之所。即今秦氏之喪，族中諸人皆權在鐵檻寺下榻。獨鳳姐嫌不方便，因遣人來和饅頭庵的姑子浄虛説了，騰出兩間房子來做下處。

　　原來這饅頭庵就是水月寺，因他廟裏做的饅頭好，就起了這個諢號，離鐵檻寺不遠。當下和尚工課已完，奠過晚茶，賈珍便命賈蓉請鳳姐歇息。鳳姐見還有幾個妯娌陪着女親，自己便辭了衆人，帶了寶玉、秦鍾往水月庵來。原來秦邦業年邁多病，不能在此，只命秦鍾等待安靈罷。那秦鍾只跟着鳳姐、寶玉，一時到……………………

了水月庵，净虛帶領智善、智能兩個徒弟出來迎接，大家見過。鳳姐等至净室更衣净手畢，因見智能兒越發長高了，模樣兒越發出息了，因説道：“你們師徒，怎麽這些日子也不往我們那裏去？”净虛道：“可是，這幾日都没工夫，因胡老爺府裏産了公子，太太送了十兩銀子來這裏，叫請幾位師父念三日《血盆經》，忙的没個空兒，就没來請奶奶的安。”

不言老尼陪着鳳姐。且説秦鍾、寶玉二人，正在殿上頑耍，因見智能過來，寶玉笑道：“能兒來了。”秦鍾説：“理那東西作什麽？”寶玉笑道：“你别弄鬼，那一日在老太太房裏，一個人没有，你摟着他作什麽？這會子還哄我。”秦鍾笑道：“這可是没有的話。”寶玉道：“有没有也不管你，你只叫住他倒碗茶來我吃，就丢開手。”秦鍾笑道：“這又奇了！你叫他倒去，還怕他不倒？何必要我説呢。”寶玉道：“我叫他倒的是無情意的，不及你叫他倒的是有情意的。”秦鍾只得説道：“能兒倒碗茶來。”那能兒自幼在榮府走動，無人不識，常與寶玉、秦鍾頑笑，如今長大了，漸知風月，便看上了秦鍾人物風流，那秦鍾也愛他妍媚，二人雖未上手，却已情投意合了。智能走去倒了茶來。秦鍾笑説：“給我。”寶玉又叫：“給我！”智能兒抿嘴笑道：“一碗茶也争，難道我手上有蜜？”寶玉先搶得了，喝着，方要問話，只見智善來叫智能去擺果碟子，一時來請他兩個去吃茶果。他兩個那裏吃這些東西，略坐一坐，仍出來頑耍。

鳳姐也略坐片時，便回至净室歇息，老尼相送。此時衆婆娘媳婦見無事，都陸續散了，自去歇息，跟前不過幾個心腹小婢。老尼便趁機説道：“我有一事，要到府裏求太太，先請奶奶一個示下。”鳳姐問：“何事？”老尼道：“阿彌陀佛！只因當日我先在長安縣善才庵内出家的時節，那時有個施主姓張，是大財主。他有個女兒，小名金哥，那年都往我廟裏來進香，不想遇見了長安府太爺的小舅子李衙内。那李衙内一心看上，要娶金哥，打發人來求親，不想金哥已受了原任長安守備的公子的聘定。張家若退親，又怕守備不依，因此説已有了人家。誰知李公子執意要娶他女兒，張家正無計策，兩處爲難。不料守備家一知此信，也不問青紅皂白，便來作踐辱駡説：‘一個女兒，許幾家人家？’偏不許退定禮，就打官司告狀起來。那家急了，只得着人上京來尋門路，賭氣偏要退定禮。我想如今長安節度雲老爺與府上相契，可以求太太與老爺説聲，發一封書，求雲老爺和那守備説一聲，不怕他不依。若是肯行，張家連傾家孝順也都情願。”

鳳姐聽了，笑道：“這事倒不大，只是太太再不管這樣的事。”老尼道：“太太不管，奶奶可以主張了。”鳳姐笑道：“我也不等銀子使，也不做這樣的事。”净虛聽了，打去心地想，半晌嘆道：“雖如此説，只是張家已知我來求府裏。如今不管這事，張家不知道没工夫管這事，不希罕他的謝禮，倒像府裏連這點子手段也没有的一般。”

鳳姐聽了這話，便發了興頭，説道：“你是素日知道我的，從來不信什麽陰司地獄報應的，憑是什麽事，我説要行就行。你叫他拿三千兩銀子來，我就替他出這口氣。”老

只見一人進來，將秦鍾、智能二人按住，也不出聲。他二人唬得魂飛魄喪，倒是那人“嗤的一聲笑了，方知是寶玉。

戴敦邦 畫

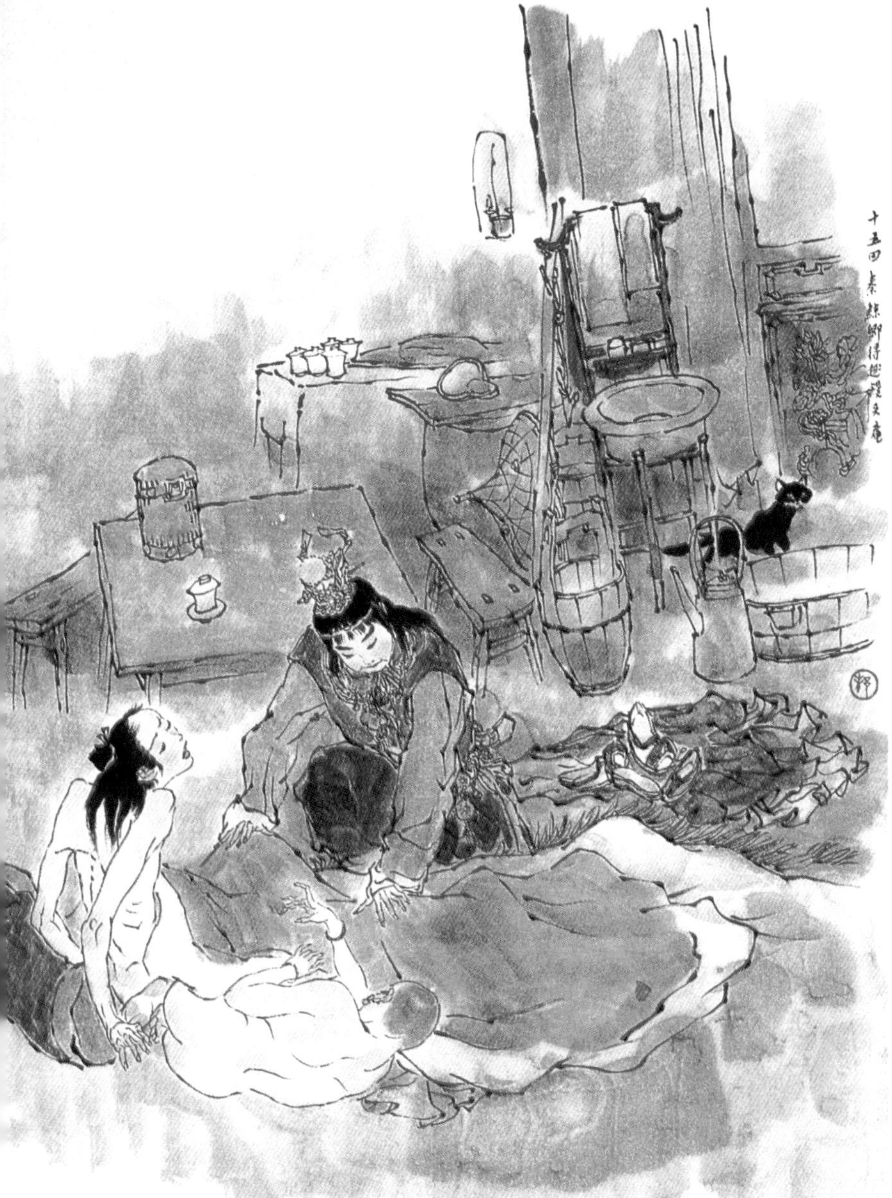
十五回 秦鯨卿得趣饅頭庵

尼聽説，喜之不勝，忙説："有，有！這個不難。"鳳姐又道："我比不得他們扯蓬拉率的圖
銀子。這三千兩銀子，不過是給打發去説的小厮們作盤纏，使他賺幾個辛苦錢，我一個
錢也不要。便是三萬兩，我此刻還拿的出來。"老尼忙答應道："既如此，奶奶明日就開恩
也罷了。"鳳姐道："你瞧瞧我忙的，那一處少了我？既應了你，自然快快的了結。"老尼
道："這點子事，在別人眼前，就忙的不知怎麼樣，若是奶奶跟前，再添上些，也不勾奶奶
一發揮。只是俗語説的：'能者多勞。'太太見奶奶大小事都妥帖，越發都推給奶奶了。
奶奶也要保重貴體才是。"一路奉承的話，鳳姐越發受用，也不顧勞乏，更攀談起來。

誰想秦鍾趁黑晚無人，來尋智能，剛至後面房中，只見智能獨在那裏洗茶碗。秦鍾
便摟着親嘴，智能急的跺脚説："做什麼！"就要叫唤。秦鍾道："好人，我已急死了！你今
兒再不依我，我就死在這裏！"智能道："你想怎麼樣？除非等我出這牢坑，離了這些人
才好呢！"秦鍾道："這也容易，只是遠水救不得近火。"説着，一口吹了燈，滿屋漆黑，將
智能抱到炕上，就雲雨起來。那智能百般挣挫不起，又不好叫的，少不得依的。正在得
趣，只見一人進來，將他二人按住，也不出聲。他二人唬得魂飛魄喪，倒是那人"嗤"的
一聲笑了，方知是寶玉。秦鍾連忙起來抱怨道："這算什麼？"寶玉道："你倒不依，咱們
就叫喊起來。"羞得智能趁暗中跑了。寶玉拉了秦鍾出來道："你可還和我强？"秦鍾笑
道："好人，你只別嚷的衆人知道，你要怎樣，我都依你。"寶玉笑道："這會子也不用説，
等一會睡下，再細細的算賬。"一時寬衣安歇的時節，鳳姐在裏間，秦鍾、寶玉在外間，
滿地下皆是家下婆子打鋪坐ni。鳳姐因怕通靈玉失落，便等寶玉睡下，令人拿來揣在自
己枕邊。寶玉不知與秦鍾算何賬目，未見真切，此係疑案，不敢纂創。一宿無語。

至次日一早，便有賈母、王夫人打發了人來看寶玉，又命多穿兩件衣服，無事寧可
回去。寶玉那裏肯回去，又有秦鍾戀着智能，調唆寶玉求鳳姐再住一天。鳳姐想了一想：
喪儀大事雖妥，還有些小事未安排，可以指此再住一日，豈不又在賈珍跟前送了滿情，
二則又可以完了浄虛的那件事，三則順了寶玉的心。因有此三益，便向寶玉道："我的
事都完了。你要在這裏逛，少不得越發辛苦了，明兒是一定要走的了。"寶玉聽説，千"姑
姐"、萬"姐姐"的央求："只住一日，明兒必回去的。"于是又住了一夜。

鳳姐便命悄悄將昨日老尼之事，説與來旺兒。旺兒心中俱已明白，急忙進城，找着
主文的相公，假託賈璉所囑，修書一封，連夜往長安縣來。不過百里之遥，兩日工夫，俱
已妥協。那節度使名喚雲光，久見賈府之情，這些小事，豈有不允之理，給了回書，旺兒
回來。不在話下。

却説鳳姐等又過了一日，次日方別了老尼，着他三日後往府裏去討信。那秦鍾與智
能百般不忍分離，背地裏多少幽期密約，俱不用細述，只得含恨而別。鳳姐又到鐵檻寺
中照望一番。寶珠執意不肯回家，賈珍只得派婦女相伴。且聽下回分解。

〈第拾陸回〉

賈元春才選鳳藻宮　秦鯨卿夭逝黃泉路

且說秦鍾、寶玉二人跟着鳳姐自鐵檻寺照應一番，坐車進城。到家見過賈母、王夫人等，回到自己房中，一夜無話。至次日，寶玉見收拾了外書房，約定了與秦鍾讀夜書。偏生那秦鍾秉賦最弱，因在郊外受了些風霜，又與智能兒偷期繾綣，未免失于調養。回來時便咳嗽傷風，懶怠進飲食，大有不勝之態，只在家中調養，不能上學。寶玉便掃了興，然亦無法，只得候他病痊再議了。

那鳳姐却已得了雲光的回信，俱已妥協。老尼達知張家，果然那守備忍氣吞聲，受了前聘之物。誰知愛勢貪財之父母，却養了一個知義多情的女兒，聞得退了前夫，另許李門，他便一條汗巾悄悄的尋了個自盡。那守備之子聞知金哥自縊，他也是個情種，遂投河而死。可憐張、李二家沒趣，真是人財兩空。這裏鳳姐却安享了三千兩，王夫人連一點消息也不知道。自此鳳姐膽識愈壯，以後所作所爲，諸如此類，不可勝數。

一日，正是賈政的生辰，寧、榮二處人丁都齊集慶賀，熱鬧非常。忽有門吏報道："有六宮都太監夏老爺，特來降旨。"唬的賈赦、賈政一干人不知何事，忙止了戲文，撤去酒席，擺香案，啓中門跪接。早見都太監夏秉忠乘馬而至，又有許多跟從的內監。那夏太監也不曾負詔捧敕，直至正廳下馬，滿面笑容，走至廳上，南面而立，口內說："奉特旨：立刻宣賈政入朝，在臨敬殿陛見。"說畢，也不吃茶，便乘馬去了。

賈政等也猜不出是何兆頭，只得即忙

更衣入朝。賈母等合家人心俱惶惶不定，不住的使人飛馬來往報信。有兩個時辰，忽見賴大等三四個管家，喘吁吁跑近儀門報喜，又說"奉老爺命，速請老太太率領太太等進宮謝恩"等語。那時賈母心神不定，在大堂廊下佇候。邢、王二夫人，尤氏、李紈、鳳姐、迎春姊妹以及薛姨媽等皆聚在一處，打聽信息。賈母又喚進賴大來，細問端的。賴大稟道："小的們只在臨莊門外伺候，裏頭的信息一概不知。後來夏太監出來道喜，說咱們家的大小姐晉封爲鳳藻宮尚書，加封賢德妃。後來老爺出來，亦如此吩咐小的。如今老爺又往東宮去了，速請老太太們去謝恩。"賈母等聽了，方心安，一時皆喜見于面。于是都按品大妝起來。賈母率領邢、王二夫人並尤氏，一共四乘大轎，魚貫入朝。賈赦、賈珍亦換了朝服，帶領賈薔、賈蓉，奉侍賈母前往。

于是寧、榮兩處，上下內外人等，莫不欣喜，獨有寶玉置若罔聞。你道什麼緣故？原來近日水月庵的智能私逃入城，來找秦鍾。不意被秦邦業知覺，將智能逐去，將秦鍾打了一頓，自己氣的老病發了，三五日光景，嗚呼哀哉了。秦鍾本自怯弱，又帶病未痊，受了笞杖，今見老父氣死，此時悔痛無及，又添了許多病症。因此，寶玉心中悵怏不樂。雖有元春晉封之事，那解得他愁悶？賈母等如何謝恩，如何回家，親友如何來慶賀，寧、榮兩府近日如何熱鬧，衆人如何得意，獨他一個皆視有如無，毫不介意。因此衆人嘲他越發呆了。且喜賈璉與黛玉回來，先遣人來報信，明日就可到家。寶玉聽了，方略有些喜意。細問原由，方知賈雨村亦進京引見，皆由王子騰累上薦本，此來候補京缺，與賈璉是同宗弟兄，又與黛玉有師徒之誼，故同路作伴而來。林如海已葬入祖塋了，諸事停妥。賈璉此番進京，若按站而走，本該出月到家，因聞元春喜信，遂晝夜兼程而進，一路俱各平安。寶玉只問了黛玉"平安"二字，餘者也就不在意了。

好容易盼到明日午錯，果報："璉二爺和林姑娘進了。"見面時，彼此悲喜交集，未免大哭一場，又致慰慶之詞。寶玉心中忖度黛玉，越發出落的超逸了。黛玉又帶了許多書籍來，忙着打掃臥室，安排器具，又將些紙筆等物，分送寶釵、迎春、寶玉等。寶玉又將北靜王所贈鶺鴒香串珍重取出來，轉送黛玉。黛玉說："什麼臭男人拿過的！我不要這東西！"遂擲而不取。寶玉只得收回，暫且無話。

且說賈璉自回家見過衆人，回至房中，正值鳳姐事繁，無片刻閑空，見賈璉遠路歸來，少不得撥冗接待。房內無外人，便笑道："國舅老爺大喜！國舅老爺一路的風塵辛苦。小的聽見昨日的頭起報馬來報，說今日大駕歸府，略預備了一杯水酒撣塵，不知可賜光謬領否？"賈璉笑道："豈敢，豈敢！多承，多承！"一面平兒與衆丫鬟參見畢獻茶。賈璉遂問別後家中諸事，又謝鳳姐的操持辛苦。鳳姐道："我那裏管得這些事

咱們家的大小姐晉封爲鳳藻宮尚書，加封賢德妃。

王宏喜 畫

來！見識又淺，口角又笨，心腸又直率，人家給個棒槌，我就認作針。臉又軟，攔不住人給兩句好話，心裏就慈悲了。況且又沒經過大事，膽子又小，太太略有些不自在，就連覺也睡不着了。我苦辭過幾回，太太又不許，倒說我圖受用，不肯學習。殊不知我是捻着一把汗呢！一句也不敢多說，一步也不敢妄行。你是知道的，咱們家所有的這些管家奶奶，那一個是好纏的？錯一點兒，他們就笑話打趣，偏一點兒他們就指桑說槐的抱怨。'坐山看虎鬥'，'借刀殺人'，'引風吹火'，'站乾岸兒'，'推倒油瓶不扶'，都是全挂子的武藝。況且我年紀輕，不壓人，怨不得不放我在眼裏。更可笑那府裏蓉兒媳婦死了，珍大哥再三在太太跟前跪着討情，只要請我幫他幾日；我是再四推辭，太太做情允了，只得從命。依舊被我鬧了個馬仰人翻，更不成個體統，至今珍大哥還抱怨後悔呢。你明兒見了他，好歹描補描補，就說我年紀小，原沒見過世面，誰叫大爺錯委了他。"

說着，只聽外間有人說話，鳳姐便問："是誰？"平兒進來回道："姨太太打發了香菱妹子來問我一句話，我已經說了，打發他回去了。"賈璉笑道："正是呢，我方才見姨媽去，和一個年輕的小媳婦子撞了個對面，生得好齊整模樣。我疑惑咱家並無此人。說話時問姨媽，方知是上京買來的那小丫頭，名叫香菱的，竟與薛大傻子作了房裏人，開了臉，越發出跳的標致了。那薛大傻子真玷辱了他。"鳳姐道："哎！往蘇杭走了一趟回來，也該見些世面了，還是這樣眼饞肚

飽的。你要愛他，不值什麼，我拿平兒去換了他來如何？那薛老大也是‘吃着碗裏瞧着鍋裏’的，這一年來的光景，他爲香菱兒不能到手，和姨媽打了多少饑荒！那姨娘看着香菱模樣兒好還是小事，其爲人行事，更又別的女孩子不同，溫柔安靜，差不多的主子姑娘還跟不上他。故此擺酒請客的費事，明堂正道，與他做了妾。過了沒半月，也看的沒事人一大堆了。我倒心裏可惜他。”一語未了，二門上小廝傳報：“老爺在大書房等二爺呢。”賈璉聽了，忙忙整衣出去。

這裏鳳姐乃問平兒：“方才姨媽有什麼事，巴巴兒的打發香菱來？”平兒道：“那裏來的香菱，是我借他暫撒個謊兒。奶奶，你説旺兒嫂子越發連個成算也沒了。”説着，又走至鳳姐身邊，悄悄説道：“奶奶的那利銀遲不送來，早不送來，這會子二爺在家，他偏送這個來了。幸虧我在堂屋裏碰見，不然他走了來回奶奶，二爺少不得要知道。我們二爺那脾氣，油鍋裏的還要撈出來花呢，知道奶奶有了體己，他還不大着膽子花麼。所以我趕着接過來，教我説了他兩句。誰知奶奶偏聽見了，我故此當着二爺面前，只説香菱兒來了。”鳳姐聽了，笑道：“我説呢，姨娘知道你二爺來了，忽剌巴的反打發個房裏人來了？原來你這蹄子鬧鬼。”

説着賈璉已進來了，鳳姐命擺上酒饌來，夫妻對坐。鳳姐雖善飲，却不敢任興，只陪侍着。賈璉的乳母趙嬤嬤走來，賈璉、鳳姐忙讓吃酒，令其上炕去。趙嬤嬤執意不肯。平兒等早于炕沿設一杌，又有小脚踏，趙嬤嬤在脚踏上坐了。賈璉向桌上揀兩盤肴饌，與他放在杌上自吃。鳳姐又道：“媽媽狠嚼不動那個，沒的倒硌了他的牙。”因問平兒道：“早起我説那一碗火腿炖肘子狠爛，正好給媽媽吃，你怎麼不拿了去，趕着叫他們熱來？”又道：“媽媽，你嘗一嘗你兒子帶來的惠泉酒。”趙嬤嬤道：“我喝呢。奶奶也喝一鍾。怕什麼？只不要過多了就是了。我這會子跑了來，倒也不爲酒飯，倒有一件正經事，奶奶好歹記在心裏，疼顧我些罷。我們這爺，只是嘴裏説的好，到了跟前，就忘了我們。幸虧我從小兒奶了你這麼大。我也老了，有的是那兩個兒子，你就另眼照看他們些，別人也不敢牙兒的。我還再三的求了你幾遍，你答應的倒好，如今還是燥屎。這如今，又從天上跑出這樣一件大喜事來，那裏用不着人？所以倒是來和奶奶説是正經。靠着我們爺，只白我還餓死了呢。"鳳姐笑道:"媽媽,你的兩個奶哥哥都交給我。你從小兒奶的兒子,還有什麼不知他那脾氣的?拿着皮肉倒往那不相干的外人身上貼。可見現放着奶哥哥,那一個不比人強?你疼顧照看他們,誰敢說個'不'字兒?沒的白便宜了外人。我這話也説錯了,我們看着是'外人',你却看着是'內人'一樣呢。"説着,滿屋裏人都笑了。趙嬤嬤也笑個不住,又念佛道:"可是屋子裏跑出青天來了。若説'內人'、'外人'這些混賬象故,我們爺是沒有,不過是臉軟心慈,攔不住人求兩句罷了。"鳳姐笑道:"可不是呢,有'內人'的他才慈軟呢,他在咱們娘兒們跟前,才是剛硬呢!"趙嬤嬤道:"奶奶説的太盡情了。我也樂了,再吃一杯好酒。從此我們奶奶做了主,我就沒的愁了。"

賈璉此時没好意思,只是訕笑道:"你們別胡説了,快盛飯來吃,還要往珍大爺那邊去商議事呢。"鳳姐道:"可是,別誤了正事。才剛老爺叫你説什麼?"賈璉道:"就爲省親的事。"鳳姐忙問道:"省親的事竟准了?"賈璉笑道:"雖不十分准,也有八九分了。"鳳姐笑道:"可見當今的隆恩呢。歷來聽書看戲,古時從來未有的。"趙嬤嬤又接口道:"可是呢,我也老糊塗了。我聽見上上下下,吵嚷了這些日子,什麼省親不省親,我也不理論他去。如今又説省親,到底是怎麼個緣故?"賈璉道:"如今當今體貼萬人之心,世上至大莫如'孝'字,想來父母兒女之性,皆是一理,不在貴賤上分的。當今自為日夜侍奉太上皇、皇太后,尚不能略盡孝意,因見宮裏嬪妃才人等,皆是入宮多年,拋離父母,豈有不思想之理?且父母在家,思想女兒,不能一見,倘因此成疾,亦大傷天和之事。故啓奏上皇、太后,每月逢二六日期,准其椒房眷屬入宮請候省視。于是太上皇、皇太后大喜,深贊當今至孝純仁,體天格物。因此二位老聖人又下旨諭説:椒房眷屬入宮,未免有關國體儀制,母女尚未能愜懷。竟大開方便之恩,特降諭諸椒房貴戚,除二六日入宮之恩外,凡有重宇別院之家,可以駐蹕關防者,不妨啓請內廷鑾輿入其私第,庶可盡骨肉私情,共享天倫之樂事。此旨下了,誰不踴躍感戴?現今周貴妃的父親已在家裏動了工,修蓋省親的別院呢。又有吳貴妃的父親吳天佑家,也往城外查看地方去了。這豈非有八九分了?"

趙嬤嬤道:"阿彌陀佛!原來如此。這樣説起,咱們家也要預備接大小姐了?"賈璉道:"這何用説。不然這會子忙的是什麼?"鳳姐笑道:"果然如此,我可也見個大世面了。可恨我小幾歲年紀,若早生二三十年,如今這些老人家也不薄我沒見世面了。説起當年太祖皇帝仿舜巡的故事,比一部書還熱鬧,我偏没造化趕上。"趙嬤嬤道:"嗳喲喲!那可是千載希逢的。那時候我才記事兒,咱們賈府正在姑蘇、揚州一帶監造海船,修理海塘,只預備接駕一次,把銀子花的像淌海水似的。説起來……"鳳姐忙接道:"我們王府裏也預備過一次,那時我爺爺專管各國進貢朝賀的事,凡有外國人來,都是我們家養活。粤、閩、滇、浙所有的洋船貨物,都是我們家的。"趙嬤嬤道:"那是誰不知道的。如今還有個口號兒呢，説：'東海少了白玉床，龍王來請江南王。'這説的就是奶奶府<ruby>上</ruby>了。如今還有現在江南的甄家，噯喲喲，好世派！獨他家接駕四次，若不是我們親眼看見，告訴誰也不信的。別講銀子成了土泥，憑是世上有的，没有不是堆山積海的。'<ruby>罪</ruby>過可惜'四個字竟顧不得了。"鳳姐道："我常聽見我們太爺説，也是這樣的，豈有不信的。只納罕他家怎麽就這樣富貴呢？"趙嬤嬤道："告訴奶奶一句話，也不過拿着皇<ruby>家</ruby>的銀子往皇帝身上使罷了！誰家有那些錢買這個虛熱鬧去？"

　　正説着，王夫人又打發人來瞧鳳姐吃完了飯不曾。鳳姐便知有事等他，忙忙的吃了飯，漱口要走，又有二門上小斯們回："東府裏蓉、薔二位哥兒來了。"賈璉才漱了口，平兒捧着盆盥手，見他二人來了，便問："説什麽話？"鳳姐因亦止步，只聽賈蓉先回説："我父親打發我來回叔叔：老爺們已經議定了，從東邊一帶，借着東府裏花園起，至西北，丈量了，一共三里半大，可以蓋造省親別院了。已經傳人畫圖樣去，明日就得。叔叔回家，未免勞乏，不用過我們那邊去，有話明日一早再請過去面議。"賈璉笑説："多謝大爺費心體諒，我就從命不過去了。正經是這個主意才省事，蓋造也容易；若采置别的地方去，那更費事，且倒不成體統。你回去説，這樣狠好，若老爺們再要改時，全仗大爺諫阻，萬不可另尋地方。明日一早我給大爺請安去，再議細話。"賈蓉忙應幾個"是"。

　　賈薔又近前回説："下姑蘇請聘教習，采買女孩子，置辦樂器、行頭等事，大爺派了侄兒，帶領着來管家兩個兒子，還有單聘仁、卜固修兩個清客相公，一同前往，所以命我來見叔叔。"賈璉聽了，將賈薔打諒了打諒，笑道："你能殼在行麽？這個事雖不甚大，裏頭却有藏掖的。"賈薔笑道："只好學習着辦罷了。"賈蓉在身旁燈影下悄拉鳳姐的衣襟，鳳姐會意，因笑道："你也太操心了，難道大爺比咱們還不會用人？偏你又怕他不在行了。誰都是在行的？孩子們已長的這麽大了，'没吃過猪肉，也看見過猪跑'。大爺派他去，原不過是個坐纛旗兒，難道認真的叫他去講價錢、會經紀呢？依我説，狠好。"賈璉道："自然是這樣。並不是我要駁回，少不得替他籌算籌算。"因問："這一項銀子動那一處的？"賈薔道："剛才也議到這裏。賴爺爺説，竟不用從京裏帶銀子去，江南甄家還收着我們五萬銀子。明日寫一封書信，會票我們帶去，先支三萬兩，剩二萬兩存着，等置辦彩燈、花燭並各色簾櫳帳幔的使用。"賈璉點頭道："這個主意好。"鳳姐忙向賈薔道："既這樣，我有兩個在行妥當人，你就帶他們去辦，這個便宜了你呢。"賈薔忙陪笑道："正要和嬸娘討兩個人呢，這可巧了。"因問名字。鳳姐

此時秦鍾已發過兩三次昏了，已易簀多時矣。寶玉一見，便不禁失聲。近前見秦鍾面如白蠟，合目呼吸，轉展枕上。寶玉忙叫道："鯨哥！寶玉來了。"連叫了兩三聲，秦鍾不睬。寶玉又叫道："寶玉來了。"

王宏喜　畫

更問趙嬤嬤。彼時趙嬤嬤已聽話聽呆了，平兒忙笑推他，才醒悟過來，忙説："一個叫趙天梁，一個叫趙天棟。"鳳姐道："可別忘了。我幹我的去了。"説着，便出去了。賈蓉忙跟出來，悄悄的向鳳姐道："嬸娘要什麽東西，吩咐了，開個賬兒，給我兄弟帶去，按賬置辦了來。"鳳姐笑道："別放你娘的屁！我的東西還沒處擱呢，希罕你們鬼鬼祟祟的。"説着，一徑去了。

　　這裏賈薔也是問賈璉："要什麽東西？順便織來孝敬。"賈璉笑道："你別興頭。才學着辦事，倒先學會了這把戲。短了什麽，少不得寫信來告訴你，且不要論到這裏。"説畢，打發他二人去了。接着回事的人，不止三四起，賈璉乏了，便傳與二門上，一應不許傳報，俱待明日料理。鳳姐至三更時分方下來安歇。一宿無話。

　　次早賈璉起來，見過賈赦、賈政，便往寧國府中來，合同老管事人等並幾位世交門下清客相公，審察兩府地方，繕畫省親殷宇，一面參度辦理人工。自此後，各行匠役齊全，金銀銅錫以及土木磚瓦之物，搬運移送不歇。先令匠役拆寧府會芳園牆垣樓閣，直接入榮府東大院中。榮府東邊所有下人一帶羣房已盡拆去。當日寧、榮二宅，雖有一小巷界斷不通，然這小巷亦系私地，並非官道，故可以聯絡。會芳園本是從北牆角下引來一股活水，今亦無煩再引。其山樹石木，雖不敷用，賈赦住的乃是
　　‧‧‧‧‧‧‧‧‧

榮府舊園，其中竹樹山石以及亭榭欄杆等物，皆可挪就前來。如此兩處又甚近，湊來一處，省許多財力，縱有不敷，所添有限。全虧一個胡老名公，號山子野，一一籌畫起造。

賈政不慣于俗務，只憑賈赦、賈珍、賈璉、賴大、來昇、林之孝、吳新登、詹光、程日興等幾人安插擺布。堆山鑿池，起樓竪閣，種竹栽花，一應點景，又有山子野制度。下朝閑暇，不過各處看望看望，最要緊處和賈赦等商議商議便罷了。賈赦只在家高臥，有芥豆之事，賈珍等或自去回明，或寫略節，或有話說，便傳呼賈璉、賴大等來領命。賈蓉單管打造金銀器皿。賈薔已起身往姑蘇去了。賈珍、賴大等又點人丁，開册籍，監工等事。一筆不能寫到，不過是喧闐熱鬧而已。暫且無話。

且說寶玉近因家中有這等大事，賈政不來問他的書，心中自是暢快。無奈秦鍾之病，日重一日，也着實懸心，不能快樂。這日一早起來，才梳洗了，意欲回了賈母，去望候秦鍾。忽見茗烟在二門照壁前探頭縮腦，寶玉忙出來問他：“做什麼？”茗烟道：“秦相公不中用了！”寶玉聽了，嚇了一跳，忙問道：“我昨兒才瞧了他，還明明白白，怎麼就不中用了？”茗烟道：“我也不知道，剛才是他家的老頭子來特告訴我的。”寶玉聽了，忙轉身回明賈母，賈母吩咐派妥當人跟去，到那裏盡一盡同窗之情，就回來，不許久耽擱了。寶玉忙出來更衣。到外邊，車猶未備，急的滿廳亂轉。一時催促的車到，忙上了車，李貴、茗烟等跟隨。來至秦家門首，悄無一人，遂蜂擁至內室，唬的秦鍾的兩個遠房嬸母並幾個弟兄，都藏之不迭。此時秦鍾已發過兩三次昏了，已易簀多時矣。寶玉一見，便不禁失聲。李貴忙勸道：“不可，不可，秦相公是弱症，未免炕上挺扛的骨頭不受用，所以暫且挪下來鬆散些。哥兒如此，豈不反添了他的病？”寶玉聽了，方忍住，近前見秦鍾面如白蠟，合目呼吸，轉展枕上。寶玉忙叫道：“鯨哥！寶玉來了。”連叫了兩三聲，秦鍾不睬。寶玉又叫道：“寶玉來了。”

那秦鍾早已魂魄離身，只剩得一口悠悠餘氣在胸，正見許多鬼判持牌提索來捉他。那秦鍾魂魄那裏肯就去，又記念着家中無人掌着家務，又記挂着智能尚無下落，因此百般求告鬼判。無奈這些鬼判都不肯徇私，反叱咤秦鍾道：“虧你還是讀過書的人，豈不知俗語說的：‘閻王叫你三更死，誰敢留人到五更。’我們陰司間上下都是鐵面無私的，不比陽間瞻情顧意，有許多的關礙處。”正鬧着，那秦鍾魂魄忽聽見“寶玉來了”四字，便忙又央求道：“列位神差略慈悲，讓我回去和一個好朋友說一句話就來了。”眾鬼道：“又是什麼好朋友？”秦鍾道：“不瞞列位，就是榮國公孫子，小名寶玉的。”都判官聽了，先就唬慌起來，忙喝罵鬼使道：“我說你們放了他回去走走罷，你們斷不依我的話，如今等的請出個運旺時盛的人來才罷！”眾鬼見都判如此，也皆忙了手腳，一面又抱怨道：“你老人家先是那等雷霆火炮，原來見不得‘寶玉’二字。依我們愚見，他是陽，我們是陰，怕他亦無益于我們。”畢竟秦鍾死活如何，且聽下回分解。

第拾柒回

大觀園試才題對額｜榮國府歸省慶元宵

話説秦鍾既死，寶玉痛哭不止。李貴等好容易勸解半日方住，歸時還帶餘哀。賈母幫了幾十兩銀子外，又另備奠儀，寶玉去吊喪。七日後便送殯掩埋了，別無記述。只有寶玉日日感悼，思念不已，然亦無可如何了。又不知過了幾時才罷。

這日賈珍等來回賈政："園內工程俱已告竣，大老爺已瞧過了，只等老爺瞧了，或有不妥之處，再行改造，好題匾額對聯的。"賈政聽了，沉思一會，説道："這匾對倒是一件難事。論禮，該請貴妃賜題才是，然貴妃若不親觀其景，亦難懸擬；若直待貴妃游幸時再請題，若大景致，若干亭榭，無字標題，任是花柳山水，也斷不能生色。"衆清客在旁笑答道："老世翁所見極是。如今我們有個主意：各處匾對，斷不可少，亦斷不可定。如今且按其景致，或兩字、三字、四字，虛合其意，擬了來，暫且做出燈匾聯懸了，待貴妃游幸時，再請定名，豈不兩全？"賈政聽了道："所見不差。我們今日且看看去，只管題了，若妥便用；若不妥再將雨村請來，令他再擬。"衆人笑道："老爺今日一擬定佳，何必又待雨村？"賈政笑道："你們不知，我自幼于花鳥山水題咏上就平平，如今上了年紀，且案牘勞煩，于這怡情悦性文章上更生疏了。縱擬出來，不免迂腐古板，反使花柳園亭因而減色，轉沒意思。"衆清客道："這也無妨。我們大家看了公擬，各舉所長，優則存之，劣則刪之，未爲不可。"賈政道："此論極是。且喜今日天氣和暖，大家去逛逛。"説着，起身引衆人前往。賈珍先去園中知會衆人。

可巧近日寶玉因思念秦鍾，憂傷不已，

賈母常命人帶他到新園中來戲耍。此時亦才進去，忽見賈珍來了，向他笑道："你還不快出去，一會子老爺來了。"寶玉聽了，帶着奶娘、小廝們一溜烟就出園來。方轉過灣，頂頭撞見賈政引着衆客來了，躲之不及，只得一旁站了。賈政近因聞得塾師稱讚他專能對對，雖不喜讀書，偏有些歪才，所以此時便命他跟入園中，意欲試他一試。寶玉未知何意，只得隨往。

剛至園門，只見賈珍帶領許多執事旁邊侍立。賈政道："你且把園門閉了，我們先瞧外面，再進去。"賈珍命人將門關上。賈政先秉正看門，只見正門五間，上面銅瓦泥鰍脊；那門欄窗槅，俱是細雕時新花樣，並無朱粉塗飾；一色水磨羣墙，下面白石臺階，鑿成西番花樣。左右一望，皆雪白粉墙，下面虎皮石，隨意亂砌，自成紋理，不落富麗俗套，自是歡喜。遂命開門，只見一帶翠嶂擋在面前。衆清客都道："好山，好山！"賈政道："非此一山，一進來，園中所有之景悉入目中，則有何趣？"衆人都道："極是。非胸中大有丘壑，焉能想到這裏？"説畢，往前一望，見白石峻嶒，或如鬼怪，或似猛獸，縱橫拱立，上面苔蘚斑駁，或藤蘿掩映，其中微露羊腸小徑。賈政道："我們就從此小徑游去，回來由那一邊出去，方可遍覽。"説畢，命賈珍前導，自己扶了寶玉，逶迤走進山口。

抬頭忽見山上有鏡面白石一塊，正是迎面留題處。賈政回頭笑道："諸公請看此處，題以何名方妙？"衆人聽説，也有説該題"叠翠"二字的，也有説該題"錦嶂"的，又有説"賽香爐"的，又有説"小終南"的，種種名色，不止幾十個。原來衆客心中，早知賈政要試寶玉的才，故此只將些俗套來敷演。寶玉亦知此意。

賈政聽了，便回頭命寶玉擬來。寶玉道："嘗聞古人云：'編新不如述舊，刻古終勝雕今。'況此處並非主山正景，原無可題之處，不過是探景一進步耳。莫如直書古人'曲徑通幽'這舊句在上倒也大方。"衆人聽了，讚道："是極！妙極！二世兄天分高，才情遠，不似我們讀腐了書的。"賈政笑道："不當過獎他。他年小的人，不過以一知充十用，取笑罷了。再俟選擬。"

説着，進入石洞來。只見佳木蘢葱，奇花爛灼，一帶清流，從花木深處瀉于石隙之下。再進數步，漸向北邊，平坦寬豁，兩邊飛樓插空，雕甍綉檻，皆隱于山坳樹杪之間。俯而視之，則青溪瀉玉，石磴穿雲，白石爲欄，環抱池沼，石橋三港，獸面銜吐，橋上有亭。賈政與諸人到亭內坐了，問："諸公以何題此？"諸人都道："當日歐陽公《醉翁亭記》有云：'有亭翼然'。就名'翼然'罷。"賈政笑道："'翼然'雖佳，但此亭壓水而成，還須偏于水題爲稱。依我拙裁，歐陽公句'瀉于兩峰之間'，竟用他這一個'瀉'字。"有一客道："是極，是極。竟是'瀉玉'二字妙。"賈政拈鬚尋思，因叫寶玉也擬一個來。寶玉回道："老爺方才所說已是，但如今追究了去，似乎當日歐陽公題釀泉用一'瀉'字則妥，今日此泉也用'瀉'字似乎不妥。況此處既爲省親別墅，亦當依應制之體，用此等字，亦似粗陋不雅。求再擬蘊藉含蓄者。"賈政笑道："諸公聽此論何如？方才衆人編新，你說'不如述古'；如今我們述古，你又說'粗陋不妥'。你且說你的。"寶玉道："用'瀉玉'二字，則不若'沁芳'二字，豈不新雅？"賈政拈鬚點頭不語。衆人都忙迎合，稱贊寶玉才情不凡。賈政道："匾上二字容易。再作一副七言對來。"寶玉四顧一望，機上心來，乃念道：

　　　繞堤柳借三篙翠，隔岸花分一脉香。

賈政聽了，點頭微笑。衆人又稱贊個不已。

　　于是出亭過池，一山一石，一花一木，莫不着意觀覽。忽抬頭見前面一帶粉垣，數楹茅舍，有千百竿翠竹遮映。衆人都道："好個所在！"于是大家進入。只見進門便是曲折游廊，階下石子漫成甬路。上面小小三間房舍，兩明一暗，裏面都是合着地步打的床几椅案。從裏間房裏，又有一小門，出去却是後園，有大株梨花並芭蕉，又有兩間小小退步。後院墻下忽開一隙，得泉一派，開溝僅尺許，灌入墻內，繞階緣屋至前院，盤旋竹下而出。

　　賈政笑道："這一處倒還好。若能月夜坐此窗下讀書，也不枉虛生一世。"說着，便看寶玉。唬的寶玉忙垂了頭，衆人忙用閑話解說。又二客說："此處的匾該題四個字。"賈政笑問："那四字？"一個道："是'淇水遺風'。"賈政道："俗。"又一個道："是'睢園遺迹'。"賈政道："也俗。"賈珍在旁說道："還是寶兄弟擬一個來。"賈政道："他未曾做，先要議論人家的好歹，可見就是個輕薄人。"衆客道："議論的極是，其奈他何？"賈政忙道："休如此縱了他。"因命他道："今日任你狂爲亂道，先說出議論來，方許你做。方才衆人說的，可有使得的否？"寶玉見問，便答道："都似不妥。"賈政冷笑道："怎麼不妥？"寶玉道："這是第一處行幸之所，必須頌聖方可。若用四字的匾，又有古人現成的，何必再做？"賈政道："難道'淇水'、'睢園'不是古人的？"寶玉道："這太板了。莫若'有鳳來儀'四字。"衆人都哄然叫妙。賈政點頭道："畜生，畜生！可謂'管窺蠡測'矣。"因命："再題一聯來。"寶玉便念道：

　　　寶鼎茶閑烟尚綠，幽窗棋罷指猶凉。

賈政搖頭道："也未見長。"說畢，引人出來。

　　方欲走時，忽想起一事來，問賈珍道："這些院落屋宇並几案桌椅，都算有了。還有那些帳幔簾子並陳設玩器古董，可也都是一處一處合式配就的麼？"賈珍回道："那陳設的東西，早已添了許多，自然臨期合式陳設。帳幔簾子，昨日聽見璉兄弟說，還不全。那原是一起工程之時，就畫了各處的圖樣，量准尺寸，就打發人辦去的。想必昨日得了一半。"賈政聽了，便知此事不是賈珍的首尾，便叫人去喚賈璉。一時來了，賈政問他："共有幾種？現今得了幾種？尚欠幾種？"賈璉見問，忙向靴桶內取出靴掖內裝的一個紙摺略節來，看了一看，回道：「妝蟒綉堆，刻絲彈墨，並各色綢綾大小幔子一百二十架，昨日得了八十架，下欠四十架。簾子二百挂，昨俱得了。外有猩猩氈簾二百挂，湘妃竹簾二百挂，金絲藤紅漆竹簾二百挂，黑漆竹簾二百挂，五彩綫絡盤花簾二百挂，每樣得了一半，也不過秋天都全了。椅搭、桌圍、床裙、杌套每分一千二百件，也有了。」

　　一面說，一面走着。忽見青山斜阻，轉過山懷中，隱隱露出一帶黃泥墻，墻上皆用稻莖掩護。有幾百枝杏花，如噴火蒸霞一般。裏面數楹茅屋，外面却是桑、榆、槿、柘，各色樹稚新條，隨其曲折，編就兩溜青籬。籬外山坡之下，有一土井，旁有桔槹、轆轤之屬。下面分畦列畝，佳蔬菜花，一望無際。

　　賈政笑道：「倒是此處有些道理。雖係人力穿鑿，而入目動心，未免勾引起我歸農之意。我們且進去歇息歇息。」說畢，方欲進去，忽見籬門外路旁有一石，亦爲留題之所。衆人笑道：「更妙，更妙！此處若懸匾待題，則田舍家風，一洗盡矣。立此一碣，又覺許多生色，非范石湖田家之詠不足以盡其妙。」賈政道：「諸公請題。」衆人云：「方才世兄云：『編新不如述舊。』此處古人已道盡矣，莫若直書『杏花村』爲妙。」賈政聽了，笑向賈珍道：「正虧提醒了我。此處都好，只是還少一個酒幌，明日竟做一個來，就依外面村莊的式樣，不必華麗，用竹竿挑在樹梢頭。」賈珍應了，又回道：「此處竟不必養別樣雀鳥，只養些鵝、鴨、雞之類，才相稱。」賈政與衆人都說：「妙極。」賈政又向衆人道：「『杏花村』固佳，只是犯了正村名。直待請名方可。」衆客都道：「是呀。如今虛的，却是何字樣好？大家想想。」

　　寶玉却等不得了，也不等賈政的命，便說道：「舊詩有云：『紅杏梢頭挂酒旗。』如今莫若且題以『杏帘在望』四字。」衆人都道：「好個『在望』！又暗合『杏花村』意思。」寶玉冷笑道：「村名若用『杏花』二字，則俗陋不堪了。又有唐人詩云：『柴門臨水稻花香。』何不用『稻香村』的妙？」衆人聽了，越發同聲拍手道：「妙！」賈政一聲斷喝：「無知的業障！你能知道幾個古人，能記得幾首舊詩？也敢在老先生前賣弄！你方才那些胡說，也不過是試你的清濁，取笑而已，你就認真了！」

　　說着，引衆人步入茆堂，裏面紙窗木榻，富貴氣象一洗皆盡。賈政心中自是歡喜，却瞅寶玉道：「此處如何？」衆人見問，都忙悄悄的推寶玉，教他說「好」。寶玉不聽人言，便應聲道：「不及『有鳳來儀』多矣。」賈政聽了道：「無知的蠢物！你只知朱樓畫棟、惡賴富麗爲佳，那裏知道這清幽氣象？終是不讀書之過。」寶玉忙答道：「老爺教訓的固是，但古人常云『天然』，此二字不知何意？」衆人見寶玉牛心，都怪他呆痴不改；今見問「天然」二字，衆人忙道：「別的都明白，如何『天然』反不明白？『天然』者，天之自成，而非人力之所爲也。」

抬頭忽見山上有鏡面白石一塊，正是迎面留題處。賈政回頭笑道：「諸公請看此處，題以何名方妙？」

王宏喜　畫

寶玉道：「却又來！此處置一田莊，分明是人力造作而成。遠無鄰村，近不負郭，背山山無脉，臨水水無源，高無隱寺之塔，下無通市之橋，峭然孤出，似非大觀。爭似先處有自然之理，得自然之趣，雖種竹引泉，亦不傷穿鑿。古人云'天然圖畫'四字，正畏非其地而强爲其地，非其山而强爲其山，即百般精巧，終不相宜……」未及説完，賈政氣的喝命：「扠出去！」才出去，又喝命：「回來！」命：「再題一聯，若不通，一併打嘴！」寶玉只得念道：

新漲綠添瀚葛處，好雲香護采芹人。

賈政聽了，搖頭道：「更不好。」一面引人出來，轉過山坡，穿花度柳，撫石依泉。過了荼蘼架，入木香棚，越牡丹亭，度芍藥圃，入薔薇院，來到芭蕉塢。盤簇曲折，忽聞水聲潺潺，出于石洞。上則蘿薜到垂，下則落花浮蕩。衆人都道：「好景，好景！」賈政道：「諸公題以何名？」衆人道：「再不必擬了，恰合乎是'武陵源'三字。」賈政笑道：「又落實了，而且陳舊。」衆人笑道：「不然就用'秦人舊舍'四字也罷。」寶玉道：「越發過露了。'秦人舊舍'説避亂之意，如何使得？莫若'蓼汀花淑'四字。」賈政聽了道：「更是胡説。」

于是賈政進了港洞，又問賈珍：「有船無船？」賈珍道：「采蓮船共四隻，坐船一隻，如今尚未造戍。」賈政笑道：「可惜不導入了。」賈珍道：「從山上盤道，亦可以進去。」説

畢，在前導引，大家攀藤撫樹過去。只見水上落花愈多，其水愈清，溶溶蕩蕩，曲折縈紆，池邊兩行垂柳，雜以桃杏，遮天蔽日，真無一些塵土。忽見柳陰中，又露出一個折帶朱欄板橋來。度過橋去，諸路可通，便見一所清涼瓦舍，一色水磨磚牆，清瓦花堵。那大主山所分之脉，皆穿牆而過。

　　賈政道：「此處這一所房子，無味的狠。」因而步入門時，忽迎面突出插天的大玲瓏山石來，四面羣繞各式石塊，竟把裏面所有房屋悉皆遮住。且一株花木也無，只見許多異草：或有牽藤的，或有引蔓的，或垂山巔，或穿石脚，甚至垂簷繞柱，縈砌盤階，或如翠帶飄颻，或如金繩蟠屈，或實若丹砂，或花如金桂，味香氣馥，非凡花之可比。賈政不禁道：「有趣！只是不大認識。」有的説：「是薜荔、藤蘿。」賈政道：「薜荔、藤蘿那得有此異香？」寶玉道：「果然不是。這衆草中也有藤蘿、薜荔。那香的是杜若、蘅蕪，那一種大約是茝蘭，這一種大約是金葛，那一種是金䔲草，這一種是玉蕗藤，紅的自然是紫芸，綠的定是青芷。想來那《離騷》、《文選》所有的那些異草，有叫做什麼藿蒳、薑彙的，也有叫做什麼綸組、紫絳的，還有什麼石帆、水松、扶留等樣的，見于左太冲《吳都賦》。又有叫做什麼綠蒬的，還有什麼丹椒、蘼蕪、風連，見于《蜀都賦》。如今年深歲改，人不能識，故皆像形奪名，漸漸的喚差了，也是有的。」未及説完，賈政喝道：「誰問你來？」唬的寶玉倒退，不敢再説。

　　賈政因見兩邊俱是超手游廊，便順着游廊步入。只見上面五間清廈，連着卷棚，四面出廊，綠窗油壁，更比前清雅不同。賈政嘆道：「此軒中煮茶操琴，亦不必再焚香矣。此造却出意外，諸公必有佳作新題，以顏其額，方不負此。」衆人笑道：「莫若『蘭風蕙露』貼切了。」賈政道：「也只好用這四字。其聯云何？」一人道：「我想了一對，大家批削改正。」道是：

　　　麝蘭芳靄斜陽院，杜若香飄明月洲。

衆人道：「妙則妙矣，只是『斜陽』二字不妥。」那人引古詩「蘼蕪滿院泣斜陽」句，衆人云：「頹喪，頹喪。」又一人道：「我也有一聯，諸公評閱評閱。」念道：

　　　三徑香風飄玉蕙，一庭明月照金蘭。

賈政拈鬚沉吟，意欲也題一聯。忽抬頭見寶玉在旁不敢作聲，因喝道：「怎麼你應説話時又不説了！還要等人請教你不成？」寶玉聽了回道：「此處並没有什麼『蘭麝』、『明月』、『洲渚』之類，若要這樣着迹説來，就題二百聯也不能完。」賈政道：「誰按着你的頭，教你必定説這些字樣呢？」寶玉道：「如此説，則匾上莫若『蘅芷清芬』四字。」對聯則是：

　　　吟成豆蔻詩猶艷，睡足荼蘼夢也香。

賈政笑道：「這是套的『書成蕉葉文猶綠』，不足爲奇。」衆人道：「李太白『鳳凰臺』之作，全套『黃鶴樓』。只要套得妙。如今細評起來，方才這一聯，竟比『書成蕉葉』尤覺幽雅浥動。」賈政笑道：「豈有此理！」

説着，大家出來。走不多遠，則見崇閣巍峨，層樓高起，面面琳宮合抱，迢迢複道縈紆。青松拂檐，玉蘭繞砌，金輝獸面，彩煥螭頭。賈政道："這是正殿了。只是太富麗了些。"衆人都道："要如此方是。雖然貴妃崇尚節儉，然今日之尊，禮儀如此，不爲過也。"一面説，一面走。只見正面現出一座玉石牌坊，上面龍蟠螭護，玲瓏鑿就。賈政道："此處書以何文？"衆人道："必是'蓬萊仙境'方妙。"賈政搖頭不語。寶玉見了這個所在，心中忽有所動，尋思起來，倒像在那裏見過的一般，却一時想不起那年月日的事了。賈政又命他題咏，寶玉只顧細思前景，全無心于此。衆人不知其意，只當他受了這半日折磨，精神耗散，才盡詞窮了；再要考難逼迫，着了急，或生出事來，倒不便。遂忙都勸賈政道："罷了，明日再題罷了。"賈政心中也怕賈母不放心，遂冷笑道："你這畜生，也竟有不能之時了。也罷，限你一日，明日題不來，定不饒你。這是第一要緊處所，要好生作來！"

　　説着，引人出來，再一觀望，原來自進門至此，才游了十之五六。又值人來回，有雨村處遣人回話。賈政笑道："此數處不能游了。雖如此，到底從那一邊出去，也可略觀大概。"説着，引客行來。至一大橋，水如晶簾一般奔入。原來這橋便是通外河之閘，引泉而入者。賈政因問："此閘何名？"寶玉道："此乃沁芳源之正流，即名'沁芳閘'。"賈政道："胡説，偏不用'沁芳'二字。"

　　于是一路行來，或清堂，或茅舍，或堆石爲垣，或編花爲門，或山下得幽尼佛寺，或林中藏女道丹房，或長廊曲洞，或方厦圓亭，賈政皆不及進去。因半日未嘗歇息，腿酸脚軟，忽又見前面露出一所院落來，賈政道："到此可要歇息歇息了。"説着一徑引入，繞着碧桃花，穿過竹籬花障編就的月洞門，俄見粉垣環護，綠柳周垂。賈政與衆人進了門，兩邊盡是游廊相接，院中點襯幾塊山石，一邊種幾本芭蕉，那一邊是一株西府海棠，其勢若傘，絲垂金縷，葩吐丹砂。衆人都道："好花，好花！海棠也有，從没見過這樣好的。"賈政道："這叫做'女兒棠'，乃是外國之種，俗傳出'女兒國'，故花最繁盛，亦荒唐不經之説耳。"衆人道："畢竟此花不同，'女兒'之説，想亦有之。"寶玉云："大約騷人咏士，以此花紅若施脂，弱如扶病，近乎閨閣風度，故以'女兒'命名，世人以訛傳訛，都未免認真了。"衆人都説："領教，妙解！"

　　一面説話，一面都在廊下榻上坐了。賈政因道："想幾個什麼新鮮字來題？"一客道：'蕉鶴'二字妙。"又一個道：'崇光泛彩'方妙。"賈政與衆人都道："好個崇光泛彩！"寶玉也道："妙。"又説："只是可惜了。"衆人問："如何可惜？"寶玉道："此處蕉棠兩植，其意暗蓄‘紅’、‘綠’二字在内，若說一樣，遺漏一樣，便不足取。”賈政道：“依你如何？”寶玉道：“依我，題‘紅香綠玉’四字，方兩全其美。”賈政搖頭道：“不好，不好。”

說着，引人進入房内。只見其中收拾的與別處不同，竟分不出間隔來的。原來四面皆是雕空玲瓏木板，或“流雲百蝠”，或“歲寒三友”，或山水人物，或翎毛花卉，或集錦，或博古，或萬福萬壽。各種花樣，皆是名手雕鏤，五彩銷金嵌玉的。一槅一槅，或貯書，或設鼎，或安置筆硯，或供設瓶花，或安放盆景。其槅式樣，或圓或方，或葵花蕉葉，或連環半璧：真是花團錦簇，玲瓏剔透。倏爾五色紗糊，竟係小窗；倏爾彩綾輕覆，竟如幽户。且滿牆皆是隨依古董玩器之形摳成的槽子，如琴、劍、懸瓶之類，俱懸于壁，却都是與壁相平的。衆人都贊：“好精緻！難爲怎麽做的！”

原來賈政走了進來，未到兩層，便都迷了舊路，左瞧也有門可通，右瞧也有窗暫隔，及到跟前，又被一架書擋住，回頭又有窗紗明透門徑可行。及至門前，忽見迎面也進來了一起人，與自己形相一樣——却是一架玻璃鏡。轉過鏡去，一發見門多了。賈珍笑道：“老爺隨我來，從此門出去，便是後院。出了後院，倒比先近了。”引着賈政及衆人，轉了兩層紗厨，果得一門出去，院中滿架薔薇。轉過花障，則見青溪前阻。衆人咤異：“這水又從何而來？”賈珍遥指道：“原從那閘起流至那洞口，從東北山坳裏引到那村莊裏，又開一道岔口，引至西南上，共總流到這裏，仍舊合在一處，從那牆下出去。”衆人聽了，都道：“神妙之極！”說着，忽見大山阻路。衆人都迷了路。賈珍笑道：“隨我來。”乃在前導引，衆人隨着，由山脚下一轉，便是平坦大路，豁然大門現于面前。衆人都道：“有趣，有趣！搜神奪巧，至于此極！”于是大家出來。

那寶玉一心只記挂着裏邊姊妹們，又不見賈政吩咐，只得跟到書房。賈政忽想起來，道：“你還不去，恐老太太記念你。難道還逛不足麽？”寶玉方退了出來。至院外，就有跟賈政的小斯上來抱住，説道：“今日虧了老爺喜歡。方才老太太打發人出來問了幾次，我們回說老爺喜歡，若不然，老太太叫你進去了，就不得展才了。人人都説，你才那些詩，比衆人都强。今兒得了彩頭，該賞我們了。”寶玉笑道：“每人一吊。”衆人道：“誰没見那一吊錢！把這荷包賞了罷。”説着，一個個都上來解荷包、解扇袋，不容分説，將寶玉所佩之物，盡行解去。又道：“好生送上去罷。”一個個圍繞着，送至賈母門前。那時賈母正等着他，見他來了，知道不曾難爲他，心中自是喜歡。

少時襲人倒了茶來，見身邊佩物一件不存，因笑道：“帶的東西，又是那起没臉的東西們解了去了。”林黛玉聽説，走過來一瞧，果然一件無存。因向寶玉道：“我給你的

寶玉因忙把衣領解了，從裏面衣襟上將所繫荷包解了下來，遞與黛玉道：“你瞧瞧，這是什麽東西？我可曾把你的東西給人？”林黛玉見他如此珍重，帶在裏面，可知是怕人拿去之意，因此又自悔莽撞剪了香袋，低着頭一言不發。

戴敦邦 畫

大觀園試才題對額　榮國府歸省慶元宵

那個荷包也給他們了?你明兒再想我的東西,可不能瞉了!"説畢,生氣回房,將前日寶玉囑咐他做而未完之香袋,拿起剪子來就鉸。寶玉見他生氣,便忙趕過來,早已剪破了。寶玉曾見過這香袋,雖未完工,却十分精巧,無故剪了,却也可氣。因忙把衣領解了,從裏面衣襟上將所繫荷包解了下來,遞與黛玉道:"你瞧瞧,這是什麼東西?我可曾把你的東西給人?"林黛玉見他如此珍重,帶在裏面,可知是怕人拿去之意,因此又自悔莽撞剪了香袋,低着頭一言不發。寶玉道:"你也不用剪,我知你是懶怠給我東西,我連這荷包奉還何如?"説着,擲向他懷中而去。黛玉越發氣得哭了,拿起荷包又剪。寶玉忙回身搶住,笑道:"好妹妹,饒了他罷!"黛玉將剪子一摔,拭淚説道:"你不用合我好一陣歹一陣的,要惱就撂開手。"説着,賭氣上床,面向裏倒下拭淚。禁不住寶玉上來"妹妹"長、"妹妹"短賠不是。

　　前面賈母一片聲找寶玉。眾人回説:"在林姑娘房裏。"賈母聽説,道:"好,好,好!讓他姊妹們一處頑頑罷。才他老子拘了他這半天,讓他開心一會子罷。只別叫他們拌嘴。"眾人答應着。黛玉被寶玉纏不過,只得起來道:"你的意思不叫我安生,我就離了你。"説着,往外就走。寶玉笑道:"你到那裏,我跟到那裏。"一面仍拿着荷包來帶上。黛玉伸手搶道:"你説不要,這會子又帶上,我也替你怪臊的。"説着,"嗤"的一聲笑了。寶玉道:"好妹妹,明兒另替我做個香袋兒罷。"黛玉道:"那也瞧我的高興罷了。"一面説,一面二人出房,到王夫人上房中去了。可巧寶釵亦在那裏。

　　此時王夫人那邊熱鬧非常。原來賈薔已從姑蘇採買了十二個女孩子,並聘了教習以及行頭等事來了。那時薛姨媽另遷於東北上一所幽靜房舍居住,將梨香院另行修理了,就令教習在此教演女戲。又另派家中舊曾學過歌唱的眾女人們,如今皆已皤然老嫗,着他們帶領管理。就令賈薔總理其日用出入銀錢等事以及諸凡大小所需之物料賬目。

　　又有林之孝來回:"採訪聘買得十二個小尼姑、小道姑,都到了,連新做的二十份道袍也有了。外又有一個帶髮修行的,本是蘇州人氏,祖上也是讀書仕宦之家,因自幼多病,買了許多替身,皆不中用,到底這姑娘入了空門,方才好了,所以帶髮修行,今年十八歲,取名妙玉。如今父母俱已亡故,身邊只有兩個老嬤嬤,一個小丫頭伏侍。文墨也極通,經典也極熟,模樣又極好。因聽説長安都中有觀音遺迹並貝葉遺文,去年隨了師父上來,現在西門外牟尼院住着。他師父精演先天神數,于去冬圓寂了。遺言説他'不宜回鄉,在此靜候,自有結果'。所以未曾扶靈回去。"王夫人便道:"這樣我們何不接了他來?"林之孝家的回道:"若請他,他説:'侯門公府,必以貴勢壓人,我再不去的。'"王夫人道:"他既是宦家小姐,自然要傲些,就下個請帖請他何妨。"林之孝家的答應着出去,叫書啓相公寫個請帖去請妙玉,次日遣人備車轎去接。不知後來如何,且聽下回分解。

第拾捌回

皇恩重元妃省父母　天倫樂寶玉呈才藻

話説彼時有人回，工程上等着糊東西的紗綾，請鳳姐去開庫拿紗綾。又有人來回，請鳳姐開庫收金銀器皿。王夫人並上房丫鬟等，皆不得空閒。寶釵説：「咱們別在這裏礙手礙脚。」説着，同寶玉等往迎春房中來。

王夫人日日忙亂，直到十月裏才全備了：監督都交清賬目；各處古董文玩，俱已陳設齊備；采辦鳥雀，自仙鶴、鹿、兔以及雞、鵝等，已買全，交于園中各處飼養；賈薔那邊也演出二十齣雜戲來；一班小尼姑、道姑也都學會念佛經咒。于是賈政方略心安意暢，又請賈母等到園中，色色斟酌，點綴妥當，再無些微不當之處，賈政才敢題本。本上之日，奉旨：「于明年正月十五日上元之日，貴妃省親。」賈府奉了此旨，一發日夜不閒，連年亦不曾好生過的。

轉眼元宵在邇，自正月初八，就有太監出來先看方向：何處更衣，何處燕坐，何處受禮，何處開宴，何處退息。又有巡察地方總理關防太監，帶了許多小太監來，各處關防，擋圍幕；指示賈宅人員何處出入，何處進膳，何處啓事，種種儀注。外面又有工部官員並五城兵馬司打掃街道，攆逐閑人。賈赦等監督匠人扎花燈烟火之類，至十四日，俱已停妥。這一夜，上下通不曾睡。

至十五日五鼓，自賈母等有爵者，俱各按品大裝。大觀園內帳舞蟠龍，簾飛彩鳳，金銀煥彩，珠寶生輝，鼎焚百合之香，瓶插長春之蕊，静悄悄無一人咳嗽。賈赦等在西街門外，賈母等在榮府大門外。街

頭巷口，用圍幕擋嚴。正等的不耐煩，忽然一個太監騎匹馬來了，賈政接着，問其消息。太監云："早多着哩！未初用晚膳，未正還到寶靈宮拜佛，酉初進大明宮領宴看燈方請旨，只怕戌初才起身呢。"鳳姐聽了道："既這樣，老太太與太太且請回房，等到了時候再來也未爲晚。"于是賈母等且自便去了。園中賴鳳姐照料：命執事人等，帶領太監們去吃酒飯；一面傳人挑進蠟燭，各處點起燈來。

忽聽外面馬跑之聲不一，有十來個太監，喘吁吁跑來拍手兒。這些太監都會意，知道是來了，各按方向站立。賈赦領合族子弟在西街門外，賈母領合族女眷在大門外迎接。半日靜悄悄的。忽見兩個太監騎馬緩緩而來，至西街門下了馬，將馬趕出圍幕之外，便面西站立。半日又是一對，亦是如此。少時，便來了十來對，方聞隱隱鼓樂之聲。一對對龍旌鳳翣，雉羽宮扇，又有銷金提爐焚着御香，然後一把曲柄七鳳金黃傘過來，便是冠袍帶履，又有執事太監捧着香巾、綉帕、漱盂、拂塵等物。一隊隊過完，後面方是八個太監抬着一頂金頂金黃綉鳳鑾輿，緩緩行來。賈母等連忙跪下，早有太監過來，扶起賈母等。那鑾輿抬入大門，儀門往東一所院落門前，有太監跪請下輿更衣。于是抬入門，太監散去，只有昭容、彩嬪等引元春下輿。只見苑內各色花燈閃灼，皆係紗綾扎成，精緻非常。上面有一匾燈，寫着"體仁沐德"四

只見苑內各色花燈閃灼，皆係紗綾扎成，精緻非常。上面有一匾燈，寫着"體仁沐德"四個字。元春入室更衣出，復上輿進園。只見園中香烟繚繞，花影繽紛，處處燈光相映，時時細樂聲喧，說不盡這太平景象，富貴風流。

謝倫和 畫

賈妃下輿登舟，只見清流一帶，勢若游龍，兩邊石欄上，皆係水晶玻璃各色風燈，點的如銀光雪浪。上面柳、杏諸樹，雖無花葉，却用各色綢綾紙絹及通草爲花，粘于枝上，每一株懸燈萬盞。更兼池中荷荇、鳧鷺之屬，亦皆係螺蚌、羽毛做就的。諸燈上下爭輝，真是玻璃世界，珠寶乾坤。

王宏喜 畫

個字。元春入室更衣出，復上輿進園。只見園中香烟繚繞，花影繽紛，處處燈光相映，時時細樂聲喧，説不盡這太平景象，富貴風流。

　　却説賈妃在轎内，看了此園内外光景，因點頭嘆道：“太奢華過費了！”忽又見太監跪請登舟，賈妃下輿登舟，只見清流一帶，勢若游龍，兩邊石欄上，皆係水晶玻璃各色風燈，點的如銀光雪浪。上面柳、杏諸樹，雖無花葉，却用各色綢綾紙絹及通草扎花，粘于枝上，每一株懸燈萬盞。更兼池中荷荇、鳧鷺之屬，亦皆係螺蚌、羽毛做就的。諸燈上下争輝，真是玻璃世界，珠寶乾坤。船上又有各種盆景燈，珠簾繡幕，桂楫蘭橈，自不必説。

　　已而入一石港，港上一面匾燈，明現着“蓼汀花漵”四字。看官聽説：這“蓼汀花漵”四字及“有鳳來儀”等字，皆係上回賈政偶試寶玉之才，何至便認真用了？想賈府世代詩書，自有一二名手題咏，豈似暴發之家，竟以小兒語搪塞了事呢？只緣當日這賈妃未入宮時，自幼亦係賈母教養。後來添了寶玉，賈妃乃長姊，寶玉爲幼弟。賈妃念母年將邁，始得此弟，是以獨愛憐之。且同侍賈母，刻未相離。那寶玉未入學之先，三四歲時，已得賈妃口傳教授了幾本書，識了數千字在腹中。雖爲姊弟，有如母子。自入宮後，時時帶信出來與父兄説：“千萬好生扶養，不嚴不能成器；過嚴恐生不虞，且致祖母之憂。”眷念之心，刻刻不忘。前日賈政聞塾師贊他盡有才情，故于游園時聊一試之，雖非名公大筆，却是本家風味。且使賈妃見之，知愛弟所爲，亦不負其平日切望之意。因此故將寶玉所題用了。那日未題完之處，後來又補題了許多。

　　且説賈妃看了四字笑道：“‘花漵’二字便好，何必‘蓼汀’？”侍ън太監聽了，忙下舟登岸，飛傳與賈政。賈政即刻换了。彼時舟臨内岸，去舟上輿，便見琳宫綽約，桂殿巍峨。石牌坊上“天仙寶境”四大字，賈妃命换了“省親別墅”四字。于是進入行宫，只見庭燎繞空，香屑布地，火樹琪花，金窗玉檻。説不盡簾卷蝦鬚，毯鋪魚獺，鼎飄麝腦之香，屏列雉尾之扇。真是：

　　　　金門玉户神仙府，桂殿蘭宫妃子家。

賈妃乃問：“此殿何無匾額？”隨侍太監跪啓道：“此係正殿，外臣未敢擅擬。”賈妃點頭不語。禮儀太監請升座受禮，兩階樂起。二太監引賈赦、賈政等于月臺下排班上殿，昭容傳諭曰：“免。”乃退出。又引榮國太君及女眷等自東階升月臺上排班，昭容再諭曰：“免。”于是亦退。

　　茶三獻，賈妃降座，樂止，退入側室更衣，方備省親車駕出園。至賈母正室，欲行家

至賈母正室，欲行家禮，賈母等俱跪止之。賈妃垂淚，彼此上前廝見，一手挽賈母，一手挽王夫人，三個人滿心皆有許多話，俱説不出，只是嗚咽對泣而已。

劉旦宅　畫

豐，賈母等俱跪止之。賈妃垂淚，彼此上前廝見，一手挽賈母，一手挽王夫人，三個人滿心皆有許多話，俱說不出，只是嗚咽對泣而已。邢夫人、李紈、王熙鳳，迎春、探春、惜春三人，俱在旁垂淚無言。半日，賈妃方忍悲強笑，安慰賈母、王夫人道：「當日既送我到那不得見人的去處，好容易今日回家，娘兒們一會不說不笑，反倒哭個不了，一會子我去了，又不知多早晚才能一見呢。」說到這句，不禁又哽咽起來。邢夫人忙上來勸解。賈母

等讓賈妃歸坐，又逐次一一見過，又不免哭泣一番。然後，東西兩府執事人等，在外廳行禮。其媳婦丫鬟行禮畢。賈妃嘆道："許多親眷，可惜都不能見面。"王夫人啓道："現有外親薛王氏及寶釵、黛玉在外候旨。外眷無職，不敢擅入。"賈妃即請求相見。一時薛姨媽等進來，欲行國禮，命免過，上前各敘闊別。又有賈妃原帶進宮的丫鬟抱琴等叫見，賈母連忙扶起，命入別室款待。執事太監及彩嬪、昭容各侍從人等，寧府及賈赦那宅兩處，自有人款待，只留三四個小太監答應。母女姊妹敘些久別情景，及家務私情

又有賈政至簾外問安，賈妃于內行參等事，又向其父説道："田舍之家，虀鹽布帛，得遂天倫之樂。今雖富貴，骨肉分離，終無意趣。"賈政亦含淚啓道："臣草莽寒門，鳩羣鴉屬之中，豈意得徵鳳鸞之瑞。今貴人上錫天恩，下昭祖德，此皆山川日月之精奇、祖宗之遠德鍾于一人，幸及政夫婦。且今上體天地生生之大德，垂古今未有之曠恩，雖肝腦塗地，豈能報效于萬一！惟朝乾夕惕，忠于厥職。伏願我君萬歲千秋，乃天下蒼生之福也。貴妃切勿以政夫婦殘年爲念，更祈自加珍愛，惟勤慎

半日，賈妃方忍悲強笑，安慰賈母、王夫人道："當日既送我到那不得見人的去處，好容易今日回家，娘兒們一會不説不笑，反倒哭個不了，一會子我去了，又不知多早晚才能一見呢。"説到這句，不禁又哽咽起來。

孟慶江 畫

進園先從"有鳳來儀"、"紅香綠玉"、"杏帘在望"、"蘅芷清芬"等處，登樓步閣，涉水緣山，眺覽徘徊。一處處鋪陳不一，一椿椿點綴新奇。賈妃極加獎贊。

華三川 畫

元春归省

萋汀杜蘅有凤来仪
二十年来辨——是非榴花
闲窗照碧纱
辞海笔三幅拙其海己重堂莘正
戊辰夏大暑日浙束

皇恩重元妃省父母　天倫樂寶玉呈才藻

肅恭以侍上，庶不負上眷顧隆恩也。"賈妃亦囑以"國事宜勤，暇時保養，切勿記念"。賈政又啓："園中所有亭臺軒館，皆係寶玉所題，如果有一二可寓目者，請即賜名爲幸。"元妃聽了寶玉能題，便含笑說道："果進益了。"賈政退出。貴妃因問："寶玉因何不見？"賈母乃啓道："無職外男，不敢擅入。"元妃命引進來。小太監引寶玉進來，先行國禮畢，命他近前，携手攬于懷內，又撫其頭頸笑道："比先長了好些……"一話未終，淚如雨下。

尤氏、鳳姐等上來啓道："筵宴齊備，請貴妃游幸。"元妃起身，命寶玉導引，遂同諸人步至園門前。早見燈光之中，諸般羅列。進園先從"有鳳來儀"、"紅香綠玉"、"杏帘在望"、"蘅芷清芬"等處，登樓步閣，涉水緣山，眺覽徘徊。一處處鋪陳不一，一椿椿點綴新奇。賈妃極加獎贊，又勸："以後不可太奢了，此皆過分。"既而來至正殿，諭免禮歸坐，大開筵宴。賈母等在下相陪，尤氏、李紈、鳳姐等捧羹把盞。

元妃乃命筆硯伺候，親拂羅箋，擇其喜者賜名。題其園之總名曰"大觀園"，正殿匾額云"顧恩思義"。對聯云：

天地啓宏慈，赤子蒼生同感戴；古今垂曠典，九州萬國被恩榮。

又改題："有鳳來儀"，賜名"瀟湘館"。"紅香綠玉"，改作"怡紅快綠"，賜名"怡紅院"。"蘅芷清芬"，賜名"蘅蕪苑"。"杏帘在望"，賜名"瀚葛山莊"。正樓曰"大觀樓"。東面飛樓曰"綴錦閣"。西面敘樓曰"含芳閣"。更有"蓼風軒"、"藕香榭"、"紫菱洲"、"荇葉渚"等名。又有四字匾額，如"梨花春雨"、"桐剪秋風"、"荻蘆夜雪"等名，不可勝紀。又命舊有匾聯不可摘去。于是先題一絕句云：

銜山抱水建來精，多少工夫築始成。天上人間諸景備，芳園應錫大觀名。

寫畢，向諸姊妹笑道："我素乏捷才，且不長于吟咏，姊妹輩素所深知。今夜聊以塞責，不負斯景而已。異日少暇，必補撰《大觀園記》並《省親頌》等文，以記今日之事。妹等亦各題一匾一詩，隨意發揮，不可爲我微才所縛。且知寶玉竟能題咏，一發可喜。此中瀟湘館、蘅蕪苑二處，我所極愛，次之怡紅院、瀚葛山莊，此四大處，必得別有章句題咏方妙。前所題之聯雖佳，如今再各賦五言律一首，使我當面試過，方不負我自幼教授之苦心。"寶玉只得答應了，下來自去構思。

迎春、探春、惜春三人中，要算探春又出于姊妹之上，然自忖亦難與薛、林爭衡，只得勉强隨衆塞責而已。李紈也勉强凑成一律。賈妃挨次看姊妹們的，寫道是：

曠性怡情（匾額）　　　　　迎春

園成景物特精奇，奉命羞題額曠怡。誰信世間有此境，游來寧不暢神思？

皇恩重元妃省父母　天倫樂寶玉呈才藻

萬象爭輝（區額）　　　　探春

名園築就勢巍巍，奉命多慚學淺微。精妙一時言不盡，果然萬物有光輝。

文章造化（區額）　　　　惜春

山水橫拖千里外，樓臺高起五雲中。園修日月光輝裏，景奪文章造化功。

文采風流（區額）　　　　李紈

秀水明山抱復回，風流文采勝蓬萊。綠裁歌扇迷芳草，紅襯湘裙舞落梅。珠玉自應傳
盛世，神仙何幸下瑤臺。名園一自邀游賞，未許凡人到此來。

凝暉鍾瑞（區額）　　　　薛寶釵

芳園築向帝城西，華日祥雲籠罩奇。高柳喜遷鶯出谷，修篁時待鳳來儀。文風已著宸
游夕，孝化應隆歸省時。睿藻仙才瞻仰處，自慚何敢再為辭。

世外仙源（區額）　　　　林黛玉

宸游增悅豫，仙境別紅塵。借得山川秀，添來氣象新。香融金谷酒，花媚玉堂人。何幸
邀恩寵，宮車過往頻。

賈妃看畢，稱賞一番。又笑道：“終是薛、林二妹之作，與眾不同，非愚姊妹所及。”原來林黛玉安心今夜大展奇才，將眾人壓倒，不想賈妃只命一區一咏，倒不好違諭多做，只胡亂做一首五言律應命罷了。

彼時寶玉尚未做完，才做了“瀟湘館”與“蘅蕪苑”兩首，正做“怡紅院”一首，起稿內有“綠玉春猶卷”一句。寶釵轉眼瞥見，便趁眾人不理論，推他道：“貴人因不喜‘紅香綠玉’四字，才改了‘怡紅快綠’；你這會子偏又用‘綠玉’二字，豈不是有意和他分馳了？況且蕉葉之典故頗多，再想一個改罷。”寶玉見寶釵如此說，便拭汗說道：“我這會子總想不起什麼典故出處來。”寶釵笑道：“你只把‘綠玉’的‘玉’字，改作‘蠟’字就是了。”寶玉道：“‘綠蠟’可有出處？”寶釵悄悄的咂嘴點頭笑道：“虧你今夜不過如此，將來金殿對策，你大約連‘趙錢孫李’都忘了呢！唐朝韓翊咏芭蕉詩頭一句‘冷燭無烟綠蠟乾’，都忘了麼？”寶玉聽了，不覺洞開心意，笑道：“該死！眼前現成之句，一時竟想不到。姐姐真可謂‘一字師’了。從此只叫你師傅，再不叫姐姐了。”寶釵亦悄悄的笑道：“還不快做上去，只姐姐妹妹的。誰是你姐姐？那上頭穿黃袍的才是你姐姐呢！”一面說笑，因怕他耽延工夫，遂抽身走開了。寶玉續成了此首，共有三首。

此時黛玉未得展才，心上不快。因見寶玉構思太苦，走至案旁，知寶玉只少“杏簾在望”一首，因叫他抄錄前三首，卻自己吟成一律，寫在紙條上，搓成個團子，擲向寶玉

執事太監啓道：“時已丑正三刻，請駕回鑾。”賈妃不由的滿眼又滾下淚來，卻又勉強笑着拉了賈母、王夫人的手，不忍放。賈母等已哭的哽噎難言了。

戴敦邦　畫

跟前。寶玉打開一看，覺比自己做的三首，高得十倍，遂忙恭楷謄完呈上。賈妃看是：

　　　　　有鳳來儀　　　　　　　　寶玉

　　秀玉初成實，堪宜待鳳凰。竿竿青欲滴，個個綠生涼。迸砌防階水，穿廉礙鼎香。莫搖分碎影，好夢正初長。

　　　　　蘅芷清芬

　　蘅蕪滿靜苑，蘿薜助芬芳。軟襯三春草，柔拖一縷香。輕烟迷曲徑，冷翠濕衣裳。誰謂池塘曲，謝家幽夢長。

　　　　　怡紅快綠

　　深庭長日靜，兩兩出嬋娟。綠蠟春猶卷，紅妝夜未眠。憑欄垂絳袖，倚石護清烟。對立東風裏，主人應解憐。

　　　　　杏帘在望

　　杏帘招客飲，在望有山莊。菱荇鵝兒水，桑榆燕子梁。一畦春韭綠，十里稻花香。盛世無饑餒，何須耕織忙。

賈妃看畢，喜之不盡，說："果然進益了。"又指"杏帘"一首爲四首之冠，遂將"瀚葛山莊"改爲"稻香村"。又命探春將方才十數首詩，另以錦箋謄出，令太監傳與外廂。賈政等看了，都稱頌不已。賈政又進《歸省頌》。元春又命以瓊酩金膾等物，賜與寶玉並賈蘭。此時賈蘭尚幼，未諳諸事，只不過隨母依叔行禮而已。

　　那時賈薔帶領一班女戲子在樓下，正等得不耐煩，只見一個太監飛跑下來，說："做完了詩了，快拿戲目來！"賈薔忙將戲目呈上，並十二個人的花名冊子。少時點了四齣戲：

　　　　　第一齣，《豪宴》；第二齣，《乞巧》；

　　　　　第三齣，《仙緣》；第四齣，《離魂》。

賈薔忙張羅扮演起來。一個個歌有裂石之音，舞有天魔之態，雖是妝演的形容，却做盡悲歡情狀。剛演完了，一太監執一金盤糕點之屬，進來問："誰是齡官？"賈薔便知是賜齡官之物，連忙接了，命齡官叩頭。太監又道："貴妃有諭，說：'齡官極好，再做兩齣戲，不拘那兩齣就是了。'"賈薔忙答應了，因命齡官做《游園》、《驚夢》二齣。齡官自爲此二齣原非本角之戲，執意不從，定要做《相約》、《相罵》二齣。賈薔扭他不過，只得依他做了。賈妃甚喜，命："莫難爲了這女孩子，好生教習。"額外賞了兩匹宮綢，兩個荷包，並金銀錁子食物之類。然後撤筵，將未到之處，復又游頑。忽見山環佛寺，忙盥手進去焚香拜佛，又題一匾云："苦海慈航"。又額外加恩與一班幽尼女道。

賈妃雖不忍別，奈皇家規矩，違錯不得的，只得忍心上輿去了。

元春省親

皇恩重元妃省父母
天倫樂寶玉呈才藻

少時太監跪啟："賜物俱齊，請驗，按例行賞。"乃呈上略節。賈妃從頭看了，無話，即命照此而行。太監下來，一一發放。原來賈母的是金、玉如意各一柄，沉香拐杖一根，茄楠念珠一串，"富貴長春"宮緞四匹，"福壽綿長"宮綢四匹，紫金"筆錠如意"錁十錠，"吉慶有餘"銀錁十錠。邢夫人等二分，只減了如意、拐、珠四樣。賈敬、賈赦、賈政等每分御製新書二部，寶墨二匣，金銀盞各二隻，表禮按前。寶釵、黛玉諸姊妹等，每人新書一部，寶硯一方，新樣格式金銀錁二對，寶玉亦同。賈蘭是金銀項圈二個，金錁二對。尤氏、李紈、鳳姐等，皆金銀錁四錠，表禮四端。另有表禮二十四端，清錢一千串，是賞與賈母、王夫人及各姊妹房中奶娘衆丫鬟的。賈珍、賈璉、賈環、賈蓉等，皆是表禮一端，金銀錁一對。其餘彩緞百匹，白銀千兩，御酒數瓶，是賜東西兩府及園中管理工程、陳設、答應及司戲、掌燈諸人的。外又有清錢五百串，是賜廚役、優伶、百戲、雜行人等的。

衆人謝恩已畢，執事太監啟道："時已丑正三刻，請駕回鑾。"賈妃不由的滿眼又滾下淚來，卻又勉強笑着，拉了賈母、王夫人的手，不忍放，再四叮嚀："不須記挂，好生保養。如今天恩浩蕩，一月許進內省視一次，見面儘容易的，何必過悲。倘明歲天恩仍許歸省，不可如此奢華糜費了。"賈母等已哭的哽噎難言了。賈妃雖不忍別，奈皇家規矩，違錯不得的，只得忍心上輿去了。這裏諸人好容易將賈母勸住，及王夫人攙扶出園去了。未知如何，下回分解。

　　話說賈妃回宮，次日見駕謝恩，並回奏歸省之事，龍顏甚悅。又發內帑彩緞金銀等物，以賜賈政及各椒房等員，不必細說。

　　且說榮、寧二府中，連日用盡心力，真是人人力倦，各各神疲，又將園中一應陳設動用之物收拾了兩三天方完。第一個鳳姐，事多任重，別人或可偷閑躲靜，獨他是不能脫得的；二則本性要強，不肯落人褒貶，只扎挣着與無事的人一樣。第一個寶玉，是極無事最閑暇的。偏這一早，襲人的母親又親來回過賈母，接襲人家去吃年茶，晚間才得回來。因此，寶玉只和眾丫頭們擲骰子趕圍棋作戲。正在房內頑得沒興頭，忽見丫頭們來回說：「東府裏珍大爺來請過去看戲，放花燈。」寶玉聽了，便命換衣裳。才要去時，忽又有賈妃賜出糖蒸酥酪來；寶玉想上次襲人喜吃此物，便命留與襲人了，自己回過賈母，過去看戲。

　　誰想賈珍這邊唱的是《丁郎認父》、《黃伯央大擺陰魂陣》，更有《孫行者大鬧天宮》、《姜太公斬將封神》等類的戲文，倏爾神鬼亂出，忽又妖魔畢露，內中揚幡過會，號佛行香，鑼鼓喊叫之聲，遠聞巷外。滿街上個個都贊：「好熱鬧戲，別人家斷不能有的。」寶玉見繁華熱鬧到如此不堪的田地，只略坐了一坐，便走往各處閑耍。先是進內去和尤氏並丫頭姬妾說笑了一回，便出二門來。尤氏等仍料他出來看戲，遂也不曾照管。賈珍、賈璉、薛蟠等只顧猜謎行令，百般作樂，縱一時不見他在座，只道在裏邊去了，也不理論。至于跟寶玉的小廝們，那年紀大些的，知寶玉這一來了，必是晚間才散，因此偷空，也有會賭錢的，也有往親友家去吃年茶的，或賭或飲，都私自散了，待晚間再來；那小些的，都鑽進戲房裏瞧熱鬧去了。

寶玉見一個人沒有，因想：“素日這裏有個小書房，内曾挂着一軸美人，極畫的得神。今日這般熱鬧，想那裏自然無人，那美人也自然是寂寞的，須得我去望慰他一回。”想着，便往那厢來。剛到窗前，聞得房内呻吟之聲。寶玉倒唬了一跳：“敢是美人活了不成？”乃大着膽子，舔破窗紙，向内一看，那軸美人却不曾活，却是茗烟按着一個女孩子，也幹那警幻所訓之事。寶玉禁不住大叫：“了不得！”一脚踹進門去，將那兩個唬開了，抖衣而顫。

茗烟見是寶玉，忙跪下哀求。寶玉道：“青天白日，這是怎麼説。珍大爺知道，你是死是活？”一面看那丫頭，雖不標致，倒白净，些微亦有動人心處，羞的臉紅耳赤，低首無言。寶玉踩脚道：“還不快跑！”一語提醒了那丫頭，飛也似的去了。寶玉又趕出去叫道：“你别怕，我是不告訴人的。”急得茗烟在後叫：“祖宗，這是分明告訴人了！”寶玉因問：“那丫頭十幾歲了？”茗烟道：“大不過十六七歲罷。”寶玉道：“連他的歲數也不問問，别的自然越發不知了。可見他白認得你了，可憐，可憐！”又問：“名字叫什麼？”茗烟笑道：“若説出名字來話長，真正新鮮奇文。他説他母親養他的時節，做了一個夢，夢得了一匹錦，上面是五色富貴不斷頭的‘卍’字花樣，所以他的名字就叫作萬兒。”寶玉聽了笑道：“真也新奇，想必他將來有些造化。”説着，沉思一會。

茗烟因問：“二爺為何不看這樣的好戲？”寶玉道：“看了半日，怪煩的，出來逛逛，就遇見你們了。這會子作什麼呢？”茗烟微微笑道：“這會子没人知道，我悄悄的引二爺往城外逛去，一會兒再往這裏來，他們就不知道了。”寶玉道：“不好，仔細花子拐了去。且是他們知道了，又鬧大了。不如往近些的地方去，還可就來。”茗烟道：“就近地方誰家可去？這却難了。”寶玉笑道：“依我的主意，咱們竟找花大姐姐去，瞧他在家作什麼呢。”茗烟笑道：“好，好！倒忘了他家。”又道：“他們知道了，説我引着二爺胡走，要打我呢。”寶玉道：“有我呢。”茗烟聽説，拉了馬，二人從後門就走了。幸而襲人家不遠，不過一半里路程，轉眼已到門前。

茗烟先進去叫襲人之兄花自芳。此時襲人之母接了襲人與幾個外甥女兒、幾個侄女兒來家，正吃果茶。

聽見外面有人叫"花大哥", 花自芳忙出去看時, 見是他主僕兩個, 唬的驚疑不定, 連忙抱下寶玉來, 至院内嚷道: "寶二爺來了!"別人聽見還可, 襲人聽了, 也不知爲何, 忙跑出來迎着寶玉, 一把拉着問: "你怎麼來了?"寶玉笑道: "我怪悶的, 來瞧瞧你作什麼呢。"襲人聽了, 才把心放下來, 説道: "你也胡鬧了, 可作什麼來呢?"一面又問茗烟: "還有誰跟來?"茗烟笑道: "別人都不知, 就只我們兩個。"襲人聽了, 復又驚慌, 説道: "這還了得! 倘或撞見了人, 或是遇見了老爺, 街上人擠馬碰, 有個閃失, 也是頑得的?你們的膽子比斗還大。都是茗烟調唆的, 回去我定告訴嬷嬷們打你!"茗烟撅了嘴道: "二爺罵着打着叫我引了來的, 這會子推到我身上。我説別要來罷, 不然, 我們還去罷。"花自芳忙勸道: "罷了, 已是來了, 也不用多説了。只是茅檐草舍, 又窄又不乾净, 爺怎麼坐呢?"

襲人之母也早迎了出來。襲人拉了寶玉進去。寶玉見房中三五個女孩兒, 見他進來, 都低了頭, 羞臉通紅。花自芳母子兩個, 恐怕寶玉寒冷, 又讓他上炕, 又忙另擺果桌, 又忙倒好茶。襲人笑道: "你們不用白忙, 我自然知道。果子也不用擺了, 不敢亂給東西吃。"一面説, 一面將自己的坐褥拿了, 鋪在一個杌子上, 寶玉坐了; 用自己的脚爐墊了脚; 向荷包内取出兩個梅花香餅兒來, 又將自己的手爐掀開焚上, 仍蓋好, 放與寶玉懷内; 然後將自己的茶杯斟了茶, 送與寶玉。彼時他母兄已是忙着, 齊齊整整的擺上一桌子果品來。襲人見總無可吃之物, 因笑道: "既來, 沒有空去的理, 好歹嘗一點兒, 也是來我家一趟。"説着, 便拈了幾個松子瓤, 吹去細皮, 用手帕托着, 送與寶玉。

寶玉看見襲人兩眼微紅, 粉光融滑, 因悄問襲人道: "好好的哭什麼?"襲人笑道: "何嘗哭?才迷了眼揉的。"因此便遮掩過了。因寶玉穿着大紅金蟒狐腋箭袖, 外罩石青貂裘排穗褂, 説道: "你特爲往這裏來, 又換新衣服, 他們就不問你往那裏去的?"寶玉笑道: "原是珍大爺請過去看戲換的。"襲人點頭, 又道: "坐一坐就回去罷。這個地方不是你來的。"寶玉笑道: "你就家去才好呢, 我還替你留着好東西呢。"襲人笑道: "悄悄的, 叫他們聽着什麼意思?"一面又伸手從寶玉項上將通靈玉摘下來, 向他姊妹們笑道: "你們見識見識。時常説起來, 都當稀罕, 恨不能一見, 今兒可儘力瞧了。再瞧什麼稀罕物兒, 也不過是這麼個東西。"説畢, 遞與他們傳看了一遍, 仍與寶玉挂好, 又命他哥哥去或雇一乘小轎, 或雇一輛小車, 送寶玉回去。花自芳道: "有我送去, 騎馬也不妨了。"襲人道: "不爲不妨, 爲的是碰見人。"

花自芳忙去雇了一頂小轎來, 衆人也不好相留, 只得送寶玉出去。襲人又抓些果子與茗烟, 又把些錢與他買花炮放, 教他: "不可告訴人, 連你也有不是。"一面説着, 一直送寶玉至門前, 看着上轎, 放下轎簾。茗烟二人牽馬跟隨, 來至寧府街, 茗烟命住轎, 向花自芳道: "須得我同二爺還到東府裏混一混, 才好過去的, 不然人家就疑惑了。"花自芳聽説有理, 忙將寶玉抱出轎來, 送上馬去。寶玉笑説: "倒難爲你了。"于是仍進後門來。俱不在話下。

却説寶玉自出了門, 他房中這些丫鬟們都越性恣意的頑笑, 也有趕圍棋的, 也有擲骰抹牌的,磕了一地的瓜子皮。偏奶母李嬤嬤拄拐進來請安,瞧瞧寶玉;見寶玉不在家,丫鬟們只顧頑鬧,十分看不過,因嘆道:"只從我出去了,不大進來,你們越發沒了樣兒了,別的嬤嬤越不敢說你們了。那寶玉是個'丈八的燈臺,照見人家,照不見自己'的。只知嫌人家腌臢,這是他的屋子,由着你們遭塌,越不成體統了。"這些丫頭們明知寶玉不講究這些,二則李嬤嬤已是告老解事出去了的,如今管不着他們,因此只顧頑笑,並不理他。那李嬤嬤還只管問:"寶玉如今一頓吃多少飯?什麼時候睡覺?"丫頭們總胡亂答應。有的說:"好個討厭的老貨!"李嬤嬤又問道:"這蓋碗裏是酥酪,怎不送與我吃?"說畢,拿起就吃。一個丫頭道:"快別動!那是說了給襲人留着的,回來又惹氣了。你老人家自己承認,別帶累我們受氣。"李嬤嬤聽了,又氣又愧,便說道:"我不信他這樣壞了腸子。別說我吃了一碗牛奶,就是再比這個值錢的,也是應該的。難道待襲人比我還重!難道他不想想怎麼長大了?我的血變的奶,吃的長這麼大,如今我吃他一碗牛奶,他就生氣了?我偏吃了,看他怎樣!你們看襲人不知怎樣,那是我手裏調理出來的毛丫頭,什麼阿物兒!"一面說,一面賭氣將酥酪吃盡。又一丫頭笑道:"他們不會說話,怨不得你老人家生氣。寶玉還送東西孝敬你老人家去,豈有爲這個不自在的?"李嬤嬤道:"你們也不必妝狐媚子哄我,打量上次爲茶攆茜雪的事我不知道呢。明兒有了不是,我再來領!"說着,賭氣去了。

少時,寶玉回來,命人去接襲人。只見晴雯躺在床上不動,寶玉因問:"敢是病了?再不然輸了?"秋紋道:"他倒是贏的。誰知李老太太來了混輸了,他氣的睡去了。"寶玉笑道:"你們別和他一般見識,由他去就是了。"說着,襲人已來,彼此相見。襲人又問寶玉何處吃飯,多早晚回來,又代母妹問諸同伴姊妹好。一時換衣卸妝。寶玉命取酥酪來,丫鬟們回說:"李奶奶吃了。"寶玉才要說話,襲人便忙笑說道:"原來是留的這個,多謝費心。前日我吃的時候好吃,吃過了,好肚子疼,鬧的吐了才好了。他吃了倒好,擱在這裏白遭塌了。我只想風乾栗子吃,你替我剝栗子,我去鋪床。"

寶玉聽了,信以爲真,方把酥酪丟開,取栗子來,自向燈前檢剝。一面見衆人不在房中,乃笑問襲人道:"今兒那個穿紅的是你什麼人?"襲人道:"那是我兩姨妹子。"寶玉聽了,贊嘆了兩聲。襲人道:"嘆什麼?我知道你心裏的緣故,想是說,他那裏配穿紅的?"寶玉笑道:"不是,不是。那樣的人不配穿紅的,誰還敢穿?我因爲見他實在好得狠,怎麼也得他在咱們家就好了。"襲人冷笑道:"我一個人是奴才命罷了,難道連我的親戚都是奴才命不成?定還要揀實在好的丫頭才往你家來?"寶玉聽了,忙笑道:"你又多心了!我說往咱們家來,必定是奴才不成?說親戚就使不得?"襲人道:"那也搬配不上。"

寶玉忙笑道:"只求你們同看着我,守着我,等我有一日化成了飛灰,飛灰還不好,灰又有形有迹,還有知識。等我化成一股輕烟,風一吹便散了的時候,你們也管不得我,我也顧不得你們了。那時憑我去,我也憑你們愛那裏去就去了。"急得襲人忙握他的嘴,說:"好,好!我正爲勸你這些,更說的狠了!"

潘寶子 畫

寶玉便不肯再説,只是剝栗子。襲人笑道:"怎麼不言語了?想是我才冒撞衝犯了你。明兒賭氣,花幾兩銀子買他們進來就是了。"寶玉笑道:"你説的話,怎麼叫人答言呢?我不過是贊他好,正配生在這深堂大院裏,没的我們這種濁物倒生在這裏!"襲人道:"他雖没這造化,倒也是嬌生慣養的,我姨父姨娘的寶貝。如今十七歲,各樣的嫁妝都齊備了,明年就出嫁。"

　　寶玉聽了"出嫁"二字,不禁又"嗐"兩聲。正不自在,又聽襲人嘆道:"只從我來這幾年,姊妹們都不得在一處。如今我要回去了,他們又都去了。"寶玉聽這話內有文章,不覺吃一驚,忙丢下栗子,問道:"怎麼,你如今要回去了?"襲人道:"我今兒聽見我媽和哥哥商議,教我再耐煩一年,明年他們上來就贖我出去呢。"寶玉聽了這話,越發忙了,

因問:"爲什麼要贖你?"襲人道:"這話奇了!我又比不得是你這裏的家生子兒,我一家子都在別處,獨我一個人在這裏,怎麼是個了局?"寶玉道:"我不叫你去也難。"襲人道:"從來没有這理。便是朝廷宫裏,也有定例,或幾年一選,幾年一入,没有長遠留下人的理,別説你家!"寶玉想一想,果然有理,又道:"老太太不放你也難。"襲人道:"爲什麼不放?我果然是個最難得的,或者感動了老太太、太太,必不放我出去的,設或多給我家幾兩銀子留下,然或有之;其實,我也不過是個最平常的人,比我强的多而且多。

情切切良宵花解語　意綿綿静日玉生香

自我從小兒來跟着老太太，先伏侍了史大姑娘幾年，如今又伏侍了你幾年。如今我們家來贖，正是該叫去的，只怕連身價也不要，就開恩叫我去呢。若說爲伏侍得你好，不叫我去，斷然没有的事。那伏侍得好，分内應當的，不是什麽奇功。我去了，仍舊又有好的了，不是没了我就成不得的。"寶玉聽了這些話，竟是有去的理，無留的理，心裏越發急了。因又道："雖然如此説，我只一心要留下你，不怕老太太不和你母親説，多多給你母親些銀子，他也不好意思接了你。"襲人道："我媽自然不敢强。且慢説和他好説，又多給銀子；就便不好和他説，一個錢也不給，安心要强留下我，他也不敢不依。但只是咱們家從没幹過這倚勢仗貴霸道的事。這比不得別的東西，因爲喜歡，加十倍利弄了來給你，那賣的人不得吃虧，可以行得。如今無故平空留下我，于你又無益，反教我們骨肉分離。這件事，老太太、太太斷不肯行的。"寶玉聽了，思忖半晌，乃説道："依你説來説去，是去定了？"襲人道："去定了。"寶玉聽了，自思道："誰知這樣一個人，這樣薄情無義呢。"乃嘆道："早知道都是要去的，我就不該弄了來，臨了，剩我一個孤鬼兒。"説着，便賭氣上床睡了。

原來襲人在家，聽見他母兄要贖他回去，他就説至死也不回去的。又説："當日原是你們没飯吃，就剩我還值幾兩銀子，若不叫你們賣，没有個看着老子娘餓死的理。如今幸而賣到這個地方，吃穿和主子一樣，又不朝打暮駡。況如今爹雖没了，你們却又整理的家成業就，復了元氣。若果然還艱難，把我贖上來，再多掏摸幾個錢，也還罷了，其實又不能了。這會子又贖我做什麽？權當我死了，再不必起贖我的念頭！"因此哭鬧了一陣。他母兄見他這般堅執，自然必不出來的了。況且原是賣倒的死契，明仗着賈宅是慈善寬厚之家，不過求一求，只怕連身價銀一併賞了還是有的事呢。二則賈府中從不曾作踐下人，只有恩多威少的。且凡老少房中所有親侍的女孩子們，更比待家下衆人不同，平常寒薄人家的小姐，也不能那樣尊重的。因此他母子兩個就死心不贖了。次後忽然寶玉去了，他二人又是那般景况，他母子二人心中更明白了，越發一塊石頭落了地，而且是意外之想，彼此放心，再無贖念了。

且説襲人自幼見寶玉性格異常，其淘氣憨頑，自是出于衆小兒之外，更有幾件千奇百怪口不能言的毛病兒。近來仗着祖母溺愛，父母亦不能十分嚴緊拘管，更覺放縱弛蕩，任情恣性，最不喜務正。每欲勸時，諒不能聽，今日可巧有贖身之論，故先用騙詞以探其情，以壓其氣，然後好下箴規。今見寶玉默默睡去了，知其情有不忍，氣已餒墮。自己原不想栗子吃，只因怕爲酥酪生事，又像那茜雪之茶，是以假要栗子爲由，混過寶玉，不提就完了。于是命小丫頭們將栗子拿去吃了，自己來推寶玉。

只見寶玉淚痕滿面，襲人便笑道："這有什麼傷心的？你果然留我，我自然不出去了。"寶玉見這話有因，便說道："你倒說說，我還要怎麼留？我自己也難說。"襲人笑道："咱們素日好處自不用說。但今日你安心留我，不在這上頭。我另說出三件事來，你果然依了我，就是你真心留我了，刀擱在脖子上，我也是不出去的了。"寶玉忙笑道："你說，那幾件？我都依你。好姐姐，好親姐姐！別說兩三件，就是兩三百件，我也依的。只求你們同看着我，守着我，等我有一日化成了飛灰，飛灰還不好，灰還有形有迹，還有知識。等我化成一股輕烟，風一吹便散了的時候，你們也管不得我，我也顧不得你們了。那時憑我去，我也憑你們愛那裏去就去了。"急得襲人忙握他的嘴，說："好，好！我正爲勸你這些，更說的狠了！"寶玉忙說道："再不說這話了。"襲人道："這是頭一件要改的。"寶玉道："改了，再說你就擰嘴。還有什麼？"

襲人道："第二件，你真喜讀書也罷，假喜也罷，只在老爺跟前，或在別人跟前，你別只管批駁誚謗，只作出個喜讀書的樣子來，也叫老爺少生些氣，在人前也好說嘴。他心裏想着，我家代代讀書，只從有了你，不承望你不但不喜讀書，已經他心裏又氣又惱了。而且背前面後亂說那些混話：凡讀書上進的人，你就起個名字，叫做'祿蠹'；又說，只除'明明德'外無書，都是前人自己不能解聖人之書，便另出己意，混編纂出來的。這些話，怎怨得老爺不氣，不時時打你？叫別人怎麼想你？"寶玉笑道："再不說了。那是我小時不知天高地厚，信口胡說，如今再不敢說了。還有什麼？"

襲人道："再不可謗僧毀道，調脂弄粉。還有更要緊的一件事，再不許吃人嘴上擦的胭脂了，與那愛紅的毛病兒。"寶玉道："都改，都改。再有什麼快說！"襲人道："再也沒有了。只是百事檢點些，不任意任情的就是了。你若果然都依了，便拿八人轎也抬不出我去了。"寶玉笑道："你這裏長遠了，不怕沒八人轎你坐。"襲人冷笑道："這我可不希罕的。有那個福氣，沒有那個道理。總坐了，也沒甚趣。"

二人正說着，只見秋紋走進來說："三更天了，該睡了。方才老太太打發嬤嬤來問，我答應睡了。"寶玉命取表來看時，果然針已指到亥正，方從新盥漱，寬衣安歇。不在話下。

至次日清辰，襲人起來，便覺身體發重，頭疼目脹，四肢火熱。先時還扎挣的住，次後挨不住，只要睡着，因而和衣躺在炕上。寶玉忙回了賈母，傳醫診視。說道："不過偶感風寒，吃一兩劑藥，疏散疏散就好了。"開方去後，令人取藥來煎好，剛服下去，命他蓋上被窩渥汗。寶玉自去黛玉房中來看視。

彼時黛玉自在床上歌午，丫鬟們皆出去自便，滿屋內靜悄悄的。寶玉揭起綉綫軟簾，進入裏間，只見黛玉睡在那裏，忙走上來推他道："好妹妹，才吃了飯，又睡覺。"將黛玉喚醒。黛玉見是寶玉，因說道：“你且出去逛逛。我前兒鬧了一夜，今兒還沒有歇過來，渾身酸疼。”寶玉道：“酸疼事小，睡出來的病大。我替你解悶兒，混過困去，就好了。”黛玉只合着眼，說道：“我不困，只略歇歇兒，你且別處去鬧會子再來。”寶玉推他道：“我往那去呢？見了別人就怪膩的。”

黛玉聽了，“嗤”的一聲笑道：“你既要在這裏，那邊去老老實實的坐着，咱們說話兒。”寶玉道：“我也歪着。”黛玉道：“你就歪着。”寶玉道：“沒有枕頭，咱們在一個枕頭上。”黛玉道：“放屁！外面不是枕頭？拿一個來枕着。”寶玉出至外間，看了一看，回來道：“那個我不要，也不知是那個腌臢老婆子的。”黛玉聽了，睜開眼，起身笑道：“真真你就是我命中的‘天魔星’。請枕這一個！”說着，將自己枕的推與寶玉，又起身將自己的再拿了一個來，自己枕了，二人對面方倒下。

黛玉回看，見寶玉左邊腮上有鈕扣大小的一塊血漬，便欠身湊近前來，以手撫之，細看，又道：“這又是誰的指甲刮破了？”寶玉倒身，一面躲，一面笑道：“不是刮的，只怕是才剛替他們淘澄胭脂膏子，濺上了一點兒。”說着，便找手帕子要揩拭。黛玉便用自己的帕子，替他揩拭了，口內說道：“你又幹這些事了。幹也罷了，必定還要帶出幌子來。便是舅舅看不見，別人看見了，又當奇事新鮮話兒去學舌討好。吹到舅舅耳朵裏，又大家不乾淨，惹氣。”

寶玉總未聽見這些話，只聞得一股幽香，却是從黛玉袖中發出，聞之令人醉魂酥骨。寶玉一把便將黛玉的衣袖拉住，要瞧籠着何物。黛玉笑道：“這等時候，誰帶什麼香呢？”寶玉笑道：“既如此，這香是那裏來的？”黛玉道：“連我也不知道。想必是櫃子裏頭的香氣，衣服上熏染的，也未可知。”寶玉搖頭道：“未必。這香的氣味奇怪，不是那些香餅子、香球子、香袋子的香。”黛玉冷笑道：“難道我也有什麼‘羅漢’、‘真人’給我些奇香不成？便是得了奇香，也沒有親哥哥、親兄弟弄了花兒、朵兒、霜兒、雪兒替我炮製。我有的是那些俗香罷了。”

寶玉笑道：“凡我說一句，你就拉上這些。不給你個利害也不知道，從今兒可不饒你了！”說着，翻身起來，將兩隻手呵了兩口，便伸向黛玉膈肢窩內兩脅下亂撓。黛玉素性觸癢不禁，寶玉兩手伸來亂撓，便笑的喘不過氣來。口裏說：“寶玉！你再鬧，我就惱了。”寶玉方住了手，笑道：“你還說這些不說了？”黛玉笑道：“再不敢了。”一面理鬢，笑道：“我有奇香，你有‘暖香’沒有？”寶玉見問，一時解不來，因問：“什麼‘暖香’？”黛玉點頭笑嘆道：“蠢才，蠢才！你有玉，人家就有金來配你；人家有‘冷香’，你就沒有‘暖香’去配？”寶玉方聽出來。寶玉笑道：“方才求饒，如今更說狠了。”說着，又去伸手。黛玉忙笑道：“好哥哥，我可不敢了。”寶玉笑道：“饒便饒你，只把袖子我聞一聞。”說着，

寶玉笑道：“凡我說一句，你就拉上這些。不給你個利害也不知道，從今兒可不饒你了！”說着，翻身起來，將兩隻手呵了兩口，便伸向黛玉膈肢窩內兩脅下亂撓。黛玉素性觸癢不禁，寶玉兩手伸來亂撓，便笑的喘不過氣來。

戴敦邦 畫

便拉了袖子, 籠在面上聞個不住。黛玉奪了手道: "這可該去了。"寶玉笑道: "要去, 不能。咱們斯斯文文的躺着説話兒。"説着, 復又倒下。黛玉也倒下, 用手帕蓋上臉。

寶玉有一搭没一搭的説些鬼話, 黛玉只不理。寶玉問他幾歲上京, 路上見何景致古迹, 揚州有何遺迹故事, 土俗民風, 黛玉不答。寶玉只怕他睡出病來, 便哄他道: "嗳喲! 你們揚州衙門裏有一件大故事, 你可知道?"黛玉見他説的鄭重, 又且正言厲色, 只當是真事, 因問: "什麽事?"寶玉見問, 便忍着笑, 順口謅道: "揚州有一座黛山, 山上有個林子洞……"黛玉笑道: "這就扯謊, 自來也没有聽見這山。"寶玉道: "天下山水多着呢, 你那裏知道這些不成?等我説完了, 你再批評。"黛玉道: "你且説。"寶玉又謅道: "林子洞裏, 原來有一羣耗子精。那一年臘月初七日, 老耗子升座議事, 説: '明日乃是臘八日, 世上人都熬臘八粥。如今我們洞中果品短少, 須得趁此打劫些來方好。'乃拔令箭一枝, 遣一能幹小耗前去打聽一巡。小耗回報: '各處察訪打聽已畢, 惟有山下廟裏果米最多。'老耗問: '米有幾樣?果有幾品?'小耗道: '米豆成倉, 不可勝記。果品有五種: 一紅棗, 二栗子, 三落花生, 四菱角, 五香芋。'老耗聽了大喜, 即時點耗前去。乃拔令箭, 問: '誰去偷米?'一耗便接令去偷米。又拔令箭, 問: '誰去偷豆?'又一耗接令去偷豆。然後一一的都各領令去了。只剩香芋一種, 因又拔令箭問: '誰去偷香芋?'只見一個極小極弱的小耗應道: '我願去偷香芋。'老耗並衆耗見他這樣, 恐不諳練, 又恐怯懦無力, 都不准他去。小耗道: '我雖年小身弱, 却是法術無邊, 口齒伶俐, 機謀深遠。此去管比他們偷得還巧呢!'衆耗忙問: '如何得比他們巧呢?'小耗道: '我不學他們直偷, 我只搖身一變, 也變成個香芋, 滚在香芋堆裏, 使人看不出, 聽不見, 却暗暗的用分身法搬運, 漸漸的就搬運盡了。豈不比直偷硬取的巧些?'衆耗聽了, 都: '妙却妙, 只是不知怎麽個變法, 你去先變個我們瞧瞧。'小耗聽了, 笑道: '這個不難, 等我變來。'説畢, 搖身説: '變!'竟變了一個最標致美貌的一位小姐。衆耗忙笑説: '變錯了, 變錯了!原説變果子的, 如何變出小姐來?'小耗現形笑道: '我説你們没見世面, 只認得這果子是香芋, 却不知鹽課林老爺的小姐, 才是真正的"香玉"呢!'"

黛玉聽了, 翻身爬起來, 按着寶玉笑道: "我把你爛了嘴的!我就知道你是編我呢。"説着便擰。寶玉連連央告: "好妹妹, 饒我罷, 再不敢了!我因爲聞見你的香氣, 忽然想起這個故典來。"黛玉笑道: "饒罵了人, 還説是故典呢!"

一語未了, 只見寶釵走來, 笑問: "誰説故典呢?我也聽聽。"黛玉忙讓坐, 笑道: "你瞧瞧, 還有誰?他饒罵了, 還説是故典。"寶釵笑道: "原來是寶兄弟, 怪不得他, 他肚子裏的故典原多。只是可惜一件, 凡該用故典之時, 他偏就忘了。有今日記得的, 前兒夜裏的芭蕉詩, 就該記得。眼面前的倒想不起來, 見别人冷的那樣, 他急的只出汗。這會子偏又有記性了。"黛玉聽了笑道: "阿彌陀佛!到底是我的好姐姐, 你一般也遇見對子了。可知一還一報, 不爽不錯的。"剛説到這裏, 只聽寶玉房中一片聲吵嚷起來。未知何事, 下回分解。

〈第貳拾回〉

王熙鳳正言彈妒意 林黛玉俏語謔嬌音

話説寶玉在林黛玉房中説"耗子精"，寶釵撞來，諷刺寶玉元宵不知"綠蠟"之典，三人正在房中互相譏刺取笑。那寶玉正恐黛玉飯後貪眠，一時存了食，或夜間走了困，皆非保養身體之法；幸而寶釵走來，大家談笑，那林黛玉方不欲睡，自己才放了心。忽聽他房中嚷起來，大家側耳聽了一聽，林黛玉先笑道："這是你媽媽和襲人叫喚呢。那襲人待他也罷了，你媽媽再要認真排場他，可見老背晦了。"

寶玉忙欲趕過去，寶釵一把拉住道："你別和你媽媽吵才是。他老糊塗了，倒要讓他一步爲是。"寶玉道："我知道了。"説畢走來，只見李嬤嬤拄着拐杖，在當地罵襲人："忘了本的小娼婦！我抬舉你起來，這會子我來了，你大模大樣的躺在炕上，見我也不理一理。一心只想妝狐媚子哄寶玉，哄得寶玉不理我，只聽你們的話。你不過是幾兩銀子買來的毛丫頭，這屋裏你就作耗，如何使得！好不好，拉出去配一個小子，看你還妖精似的哄人不哄！"襲人先只道李嬤嬤不過爲他躺着生氣，少不得分辯説："病了，才出汗，蒙着頭，原沒看見你老人家。"後來聽見他説"哄寶玉"，又説"配小子"，由不得又羞又委曲，禁不住哭起來了。

寶玉雖聽了這些話，也不好怎樣，少不得替他分辯"病了"、"吃藥"，又説："你不信，只問別的丫頭們。"李嬤嬤聽了這話，越發氣起來了，説道："你只護着那起狐狸，那裏還認得我了！叫我問誰去？誰不幫着你呢？誰不是襲人拿下馬來的？我都知道那些事。我只和你在老太太、太太跟前去講。把你奶了這麼大，到如今吃不着奶了，把我丟在一旁，逞着丫頭們要我的強！"一面説，一面也哭起來。彼時黛玉、寶釵等也走過來勸道："媽媽，你老人家擔待他們些就完了。"李嬤嬤見他二人來了，便訴委曲，將當日吃茶，茜雪出去，與昨日酥酪等事，嘮嘮叨叨說個不了。

可巧鳳姐正在上房算了輸贏賬，聽得後面一片聲嚷動，便知是李嬤嬤老病發了，排揎寶玉的人，正值他今兒輸了錢，遷怒於人，便連忙趕過來，拉了李嬤嬤，笑道："媽媽別生氣。大節下，老太太剛喜歡了一日，你是個老人家，別人吵嚷，還要你管他們才是；難道你反不知規矩，在這裏嚷起來，叫老太太生氣不成？你說誰不好，我替你打他。我家燒的滾熱的野雞，快跟我來吃酒去。"一面說，一面拉着走，又叫："豐兒，替你李奶奶拿着拐棍子，擦眼淚的手帕子。"那李嬤嬤腳不沾地，跟了鳳姐兒走了，一面還說："我也不要這老命了，索性今兒沒了規矩，鬧一場子，討個沒臉，強似受那娼婦的氣！"後面寶釵、黛玉見鳳姐兒這般，都拍手笑道："虧他這一陣風來，把個老婆子撮了去。"

寶玉點頭嘆道："這又不知是那裏的賬，只揀軟的欺負。又不知是那個姑娘得罪了，上在他賬上了……"一句未完，晴雯在旁說道："誰又瘋了，得罪他做什麼？便得罪了他，就有本事承任，不犯着帶累別人！"襲人一面哭，一面拉着寶玉道："爲我得罪了一個老奶奶，你這會子又爲我得罪這些人，這還不彀我受的，還只是拉別人。"寶玉見他這般病勢，又添了這些煩惱，連忙忍氣吞聲，安慰他仍舊睡下出汗。又見他湯燒火熱，自己守着他，歪在旁邊勸他："只養着病，別想那些沒要緊的事生氣。"襲人冷笑道："要爲這些事生氣，屋裏一刻還留得了？但只是天長日久，只管如此吵鬧，可叫人怎麼樣過呢？你只顧一時，爲我們得罪了人，他們都記在心裏，遇着坎兒，說得好說不好聽，大家什麼意思？"一面說，一面禁不住流淚，又怕寶玉煩惱，只得又勉強忍着。

一時雜使的老婆子端了二和藥來。寶玉見他才有汗意，不叫他起來，便自己端着與他就枕上吃了，即令小丫鬟們鋪炕。襲人道："你吃飯不吃飯，到底老太太、太太跟前坐一會子，和姑娘們頑一會子再回來。我就靜靜的躺一躺好。"寶玉聽說，只得依他，去了簪環，看他躺下，自往上房來，同賈母吃飯。

飯畢，賈母猶欲同那幾個老管家的嬤嬤鬥牌。寶玉記着襲人，便回至房中，見襲人朦朧睡去。自己要睡，天氣尚早。彼時晴雯、綺霞、秋紋、碧痕都尋熱鬧，找鴛鴦、琥珀等要頑去了。見麝月一人，在外間房裏燈下抹骨牌。寶玉笑道："你怎麼不同他們去？"麝月道："沒有錢。"寶玉道："床底下堆着那些，還不彀你輸的？"麝月道："都頑去了，這屋子交給誰呢？那一個又病了。滿屋裏上頭是燈，下頭是火。那些老婆子們，都老天拔地，服侍了一天，也該叫他歇歇；小丫頭們也服侍了一天，這會子還不叫他們頑頑？所以我在這裏看着。"

寶玉聽了這話，公然又是一個襲人。因笑道："我在這裏坐着，你放心去罷。"麝月道："你既在這裏，越發不用去了，咱們兩個說話頑笑，豈不好？"寶玉道："咱們兩個做什

王熙鳳正言彈妒意　林黛玉俏語謔嬌音

麼呢?怪没意思的。也罷了,早上你説頭癢,這會子没什麼事,我替你篦頭罷。"麝月聽了便道:"就是這樣。"説着,將文具鏡匣搬將來,卸去釵釧,打開頭髮,寶玉拿了篦子,替他一一梳篦。只篦了三五下,見晴雯忙忙走進來取錢。一見了他兩個,便冷笑道:"哦!交杯盞還没吃,倒上了頭了!"寶玉笑道:"你來,我也替你篦一篦。"晴雯道:"我没這麼樣大福!"説着,拿了錢,便摔了簾子,出去了。寶玉在麝月身後,麝月對鏡,二人在鏡内相視,寶玉便向鏡内笑道:"滿屋裏就只是他磨牙。"麝月聽説,忙向鏡中擺手,寶玉會意。忽聽"唿"一聲簾子響,晴雯又跑進來,問道:"我怎麼磨牙了?咱們倒得説説。"麝月笑道:"你去你的罷,何苦來問人了。"晴雯笑道:"你又護着!你們那瞞神弄鬼的,我都知道。等我撈回本兒來再説話。"説着,一徑出去了。這裏寶玉通了頭,命麝月悄悄的伏侍他睡下,不肯驚動襲人。一宿無話。

次日清晨起來,襲人已是夜間發了汗,覺得輕省了些,只吃些米湯静養。寶玉放了心,因飯後走到薛姨媽這邊來閑逛。

彼時正月内,學房中放年學,閨閣中忌針黹,都是閑時。因賈環也過來頑,正遇見寶釵、香菱、鶯兒三個趕圍棋作耍,賈環見了也要頑。寶釵素昔看他也如寶玉,並没他意。今兒聽他要頑,讓他上來坐了一處頑。一磊十個錢,頭一回,自己贏了,心中十分歡喜。誰知後來接連輸了幾盤,便有些着急。趕着這盤正該自己擲骰子,若擲個七點便贏,若擲個六點亦該贏;鶯兒擲三點,就輸了。因拿起骰子來,狠命一擲,一個坐定了五,那一個亂轉,鶯兒拍着手只叫"幺"!賈環便瞪着眼,"六!""七!""八!"混叫。那骰子偏生轉出幺來。賈環急了,伸手便抓起骰子,然後就拿錢,説是個六點。鶯兒便説:"分明是個幺!"寶釵見賈環急了,便瞅鶯兒,説道:"越大越没規矩!難道爺們還賴你?還不放下錢來呢!"鶯兒滿心委曲,見寶釵説,不敢出聲,只得放下錢來,口内嘟囔説:"一個做爺們,還賴我們。這幾個錢,連我也不放在眼裏!前兒和寶二爺頑,他輸了那些,也没着急。下剩的錢,還是幾個小丫頭子們一搶,他一笑就罷了。"寶釵不等説完,連忙喝住了。賈環道:"我拿什麼比寶玉,你們怕他,都和他好,都欺負我不是太太養的。"説着便哭。寶釵忙勸他:"好兄弟,快別説這話,人家笑話你。"又罵鶯兒。

正值寶玉走來,見了這般形況,問:"是怎麼了?"賈環不敢則聲。寶釵素知他家規矩,凡做兄弟的怕哥哥。却不知那寶玉是不要人怕他的。他想着:"兄弟們一併都有父母教訓,何必我多事,反生疏了。況且我是正出,他是庶出,饒這樣看待,還有人背後談論,還禁得轄治了他?"更有個呆意思存在心裏。你道是何呆意?因他自幼姐妹叢中長大,親姊妹有元春,叔伯的有迎春、惜春,親戚中又有史湘雲、林黛玉、薛寶釵等人,他便料定天地靈淑之氣,只鍾于女子,男兒們不過是些渣滓濁沫而已。因此把一切男子都看成濁物,可有可無。只是父親、伯叔、兄弟之倫,因是聖人遺訓,不敢違忤,只得聽他幾句。所以弟兄之間不過盡其大概的情理就罷了,並不想自己是男子,須要爲子弟之表率。是以賈環等

這裏黛玉越發氣悶,只向窗前流淚。没兩盞茶時,寶玉仍來了。黛玉見了,越發抽抽噎噎的哭個不住。寶玉見了這樣,知難挽回,打叠起千百樣的款語温言來勸慰。　　趙志田 畫

都不怕他，却怕賈母，才讓他三分。現今寶釵生怕寶玉教訓他，倒沒意思，便連忙替賈環奄飾。寶玉道：“大正月裏，哭什麼？這裏不好，到別處頑去。你天天念書，倒念糊塗了。譬如這件東西不好，橫豎那一件好，就捨了這件取那件。難道你守着這件東西哭會子就好了不成？你原來是取樂的，倒招的自己煩惱，不如快去呢。”賈環聽了，只得回來。

趙姨娘見他這般，因問：“是那裏墊了踹窩來了？”賈環便說：“同寶姐姐頑來着，鶯兒欺負我，賴我的錢，寶玉哥哥攆我來了。”趙姨娘啐道：“誰叫你上高抬攀了？下流沒臉的東西！那裏頑不得？誰叫你跑了去，討這沒意思！”

正說着，可巧鳳姐在窗外過，都聽在耳內。便隔窗說道：“大正月裏，怎麼了？兄弟們小孩子家，一半點兒錯了，你只教導他，說這樣話做什麼？憑他怎麼去，還有太太、老爺管他呢，就大口家啐他？他現是主子，不好，橫豎有教導他的人，與你什麼相干！環兄弟，出來！跟我頑去。”賈環素日怕鳳姐，比怕王夫人更甚，聽見叫他，忙的出來。趙姨娘也不敢出聲。鳳姐向賈環說道：“你也是個沒性氣的東西！時常說給你：要吃，要喝，要頑，要笑，你愛同那一個姐姐妹妹哥哥嫂子頑，就同那個頑。你總不聽我的話，反教這些人教的歪心邪意，狐媚子霸道的。自己又不尊重，要往下流裏走，安着壞心，還只怨人家偏心呢。輸了幾個錢，就這麼樣兒！”因問賈環：“你輸了多少錢？”賈環見問，只得諾諾的說道：“輸了一二百錢。”鳳姐道：“虧你還是爺們，輸了一二百錢，就這樣！”回頭叫豐兒：“去取一吊錢來，姑娘們都在後頭頑呢，把他送了頑去。你明兒再這樣下流狐媚子，我先打了你，再叫人告訴學裏，皮不揭了你的！爲你這不尊重，你哥哥恨得牙癢癢，不是我攔着，窩心腳把你的腸子窩出來呢！”喝令：“去罷！”賈環諾諾的，跟了豐兒，得了錢，自去和迎春等頑去，不在話下。

且說寶玉正和寶釵頑笑，忽見人說：“史大姑娘來了。”寶玉聽了，抬身就走。寶釵笑道：“等着，咱們兩個一齊走，瞧瞧他去。”說着，下了炕，同寶玉來至賈母這

王熙鳳正言彈妒意 林黛玉俏語謔嬌音

邊。只見史湘雲大笑大説的，見了他兩個，忙問好斯見。正值林黛玉在旁，因問寶玉：「在那裏來？」寶玉便説：「在寶姐姐家來。」黛玉冷笑道：「我説呢，虧在那裏絆住，不然早就飛了來了。」寶玉道：「只許同你頑，替你解悶兒。不過偶然去他那裏一遭，就説這話。」黛玉道：「好沒意思的話！去不去，管我什麼事？又沒叫你替我解悶兒，可許你從此不理我呢！」説着，便賭氣回房去了。

寶玉忙跟了來，問道：「好好的又生氣了？就是我説錯句話，你到底也還坐在那裏，和別人説笑一會子。又自己來納悶。」黛玉道：「你管我呢！」寶玉笑道：「我自然不敢管你，只是你自己作踐了身子呢。」黛玉道：「我作踐了我的身子，我死我的，與你何干！」寶玉道：「何苦來，大正月裏，死了活了的。」黛玉道：「偏説死！我這會子就死！你怕死，你長命百歲的，何如？」寶玉笑道：「要像只管這樣的鬧，我還怕死呢？倒不如死了乾净。」黛玉忙道：「正是了，要是這樣鬧，不如死了乾净！」寶玉道：「我説自家死了乾净，別錯聽了話賴人。」正説着，寶釵走來，説：「史大妹妹等你呢。」説着，便推寶玉走了。這裏黛玉越發氣悶，只向窗前流淚。

沒兩盞茶時，寶玉仍來了。黛玉見了，越發抽抽噎噎的哭個不住。寶玉見了這樣，知難挽回，打叠起千百樣的款語温言來勸慰。不料自己未張口，只聽黛玉先説道：「你又來作什麼？死活憑我去罷了！横豎如今有人和你頑耍，比我又會念，又會作，又會寫，又會説會笑，又怕你生氣拉了你去，你又來作什麼？」寶玉聽了，忙上前悄悄的説道：「你這個明白人，難道連『親不隔疏，後不僭先』也不知道？我雖糊塗，却明白這兩句話。頭一件，咱們是姑舅姊妹，寶姐姐是兩姨姊妹，論親戚，他比你疏。第二件，你先來，咱們兩個，一桌吃，一床睡，自小兒一處長的，他是才來的，豈有個為他疏你的？」黛玉啐道：「我難道叫你疏他？我成了什麼人了呢！我為的是我的心。」寶玉道：「我也為的是我的心。你難道就知道你的心，絶不知道我的心不成？」黛玉聽了，低頭不語。半日説道：「你只怨人行動嗔怪了你，你再不知道你自己慪人難受。就拿今日天氣比，分明今兒冷些，怎麼你倒脱了青肷披風呢？」寶玉笑道：「何嘗不穿着？見你一惱，我一暴燥，就脱了。」黛玉嘆道：「回來傷了風，又該餓着吵吃的了。」

二人正説着，只見湘雲走來，笑道：「愛哥哥，林姐姐，你們天天一處頑，我好容易來了，也不理我一理兒。」黛玉笑道：「偏是咬舌子愛説話，連個『二』哥哥也叫不上來，只是『愛』哥哥，『愛』哥哥的。回來趕圍棋兒，又該你鬧『幺愛三』了。」寶玉笑道：「你學慣了，明兒連你還咬起來呢。」湘雲道：「他再不放人一點兒，專挑人的不是。你自己便比世人好，也不犯着見一個打趣一個。我指出一個人來，你敢挑他麼，我就服你。」黛玉便問：「是誰？」湘雲道：「你敢挑寶姐姐的短處，就算你是個好的。」黛玉聽了，冷笑道：「我當是誰，原來是他！我那裏敢挑他呢？」寶玉不等説完，忙用話分開。湘雲笑道：「這一輩子我自然比不上你。我只保佑着明兒得一個咬舌子林姐夫，時時刻刻你可聽『愛』呀『厄』的去，阿彌陀佛，那時才現在我眼裏呢！」説的衆人一笑，湘雲忙回身跑了。要知端詳，且聽下回分解。

第貳拾壹回

賢襲人嬌嗔箴寶玉　俏平兒軟語救賈璉

話説史湘雲跑了出來,怕林黛玉趕上。寶玉在後忙説:"絆倒了!那裏就趕上了?"林黛玉趕到門前,被寶玉叉手在門框上攔住,笑道:"饒他這一遭兒罷。"林黛玉拉着手説道:"我要饒了雲兒,再不活着!"湘雲見寶玉攔着門,料黛玉不能出來,便立住腳,笑道:"好姐姐,饒我這遭兒罷。"却值寶釵來在湘雲身背後,也笑道:"我勸你兩個看寶兄弟面上,都丟開手罷。"黛玉道:"我不依。你們是一氣的,都戲弄我不成!"寶玉勸道:"誰敢戲弄你。你不打趣他,他焉敢説你?"四人正難分解,有人來請吃飯,方往前邊來。那天已掌燈時分,王夫人、李紈、鳳姐、迎春、探春、惜春姊妹等,都往賈母這邊來。大家閑話了一回,各自歸寢。湘雲仍往黛玉房中安歇。

寶玉送他二人到房,那天已二更多時,襲人來催了幾次,方回自己房中來睡。

次早,天方明時,便披衣靸鞋,往黛玉房中來,却不見紫鵑、翠縷二人,只有他姊妹兩個尚卧在衾內。那黛玉嚴嚴密密裹着一幅杏子紅綾被,安穩合目而睡。那史湘雲却一把青絲拖于枕畔,被只齊胸,一灣雪白的膀子,撂于被外,又帶着兩個金鐲子。寶玉見了嘆道:"睡覺還是不老實!回來風吹了,又嚷肩窩疼了。"一面説,一面輕輕的替他蓋上。林黛玉早已醒了,覺得有人,就猜着定是寶玉,因翻身一看,果不出所料。因説道:"這早晚就跑過來作什麽?"寶玉説:"這早晚還早呢!你起來瞧瞧。"黛玉道:"你先出去,讓我們起來。"

寶玉出至外間。黛玉起來，叫醒湘雲，二人都穿了衣裳。寶玉復又進來，坐在鏡臺旁邊。只見紫鵑、雪雁進來伏侍梳洗。湘雲洗了臉，翠縷便拿殘水要澄，寶玉道：「站着，我趁勢洗了就完了，省得又過去費事。」説着，便走過來，彎腰洗了兩把。紫鵑遞過香皂去，寶玉道：「這盆裏就不少，不用搓了。」再洗了兩把，便要手巾。翠縷道：「還是這個毛病兒，多早晚才改呢。」寶玉也不理他，忙忙的要青鹽擦了牙，漱了口，完畢，見湘雲已梳完了頭，便走過來笑道：「好妹妹，替我梳上頭。」湘雲道：「這可不能了。」寶玉笑道：「好妹妹，你先時怎麼替我梳的呢？」湘雲道：「如今我忘了，怎麼梳呢？」寶玉道：「橫豎我不出門，又不戴冠子、勒子，不過打幾根辮子就完了。」説着，又千「妹妹」萬「妹妹」的央告。湘雲只得扶過他的頭來，一一梳篦。在家不戴冠子，並不總角，只將四圍短髮編成小辮，往頂心髮上歸了總，編一根大辮，紅縧結住；自髮頂至辮梢，一路四顆珍珠，下面有金墜腳。湘雲一面編着，一面説道：「這珠子只三顆了，這一顆不是的。我記得是一樣的，怎麼少了一顆？」寶玉道：「丟了一顆。」湘雲道：「必定是外頭去掉下來，不防被人揀了去，倒便宜他。」黛玉旁邊冷笑道：「也不知是真丟，也不知是給了人鑲什麼戴去了。」寶玉不答。因鏡臺兩邊都是妝盒等物，順手拿起來賞頑，不覺順手拈了胭脂，意欲往口邊送，又怕湘雲説。正猶豫間，湘雲在身後伸過手來，「啪」的一下，將胭脂從他手中打落，説道：「不長進的毛病兒，多早才改！」

一語未了，只見襲人進來，見這光景，知是梳洗過了，只得回來自己梳洗。忽見寶釵走來，因問：「寶兄弟那裏去了？」襲人冷笑道：「『寶兄弟』那裏還有在家的工夫？」寶釵聽説，心中明白。又聽襲人嘆道：「姊妹們和氣，也有個分寸禮節，也沒個黑家白日鬧的！憑人怎麼勸，都是耳旁風。」寶釵聽了，心中暗忖道：「倒別看錯了這個丫頭，聽他説話，倒有些識見。」寶釵便在炕上坐了，慢慢的閑言中，套問他年紀、家鄉等語，留神窺察其言語志量，深可敬愛。

一時寶玉來了，寶釵方出去。寶玉便問襲人道：「怎麼寶姐姐和你説的這麼熱鬧，見我進來就跑了？」問一聲不答。再問時，襲人方道：「你問我麼？我那裏知道你們的原故！」寶玉聽了這話，見他臉上氣色非往日可比，便笑道：「怎麼，又動了真氣了？」襲人冷笑道：「我那裏敢動氣！只是你從今別進這屋子了，橫豎有人伏侍你，再不必來支使我。我仍舊還伏侍老太太去。」一面説，一面便在炕上合眼倒下。寶玉見了這般景況，

只有黛玉、史湘雲姊妹兩個尚臥在衾內。那黛玉嚴嚴密密裹着一幅杏子紅綾被，安穩合目而睡。那史湘雲卻一把青絲拖于枕畔，被只齊胸，一灣雪白的膀子，撂于被外，又帶着兩個金鐲子。寶玉見了嘆道：「睡覺還是不老實！回來風吹了，又嚷肩窩疼了。」一面説，一面輕輕的替他蓋上。

戴敦邦 畫

深爲駭異，禁不住趕來勸慰。那襲人只管合着眼不理。寶玉無了主意，因見麝月進來，便問道："你姐姐怎麽了？"麝月道："我知道麽？問你自己便明白了。"寶玉聽説，呆了

一回，自覺無趣，便起身"嗳"道："不理我罷。我也睡去。"説着，便起身下炕，到自己床上睡下。襲人聽他半日無動静，微微的打齁，料他睡着，便起來拿一領斗篷來替他蓋上。只聽"唿"的一聲，寶玉便掀過去，仍合目妝睡。襲人明知其意，便點頭冷笑道："你也不用生氣，從此後，我也只當啞了，再不説你一聲何如？"寶玉禁不住起身問道："我又怎麽了？你又勸我。你勸也罷了，剛才又没勸，我一進來，你就不理我，賭氣睡了。我還摸不着是爲什麽，這會子你又説我惱了。我何嘗聽見你勸我的是什麽話兒！"襲人道："你心裏還不明白，還等我説呢！"

寶玉不答。因鏡臺兩邊都是妝奩等物，順手拿起來賞頑，不覺順手拈了胭脂，意欲往口邊送，又怕湘雲説。正猶豫間，湘雲在身後伸過手來，"啪"的一下，將胭脂從他手中打落，説道："不長進的毛病兒，多早才改！"　　　　　　　　　　　　　潘寶子　畫

襲人聽他半日無動静，微微的打齁，料他睡着，便起來拿一領斗篷來替他蓋上。只聽"唿"的一聲，寶玉便掀過去，仍合目妝睡。襲人明知其意，便點頭冷笑道："你也不用生氣，從此後，我也只當啞了，再不説你一聲何如？"　　　　　　　　　戴敦邦　畫

红楼梦第二十一回贤袭人娇嗔箴宝玉俏平儿软语救贾琏。贤袭人娇嗔箴宝玉，俏平儿软语救贾琏。

賢襲人嬌嗔箴寶玉
俏平兒軟語救賈璉

正鬧着，賈母遣人來叫他吃飯，方往前邊來，胡亂吃了幾碗飯，仍回至自己房中。只見襲人睡在外頭炕上，麝月在旁抹骨牌。寶玉素知麝月與襲人親厚，一併連麝月也不理，揭起軟簾，自往裏間來。麝月只得跟進來。寶玉便推他出去，說：「不敢驚動你們。」麝月只得笑着出來，喚兩個小丫頭進來。寶玉拿一本書，歪着看了半天。因要茶，抬頭只見兩個小丫頭在地下站着，一個大些的，生得十分清秀。寶玉便問：「你叫什麼名字？」那丫頭答道：「叫蕙香。」寶玉又問：「是誰起的這個名字？」

蕙香道：「我原叫芸香，是花大姐姐改的。」寶玉道：「正經該叫『晦氣』罷咧，什麼『蕙香』呢！」又問：「你姊妹幾個？」蕙香道：「四個。」寶玉道：「你第幾個？」蕙香道：「第四。」寶玉道：「明日就叫『四兒』，不必什麼『蕙香』、『蘭氣』的。那一個配比這些花？沒的玷辱了好名好姓的！」一面說，一面命他倒了茶來吃。襲人和麝月在外間聽了半日，抿嘴兒笑。

寶玉禁不住起身問道：「我又怎麼了？你又勸我。你勸也罷了，剛才又沒勸，我一進來，你就不理我，賭氣睡了。我還摸不着是爲什麼，這會子你又說我惱了。我何嘗聽見你勸我的是什麼話兒！」襲人道：「你心裏還不明白，還等我說呢！」　　　　潘寶子 畫

寶玉見他不應，便伸手替他解衣，剛解開了鈕子，被襲人將手推開，又自扣了。寶玉無法，只得拉他的手，笑道：「你到底怎麼了？」　　　　潘寶子 畫

這一日，寶玉也不出房門，自己悶悶的，只不過拿書解悶，或弄筆墨，也不使喚眾人，只叫四兒答應。誰知這個四兒是個乖巧不過的丫頭，見寶玉用他，他便變盡方法籠絡寶玉。至晚飯後，寶玉因吃了兩杯酒，眼餳耳熱之餘，若往日則有襲人等大家喜笑有興，今日卻冷清清的，一個人對燈，好沒興趣。待要趕了他們去，又怕他們得了意，已後越來勸了；若拿出作上人的模樣鎮唬他們，似乎無情太甚。說不得橫了心，只當他們死了，橫豎自家也要過的，便權當他們死了，毫無牽挂，反能怡然自悅。因命四兒剪燭烹茶，自己看了一回《南華經》。至外篇《胠篋》一則，其文曰：

故絕聖棄智，大盜乃止；擿玉毀珠，小盜不起。焚符破璽，而民樸鄙；剖斗折衡，而民不爭。殫殘天下之聖法，而民始可與論議。擢亂六律，鑠絕竽瑟，塞瞽曠之耳，而天下始人含其聰矣。滅文章，散五彩，膠離朱之目，而天下始人含其明矣。毀絕鈎繩，而棄規矩，攦工倕之指，而天下始人含其巧矣。

看至此，意趣洋洋，趁着酒興，不禁提筆續曰：

焚花散麝，而閨閣始人含其勸矣。戕寶釵之仙姿，灰黛玉之靈竅，喪滅情意，而閨閣之美惡始相類矣。彼含其勸，則無參商之虞矣；戕其仙姿，無戀愛之心矣；灰其靈竅，無才思之情矣。彼釵、玉、花、麝者，皆張其羅而穴其隙，所以迷眩纏陷天下者也。

續畢，擲筆就寢。頭剛着枕，便忽然睡去，一夜竟不知所之，直至天明方醒。翻身看時，只見襲人和衣睡在衾上。寶玉將昨日的事，已付之度外，便推他説道：“起來好生睡着，看凍了。”

原來襲人見他無曉夜和姊妹斯鬧，若真勸他，料不能改，故用柔情以警之，料他不過半日片刻，仍復好了。不想寶玉一日夜竟不回轉，自己反不得主意，直一夜沒好生睡。今忽見寶玉如此，料是他心意回轉，便索性不睬他。寶玉見他不應，便伸手替他解衣，剛解開了鈕子，被襲人將手推開，又自扣了。寶玉無法，只得拉他的手，笑道：“你到底怎麽了？”連問幾聲，襲人睜眼説道：“我也不怎麽。你睡醒了，你自過那邊房裏去梳洗，再遲了，就趕不上了。”寶玉道：“我過那裏去？”襲人冷笑道：“你問我，我知道嗎？你愛過那裏去就過那裏去。從今咱們兩個丟開手，省得雞生鵝鬥，叫別人笑。橫竪那邊膩了過來，這邊又有個什麽‘四兒’、‘五兒’伏侍。我們這起東西，可是‘白玷辱了好名好姓’的。”寶玉笑道：“你今兒還記着呢！”襲人道：“一百年還記着呢！比不得你，拿着我的話當耳旁風，夜裏説了，早起就忘了。”寶玉見他嬌嗔滿面，情不可禁，便向枕邊拿起一根玉簪來，一跌兩段，説道：“我再不聽你説，就同這簪一樣！”襲人忙的拾了簪子，説道：“大早起，這是何苦來！聽不聽什麽要緊，也值得這個樣子。”寶玉道：“你那裏知道我心裏急！”襲人笑道：“你也知道着急麽。可知我心裏怎麽樣？快起來，洗臉去罷。”説着，二人方起來梳洗。

寶玉往上房去後，誰知黛玉走來，見寶玉不在房中，因翻弄案上書看。可巧便翻出昨兒的《莊子》來，看見寶玉所續之處，不覺又氣又笑，不禁也題筆續一絶云：

　　　　無端弄筆是何人？剽襲《南華》莊子文。不悔自家無見識，却將醜語諆他人！

題畢，也往上房來見賈母，後往王夫人處來。

誰知鳳姐之女大姐兒病了，正亂着請大夫診脈。大夫説：“替夫人、奶奶們道喜，姐兒發熱是見喜了，並非別症。”王夫人、鳳姐聽了，忙遣人問：“可好不好？”大夫回道：“症雖險，却順，倒還不妨。預備桑蟲、猪尾要緊。”鳳姐聽了，登時忙將起來：一面打掃房屋，供奉痘疹娘娘，一面傳與家人忌煎炒等物，一面命平兒打點鋪蓋衣服與賈璉隔房，一面又拿大紅尺頭與奶子丫頭親近人等裁衣。外面又打掃净室，款留兩位醫生，輪流斟酌診脈下藥，十二日不放家去。賈璉只得搬出外書房來安歇，鳳姐與平兒都隨王夫人日日供奉娘娘。

平兒收拾外邊拿進來的衣服鋪蓋，不承望枕套中抖出一綹青絲來。平兒會意，忙藏在袖內。便走至這邊房内，拿出頭髮來，向賈璉笑道：“這是什麽？”

吳聲　畫

那賈璉只離了鳳姐，便要尋事。獨寢了兩夜，十分難熬，只得暫將小廝內清俊的選來出火。不想榮國府內，有一個極不成材破爛酒頭廚子，名喚多官，人見他懦弱無能，都喚他作"多渾蟲"。因他父母給他娶了一個媳婦，今年方二十歲，也有幾分人材，又兼生性輕薄，最喜拈花惹草，多渾蟲又不理論，只是有酒有肉有錢，便諸事不管了。所以寧、榮二府之人，都得入手。因這媳婦妖調異常，輕浮無比，眾人都呼他作"多姑娘兒"。如今賈璉在外熬煎，往日也見過這媳婦，垂涎久了，只是內懼嬌妻，外懼變童，不曾下得手。那多姑娘兒也有意于賈璉，只恨沒空。今聞賈璉挪在外書房來，他便沒事也要走三四趟去招惹。賈璉似饑鼠一

鳳姐見了賈璉，忽然想起來，便問平兒："前日拿出去的東西都收進來沒有？" 吳聲 畫
一席話，說的賈璉臉都黃了，在鳳姐身背後，只望着平兒，殺雞抹脖使眼色，求他遮蓋。
平兒只作看不見。 吳聲 畫

般，少不得和心服的小廝們計議，多以金帛相許，焉有不允之理，況都和這媳婦是舊友，一說便成。

是夜，多渾蟲醉倒在炕，二鼓人定，賈璉便溜進來相會。一見面，早已神魂失據，也不及情談款叙，便寬衣動作起來。誰知這媳婦有天生的奇趣，一經男子挨身，便覺遍體筋骨癱軟，使男子如臥綿上；更兼淫態浪言，壓倒娼妓。賈璉此時，恨不得渾身化在他身上。那媳婦故作浪語，在下說道："你家女兒出花兒，供着娘娘，你也該忌兩日，倒為我腌臢了身子，快離了我這裏罷。"賈璉一面大動，一面喘吁吁答道："你就是娘娘！那裏還管什麼娘娘！"那媳婦越浪起來，賈璉不禁醜態畢露。一時事畢，兩個又盟山誓海，難捨難分。自此後，遂成相契。

一日，大姐毒盡癍回，十二日後，送了娘娘，合家祭天祀祖宗，還願焚香，慶賀放賞已畢，賈璉仍復搬進臥室。見了鳳姐，正是俗語云"新婚不如遠別"，更有無限恩愛，自不必細說。

次日早起，鳳姐往上屋裏去後，平兒收拾外邊拿進來的衣服鋪蓋，不承望枕套中抖出一綹青絲來。平兒會意，忙藏在袖內。便走至這邊房內，拿出頭髮來，向賈璉笑道："這是什麼？"賈璉一見，連忙搶上來要奪。平兒便跑，被賈璉一把揪住，按在炕上，從手中來奪。平兒笑道："你是沒良心的。我好意瞞着他來問你，你倒賭狠！等他回來，我告訴了，看你怎麼樣！"賈璉聽說，忙陪笑央求道："好人，你賞我罷，我再不敢賭狠了。"

一語未了，只聽鳳姐聲音進來，賈璉聽見，鬆了不是，搶又不是，只叫："好人，別叫他知道。"平兒才起身，鳳姐已走進來，命平兒："快開匣子，替太太找樣子。"平兒忙答應了。找時，鳳姐見了賈璉，忽然想起來，便問平兒："前日拿出去的東西都收進來沒有？"平兒道："收進來了。"鳳姐道："可少什麼沒有？"平兒道："細細查了，並沒少一件兒。"鳳姐又道："可多什麼沒有？"平兒笑道："不少就罷了，怎麼還有得多出來？"鳳姐又笑道："這個半月，難保乾淨，或者有相厚的丟下的東西，戒指、汗巾等物，亦未可定。"一席話，說的賈璉臉都黃了，在鳳姐身背後，只望着平兒，殺雞抹脖使眼色，求他遮蓋。平兒只作看不見，因笑道："怎麼我的心就和奶奶一樣！我就怕有這樣的，留神了一搜，竟一點破綻也沒有。奶奶不信，親自搜一搜。"鳳姐笑道："傻丫頭，他便有這些東西，那裏就叫咱們搜着？"說着，拿了樣子去了。

平兒手裏拿着頭髮，笑道："這是一輩子的把柄兒。好就好，不好，咱們就抖出這個來。"賈璉笑着央告道："你好生收着罷，千萬可別叫他知道。"口裏說着，瞅他不提防，一把便搶過來，掖在靴掖子內。平兒咬牙道："沒良心的，過了河兒就拆橋。明兒還想我替你撒謊呢。"

吳聲　畫

0193

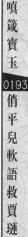

平兒指着鼻子，搖着頭兒，笑道："這件事，你該怎麼謝我呢？"喜的賈璉眉開眼笑，跑過來摟着，"心肝腸兒肉兒"亂叫。平兒手裏拿着頭髮，笑道："這是一輩子的把柄兒。好就好，不好，咱們就抖出這個來。"賈璉笑着央告道："你好生收着罷，千萬可別叫他知道。"口裏說着，瞅他不堤防，一把便搶過來，笑道："你拿着終是禍胎，不如我燒了，就完了事了。"一面說，一面掖在靴掖子內。平兒咬牙道："沒良心的，過了河兒就拆橋。明兒還想我替你撒謊呢。"賈璉見他嬌俏動情，便摟着求歡。平兒奪手跑了出來，急的賈璉灣着腰恨道："死促狹小娼婦兒！一定浪上人的火來，他又跑了。"平兒在窗外笑道："我浪我的，誰叫你動火？難道圖你受用，叫他知道了，又不代見我呀！"賈璉道："你不用怕他，等我性子上來，把這醋罐子打個稀爛，他才認得我呢！他防我像防賊似的，只許他同男子說話，不許我和女人說話。我和女人說話，略近些，他就疑惑；他不論小叔子、侄兒、大的、小的，說說笑笑，就不怕我吃醋了。已後我也不許他見人！"平兒道："他醋你使得，你醋他使不得。他原行的正，走的正；你行動便有壞心，連我也不放心，別說他呀。"賈璉道："你兩個一口賊氣！都是你們行得是，我凡行動都存壞心。多早晚才叫你們都死在我手裏呢！"

一句未了，鳳姐走進院來，因見平兒在窗外，就問道："要說話，怎麼不在屋裏，跑出來隔着窗子，是什麼意思？"賈璉在內接嘴道："你可問他，倒像屋裏有老虎吃他呢。"平兒道："屋裏一個人沒有，我在他跟前作什麼？"鳳姐笑道："正是沒人才好呢。"平兒聽說，便道："這話是說我麼？"鳳姐便笑道："不說你說誰？"平兒道："別叫我說出好話來了！"說着，也不打簾子，一徑往那邊去了。

鳳姐自掀簾子進來，說道："平兒丫頭瘋魔了。這蹄子認真要降伏起我來了，仔細你的皮要緊！"賈璉聽了，倒在炕上，拍手笑道："我竟不知平兒這麼利害，從此倒服了他了。"鳳姐道："都是你興的他，我只和你算賬就完了。"賈璉聽了，啐道："你兩個不睦，又拿我來墊喘兒。我躲開你們。"鳳姐道："我看你躲到那裏去？"賈璉道："我有處去。"說着就走。鳳姐道："你別走，我有話和你說呢。"不知何事，且聽下回分解。

第貳拾貳回

聽曲文寶玉悟禪機──製燈謎賈政悲讖語

話說賈璉聽鳳姐兒說有話商量，因止步問："是何話？"鳳姐道："二十一是薛妹妹的生日，你到底怎麼樣？"賈璉道："我知道怎麼樣！你連多少大生日都料理過了，這會子倒沒有主意了？"鳳姐道："大生日是有一定的則例。如今他這生日，大又不是，小又不是，所以和你商量。"賈璉聽了，低頭想了半日，道："你竟糊塗了。現有比例，那林妹妹就是例。往年怎麼給林妹妹做的，如今也照依給薛妹妹做就是了。"鳳姐聽了，冷笑道："我難道這個也不知道？我原也這麼想定了。但昨日聽見老太太說，問起大家的年紀生日來，聽見薛大妹妹今年十五歲，雖不是整生日，也算得將笄之年。老太太說要替他做生日，自然與往年給林妹妹的不同了。"賈璉道："既如此，就比林妹妹的多增些。"鳳姐道："我也這麼想着，所以討你的口氣。我若私自添了東西，你又怪我不告訴明白你了。"賈璉笑道："罷，罷，這空頭情我不領。你不盤察我就彀了，我還怪你？"說着，一徑去了，不在話下。

且說史湘雲住了兩日，因要回去，賈母因說："等過了你寶姐姐的生日，看了戲再回去。"史湘雲聽了，只得住下。又一面遣人回去，將自己舊日作的兩件針綫活計取來，爲寶釵生辰之儀。

誰想賈母自見寶釵來了，喜他穩重和平，正值他才過第一個生辰，便自己蠲資二十兩，喚了鳳姐來，交與他備酒戲。鳳姐湊趣，笑道："一個老祖宗給孩子們做生日，不拘怎樣，誰還敢爭，又辦什麼酒席。

既高興，要熱鬧，就説不得自己花費幾兩老庫裏的體己。這早晚找出這霉爛的二十兩銀子來做東，意思還叫我們賠上。果然拿不出來也罷了，金的、銀的、圓的、扁的，壓塌了箱子底，只是累掯我們。舉眼看看，誰不是你老人家的兒女？難道將來只有寶兄弟頂你老人家上五臺山不成？那些東西只留與他？我們如今雖不配使，也別苦了我們。這個殼酒的？殼戲的？"説的滿屋裏都笑起來。賈母亦笑道："你們聽聽這嘴！我也算會説的了，怎麼説不過這猴兒。你婆婆也不敢強嘴，你就和我哪哪哪的。"鳳姐笑道："我婆婆也是一樣的疼寶玉，我也没處去訴冤，倒説我強嘴。"説着，又引賈母笑了一會，賈母十分喜悦。

　　到晚上，衆人都在賈母前，定省之餘，大家娘兒姊妹等説笑時，賈母因問寶釵愛聽何戲，愛吃何物。寶釵深知賈母年老人，喜熱鬧戲文，愛吃甜爛之物，便總依賈母素喜者説了一遍。賈母更加歡喜。次日，先送過衣服、玩物去，王夫人、鳳姐、黛玉等諸人，皆是隨分的，不須細説。

　　至二十一日，就賈母內院搭了家常小巧戲臺，定了一班新出小戲，昆、弋兩腔俱有。就在賈母上房擺了幾席家宴酒席，並無一個外客，只有薛姨媽、史湘雲、寶釵是客，餘者皆是自己人。

　　這日早起，寶玉因不見林黛玉，便到他房中來尋，只見黛玉歪在炕上。寶玉笑道："起來吃飯去，就開戲了。你愛聽那一齣？我好點。"黛玉冷笑道："你既這樣説，你就特叫一班戲，揀我愛的唱與我聽。這會子犯不上借着光兒問我。"寶玉笑道："這有什麼難的？明兒就這樣行，也叫他們借着咱們的光兒。"一面説，一面拉他起來，携手出去。

　　吃了飯點戲時，賈母一面先叫寶釵點。寶釵推讓一遍，無法，只得點了一折《西游記》。賈母自是歡喜，然後便命鳳姐點。鳳姐雖有王夫人在前，但因賈母之命，不敢違拗，且知賈母喜熱鬧，更喜謔笑科諢，便先點了一齣，却是《劉二當衣》。賈母果真更又喜歡，然後便命黛玉點。黛玉又讓王夫人等先點。賈母道："今兒原是我特帶着你們取樂，咱們只管咱們的，別理他們。我巴巴的唱戲擺酒，爲他們不成？他們在這裏白聽、白吃，已經便宜了，還讓他們點戲呢！"説着，大家都笑。黛玉方點了一齣。然後寶玉、史湘雲、迎春、探春、惜春、李紈等，俱各點了。按齣扮演。

　　至上酒席時，賈母又命寶釵點。寶釵點了一齣《魯智深醉鬧五臺山》。寶玉道："你

賈母道："今兒原是我特帶着你們取樂，咱們只管咱們的，別理他們。我巴巴的唱戲擺酒，爲他們不成？他們在這裏白聽、白吃，已經便宜了，還讓他們點戲呢！"説着，大家都笑。黛玉方點了一齣。然後寶玉、史湘雲、迎春、探春、惜春、李紈等，俱各點了。按齣扮演。

戴敦邦　畫

聽曲文寶玉悟禪機
製燈謎賈政悲讖語

0197

只好點這些戲。"寶釵道:"你白聽了這幾年戲,那裏知道這齣戲的好處,排場又好,詞藻更妙。"寶玉道:"我從來怕這些熱鬧戲。"寶釵笑道:"要說這一齣熱鬧,還算你不知戲呢。你過來,我告訴你,這一齣戲是一套《北點絳唇》,鏗鏘頓挫,那音律不用說是好的了;只那詞藻中有一隻《寄生草》,填得極妙,你可曾知道。"寶玉見說的這般好,便湊近來央告:"好姐姐,念與我聽聽。"寶釵便念道:

> 漫揾英雄淚,相離處士家。謝慈悲剃度在蓮臺下。沒緣法轉眼分離乍。赤條條來去無牽挂。那裏討烟蓑雨笠卷單行?一任俺芒鞋破鉢隨緣化!

寶玉聽了,喜的拍膝搖頭,稱賞不已,又贊寶釵無書不知。林黛玉道:"安靜看戲罷,還沒唱《山門》,你就《妝瘋》了。"說的湘雲也笑了。於是大家看戲,到晚方散。

賈母深愛那做小旦的與一個做小丑的,因命人帶進來,細看時,一發可憐見。因問年紀,那小旦才十一歲,小丑才九歲,大家嘆息了一回。賈母令人另拿些肉果與他兩個,又另賞錢兩吊。鳳姐笑道:"這個孩子扮上活像一個人,你們再看不出。"寶釵心內也知道,只點點頭不說。寶玉也點了點頭,亦不敢說。史湘雲便接口道:"倒像林姐姐的模樣。"寶玉聽了,忙把湘雲瞅了一眼,使個眼色。眾人聽了這話,留神細看,都笑起來了,說:"果然像得狠!"一時散了。

晚間,湘雲便命翠縷把衣包收拾了,翠縷道:"忙什麼,等去的那日包也不遲。"湘雲道:"明早就走,還在這裏做什麼?看人家的嘴臉。"寶玉聽了這話,忙近前說道:"好妹妹,你錯怪了我。林妹妹是個多心的人,別人分明知道,不肯說出來,也皆因怕他惱。誰知你不防頭就說了出來,他豈不惱?我怕你得罪了人,所以才使眼色。你這會子惱了我,豈不辜負了我?若是別個,那怕他得罪了十個人,與我何干呢。"湘雲摔手道:"你那花言巧語,別望着我說。我也原不如你林妹妹,別人拿他取笑都使得,只我說了,就有不是。我原不配說他,他是主子小姐,我是奴才丫頭,得罪了他了!"寶玉急的說道:"我倒是爲你爲出不是來了。我要有壞心,立刻化成灰,教萬人踐踏!"湘雲道:"大正月裏,少信口胡說。這些沒要緊的惡誓、散語、歪話,說給那些小性兒、行動愛惱人、會轄治你的人聽去!別叫我啐你。"說着,至賈母裏間屋裏,忿忿的躺着去了。

寶玉沒趣,只得又來尋黛玉。誰知才進門,便被黛玉推出來,將門關上了。寶玉又不解何故,在窗外只是低聲叫:"好妹妹。"黛玉總不理他。寶玉悶悶的,垂頭不語。襲人早知端的,當此時,再不能勸。那寶玉只呆呆的站着。黛玉只當他回去了,卻開了門,只

寶玉自己以爲覺悟,不想忽被黛玉一問,便不能答;寶釵又比出"語錄"來,此皆素不見他們能者。自己想了一想:"原來他們比我的知覺在先,尚未解悟,我如今何必自尋苦惱。"想畢,便笑道:"誰又參禪,不過是一時的頑話兒罷了。"

王宏喜 畫

聽曲文寶玉悟禪機　製燈謎賈政悲讖語

見寶玉還站在那裏。黛玉不好再閉門，寶玉因隨進來，問道：“凡事都有個緣故，説來人也不委曲。好好的就惱了，到底是爲什麼起？”黛玉冷笑道：“問的我倒好，我也不知爲什麼。我原是給你們取笑的，拿着我比戲子，給衆人取笑。”寶玉道：“我並沒有比你，也並没有笑你，爲什麼惱我呢？”黛玉道：“你還要比？你還要笑？你不比不笑，比人家比了笑了的還利害呢！”寶玉聽説，無可分辯。黛玉又道：“這一節還可恕。再者，你爲什麼又和雲兒使眼色？這安的是什麼心？莫不是他和我頑，他就自輕自賤？他是公侯的小姐，我原是貧民家的丫頭。他和我頑，設如我回了口，豈不是他自惹輕賤。你是這個主意不是？你却也是好心，只是那一個不領你的情，一般也惱了。你又拿我作情，倒説我‘小性兒，行動肯惱人’。你又怕他得罪了我。我惱他，與你何干？他得罪了我，又與你何干？”

寶玉聽了，知方才與湘雲私談，他也聽見了。細想自己原爲怕他二人生隙，故在中間調停，不料自己反落了兩處的貶謗。正與前日所看《南華經》内“巧者勞而智者憂，無能者無所求，蔬食而遨游，泛若不繫之舟”；又曰“山木自寇，源泉自盜”等句，因此越想越無趣。再細想來：“如今不過這幾個人，尚不能應酬妥協，將來猶欲何爲？”想到其間，也無庸分辯，自己轉身回房。林黛玉見他去了，便知回思無趣，賭氣去了，一言也不曾發，不禁自己越添了氣，便説：“這一去，一輩子也別來了，也別説話！”

那寶玉不理，竟回來躺在床上，只是悶悶咄咄的。襲人深知原委，不敢就説，只得以他事來解説。因笑道：“今兒看了戲，又勾出幾天戲來。寶姑娘一定要還席呢。”寶玉冷笑道：“他還不還，與我什麼相干。”襲人見這話不似往日口吻，因又笑道：“這是怎麼説？好好的大正月裏，娘兒們、姊妹們都喜喜歡歡，你又怎麼這個行景了？”寶玉冷笑道：“他們娘兒們、姊妹們歡喜不歡喜，也與我無干。”襲人笑道：“他們隨和，你也隨些，豈不喜歡？”寶玉道：“什麼‘大家彼此’，他們有‘大家彼此’，我只是‘赤條條無牽挂’的。”言及此句，不覺淚下。襲人見此景況，不敢再説。寶玉細想這一句意味，不禁大哭起來，翻身站起來，至案邊，提筆立占一偈云：

你證我證，心證意證。是無有證，斯可云證。無可云證，是立足境。

寫畢，自己雖解悟，又恐人看此不解，因又填一隻《寄生草》寫在偈後。又念一過，自覺心中無有挂礙，便上床睡了。

誰知黛玉見寶玉此番果斷而去，假以尋襲人爲由，來視動靜。襲人回道：「已經睡了。」黛玉聽了，就欲回去。襲人笑道：「姑娘請站着，有一個字帖兒，瞧瞧是什麼話。」便將寶玉方才所寫的與黛玉看。黛玉看了，知寶玉爲一時感忿而作，不覺可笑可嘆。便向襲人道：「作的是頑意兒，無甚關係。」說畢，便拿了回房去，與湘雲同看。次日，又與寶釵看。寶釵念其詞曰：

無我原非你，從他不解伊。肆行無礙憑來去。茫茫着甚悲愁喜，紛紛説甚親疏密。

從前碌碌却因何，到如今回頭試想真無趣！

看畢，又看那偈語，又笑道：「這個人悟了。都是我的不是，是我昨兒一支曲子惹出來的。這些道書機鋒，最能移性。明兒認真起來，説些瘋話，存了這個念頭，豈不是從我這一支曲子起？我成了個罪魁了。」說着，便撕了個粉碎，遞與丫頭們，叫：「快燒了！」黛玉笑道：「不該撕了，等我問他。你們跟我來，包管叫他收了這個痴心邪説。」

三人果往寶玉屋裏來。黛玉先笑道：「寶玉，我問你：至貴者『寶』，至堅者『玉』。爾有何貴？爾有何堅？」寶玉竟不能答。二人笑道：「這樣愚鈍，還參禪呢！」湘雲也拍手笑道：「寶哥哥可輸了！」黛玉又道：「你那偈末云，『無可云證，是立足境』，固然好了，只是據我看來，還未盡善。還續兩句在後。」因念云：「無立足境，方是乾净。」寶釵道：「實在這方悟徹。當日南宗六祖惠能，初尋師至韶州，聞五祖宏忍在黃梅，他便充役火頭僧。五祖欲求法嗣，令徒弟諸僧各出一偈，上座神秀説道：『身是菩提樹，心如明鏡臺。時時勤拂拭，莫使有塵埃。』彼時惠能在廚房碓米，聽了這偈説道：『美則美矣，了則未了。』因自念一偈曰：『菩提本非樹，明鏡亦非臺。本來無一物，何處染塵埃？』五祖便將衣鉢傳他。今兒這偈語亦同此意。只是方才這句機鋒，尚未完了結，這便丟開手不成？」黛玉笑道：「他不能答，就算輸了。這會子答上了，也不爲出奇了，只是以後再不許談禪了。連我們兩個所知所能的，你還不知不能呢，還去參禪呢。」寶玉自己以爲覺悟，不想忽被黛玉一問，便不能答；寶釵又比出「語録」來，此皆素不見他們能者。自己想了一想：「原來他們比我的知覺在先，尚未解悟，我如今何必自尋苦惱。」想畢，便笑道：「誰又參禪，不過是一時的頑話兒罷了。」說罷，四人仍復如舊。

忽然人報，娘娘差人送出一個燈謎來，命他們大家去猜，猜後每人也作一個送進去。四人聽説忙出來，至賈母上房，只見一個小太監，拿了一盞四角平頭白紗燈，專爲燈謎而製，上面已有了一個，衆人都爭看亂猜。小太監又下諭道：「衆小姐猜着，不要説出來，每人只暗暗的寫了，一齊封送進去，候娘娘自驗是否。"寶釵聽了，近前一看，是一首七言絶句，並無新奇，口中少不得稱贊，只說："難猜。"故意尋思，其實一見早猜着了。寶玉、黛玉、湘雲、探春四個人，也都解了。各自暗暗的寫了。一併將賈環、賈蘭等傳來，一齊各揣心機猜了，寫在紙上，然後各人拈一物作成一謎，恭楷寫了，挂于燈上。

　　太監去了，至晚出來，傳論道："前日娘娘所製，俱已猜着，惟二小姐與三爺猜的不是。小姐們作的也都猜了，不知是否。"說着，也將寫的拿出來，也有猜着的，也有猜不着的。太監又將頒賜之物，送與猜着之人，每人一個宮製詩筒，一柄茶筅，獨迎春、賈環二人未得。迎春自以爲頑笑小事，並不介意，賈環便覺得沒趣。且又聽太監說："三爺所作這個不通，娘娘也沒猜着，叫我帶回問三爺是個什麼。"衆人聽了，都來看他作的是什麼，寫道：

大哥有角只八個，二哥有角只兩根。大哥只在床上坐，二哥愛在房上蹲。

衆人看了，大發一笑。賈環只得告訴太監說："是一個枕頭，一個獸頭。"太監記了，領茶而去。

賈母見元春這般有興，自己一發喜樂，便命速作一架小巧精致圍屏燈來，設于堂屋，命他姊妹們各自暗暗的做了，寫出來，粘在屏上，然後預備下香茶細果，以及各色玩物，爲猜着之賀。賈政朝罷，見賈母高興，況在節間，晚上也來承歡取樂。上面賈母、賈政、寶玉一席，王夫人、寶釵、黛玉、湘雲又一席，迎春、探春、惜春三人又一席，俱在下面。地下婆子丫鬟站滿。李宮裁、王熙鳳二人，在裏間又一席。賈政因不見賈蘭，便問："怎麼不見蘭哥兒?"地下女人們忙進裏間問李氏，李氏起身笑着回道："他說方才老爺並沒叫他，他不肯來。"婆子回覆了賈政。衆人都笑說："天生的牛心古怪。"賈政忙遣賈環與兩個婆子，將賈蘭喚來。賈母命他在身邊坐了，抓果子與他吃。大家說笑取樂。

　　往常間只有寶玉長談闊論，今日賈政在這裏，便唯唯而已。餘者，湘雲雖係閨閣弱質，却素喜談論，今日賈政在席，也自鉗口禁語；黛玉本性嬌懶，不肯多話；寶釵原不妄言輕動，便此時亦是坦然自若。故此一席雖是家常取樂，反見拘束。賈母亦知因賈政一人在此所致，酒過三巡，便攆賈政去歇息。賈政亦知賈母之意，攆了他去，好讓他姊妹兄弟們取樂，因陪笑道："今日原聽見老太太這裏大設春燈雅謎，故也備了彩禮酒席，特來入會。何疼孫子孫女之心，便不略賜與兒子半點？"賈母笑道："你在這裏，他們都不敢說笑，没的倒教我悶的慌。你要猜謎，我便說一個你猜，猜不着，是要罰的。"賈政忙笑道："自然受罰。若猜着了，也要領賞呢。"賈母道："這個自然。"便念道：

> 猴子身輕站樹梢。
>
> ——打一果名。

賈政已知是荔枝，故意亂猜，罰了許多東西；然後方猜着了，也得了賈母的東西。然後也念一個燈謎與賈母猜，念道：

> 身自端方，體自堅硬。雖不能言，有言必應。
>
> ——打一用物。

說畢，便悄悄的說與寶玉。寶玉會意，又悄悄的告訴了賈母。賈母想了一想，果然不差，便說："是硯臺。"賈政笑道："到底是老太太，一猜就是。"回頭說："快把賀彩獻上來。"地下婦女答應一聲，大盤小盒，一齊捧上。賈母逐件看去，都是燈節下所用所頑新巧之物，心中甚喜，遂命："給你老爺斟酒。"寶玉執壺，迎春送酒。賈母因說："你瞧瞧那屏上，都是他姐兒們做的，再猜一猜我聽。"賈政答應，起身走至屏前，只見第一個是元妃的，寫着道：

> 能使妖魔膽盡摧，身如束帛氣如雷。一聲震得人方恐，回首相看已化灰。
>
> ——打一物。

賈政道:"這是爆竹呢。"寶玉答道:"是。"賈政又看迎春的,道:

> 天運人功理不窮,有功無運也難逢。因何鎮日紛紛亂?只爲陰陽數不同。

> ——打一用物。

賈政道:"是算盤。"迎春笑道:"是。"又往下看,是探春的,道:

> 階下兒童仰面時,清明妝點最堪宜。游絲一斷渾無力,莫向東風怨別離。

> ——打一物。

賈政道:"好像風筝。"探春道:"是。"賈政再往下看,是黛玉的,道:

> 朝罷誰携兩袖烟?琴邊衾裹兩無緣。曉籌不用鷄人報,五夜無煩侍女添。焦首朝朝還暮
> 暮,煎心日日復年年。光陰荏苒須當惜,風雨陰晴任變遷。

> ——打一物。

賈政道:"這個莫非更香?"寶玉代言道:"是。"賈政又看道:

> 南面而坐,北面而朝,"象憂亦憂,象喜亦喜"。

> ——打一物。

賈政道:"好,好!如猜鏡子,妙極!"寶玉笑回道:"是。"賈政道:"這一個却無名字,是誰做的?"賈母道:"這個大約是寶玉做的。"賈政就不言語。往下再看寶釵的,道是:

> 有眼無珠腹內空,荷花出水喜相逢。梧桐葉落分離別,恩愛夫妻不到冬。

> ——打一物。

賈政看完,心內自忖道:"此物還倒有限。只是小小年紀,作此等言語,更覺不祥,看來皆非福壽之輩。"想到此處,愈覺煩悶,大有悲戚之狀,只是垂頭沉思。

賈母見賈政如此光景,想到他身體勞乏;又恐拘束了他衆姊妹,不得高興頑耍。即對賈政道:"你竟不必在這裏了,安歇去罷。讓我們再坐一會子,也就散了。"賈政一聞此言,連忙答應幾個"是",又勉强勸了賈母一回酒,方才退出去了。回至房中只是思索,翻來覆去,甚覺凄惋。

這裏賈母見賈政去了,便道:"你們樂一樂罷。"一語未了,只見寶玉跑至圍屏燈前,指手畫脚,信口批評,這個這一句不好,那個破的不恰當,如同開了鎖的猴子一般。黛玉便道:"還像方才大家坐着,説説笑笑,豈不斯文些兒。"鳳姐自裏間屋裏出來,插口說道:"你這個人,就該老爺每日合你寸步不離方好。剛才我忘了,爲什麽不當着老爺,攛掇叫你作詩謎兒。這會子不怕你不出汗呢!"説的寶玉急了,扯着鳳姐兒斯纏了一會。賈母又與李宮裁並衆姊妹等,説笑了一會子,也覺有些困倦。聽了聽,已交四鼓了,因命將食物撤去,賞與衆人。隨起身道:"我們安歇罷。明日還是節呢,該當早起。明日晚上再頑罷。"于是衆人散去。且聽下回分解。

第貳拾叁回

西廂記妙詞通戲語｜牡丹亭艷曲警芳心

話説賈元春自那日幸大觀園回宮去後，便命將那日所有的題咏，命探春依次抄錄妥協，自己編次，叙其優劣，又令在大觀園勒石，爲千古風流雅事。因此賈政命人各處選拔精工名匠，大觀園磨石鐫字，賈珍率領賈蓉、賈萍等監工。因賈薔又管理着文官等十二個女戲子並行頭等事，不得空閑，因此又將賈菖、賈菱喚來監工。一日湯蠟釘朱，動起手來。這也不在話下。

且説那個玉皇廟並達摩庵兩處，一班的十二個小沙彌，並十二個小道士，如今挪出大觀園來，賈政正想發到各廟去分住。不想後街上住的賈芹之母周氏，正打算到賈政這邊謀一個大小事件與兒子管管，也好弄些銀錢使用，可巧聽見這邊有事，便坐車來求鳳姐。鳳姐因見他素日不大拿班做勢的，便依允了，想了幾句話，便回王夫人説：「這些小和尚、道士，萬不可打發到別處去，一時娘娘出來，就要應承的。倘或散了，若再用時，可又費事。依我的主意，不如將他們都送到家廟鐵檻寺去，月間不過派一個人，拿幾兩銀子去買柴米就是了。説聲用，走去叫一聲就來，一點兒不費事。」王夫人聽了，便商之于賈政。賈政聽了，笑道：「倒是提醒了我，就是這樣。」即時喚賈璉。

賈璉正同鳳姐吃飯，一聞呼喚，放下飯便走。鳳姐一把拉住，笑道：「你且站住，聽我説話。若是別的事，我不管，若是爲小和尚、小道士們的那事，好歹依我這麼着。」如此這般教了一套話。賈璉笑道：「我

不知道，你有本事你説去。"鳳姐聽説，把頭一梗，把快子一放，腮上帶笑不笑的，瞅着
賈璉道："你當真，還是頑話兒？"賈璉笑道："西廊下五嫂子的兒子芸兒來求了我兩三
遭，要件事管管，我應了，叫他等着。好容易出來這件事，你又奪了去。"鳳姐兒笑道："你
放心，園子東北角上，娘娘説了，還叫多多的種松柏樹，樓底下還叫種些花草，等這件
事出來，我包管叫芸兒管這工程。"賈璉道："果然這樣，也倒罷了。只是昨兒晚上，我不
過是要改個樣兒，你就扭手扭腳的。"鳳姐聽了，"嗤"的一聲笑了，向賈璉啐了一口，低
下頭便吃飯。

　　賈璉一徑笑着去了。走到前面，見了賈政，果然是爲小和尚的事。賈璉便依了鳳
姐的主意，説道："看來芹兒倒大大的出息了，這件事竟交與他去管辦，橫豎照在裏頭
的規例，每月叫芹兒支領就是了。"賈政原不大理論這些小事，聽賈璉如此説，便依允
了。賈璉回至房中告訴鳳姐，鳳姐即命人去告訴周氏。賈芹便來見賈璉夫妻，感謝不
盡。鳳姐又做情先支三個月的費用，叫他寫了領字，賈璉批票畫了押，登時發了對牌
出去，銀庫上按數發出三個月的供給來，白花花三百兩。賈芹隨手拈了一塊與掌平的
人，叫他們"吃了茶罷"。于是命小厮拿了回家，與母親商議。登時雇個腳驢自己騎，又
雇幾輛車子，至榮國府角門前，喚出二十四個人來，坐上車子，一徑往城外鐵檻寺去
了。當下無話。

　　如今且説賈元春在宮中編《大觀園題咏》之後，忽想起那園中的景致，自從幸過之
後，賈政必定敬謹封鎖，不叫人進去，豈不孤負此園。況家中現有幾個能詩會賦的姊妹
們，何不命他們進去居住，也不使佳人落魄，花柳無顏。却又想寶玉自幼在姊妹叢中長
大，不比別的兄弟，若不命他進去，又怕冷落了他，恐賈母、王夫人心上不喜，須得也命
他進去居住方妥。命太監夏忠，到榮府下一道諭："命寶釵等在園中居住，不可封錮，命
寶玉也隨進去讀書。"

　　賈政、王夫人接了諭命，夏忠去後，便回明賈母，遣人進去各處收拾打掃，安設簾幔
床帳。別人聽了還猶自可，惟寶玉喜之不勝。正和賈母盤算，要這個，要那個，忽見丫鬟
來説："老爺叫寶玉。"寶玉呆了半晌，登時掃了興，臉上轉了色，便拉着賈母，扭的扭股
兒糖似的，死也不敢去。賈母只得安慰他道："好寶貝，你只管去，有我呢，他不敢委曲了
你。況你做了這篇好文章，想是娘娘叫你進園去住，他吩咐你幾句話，不過是怕你在裏
頭淘氣。他説什麼，你只好生答應着就是了。"一面安慰，一面喚了兩個老嬷嬷來，吩

且説寶玉自進園來，心滿意足，再別無項可生貪求之心。每日只和姊妹、丫鬟們一處，或
讀書，或寫字，或彈琴下棋，作畫吟詩，以至描鸞刺鳳，鬥草簪花，低吟悄唱，拆字猜枚，
無所不至，倒也十分快意。

戴敦邦　畫

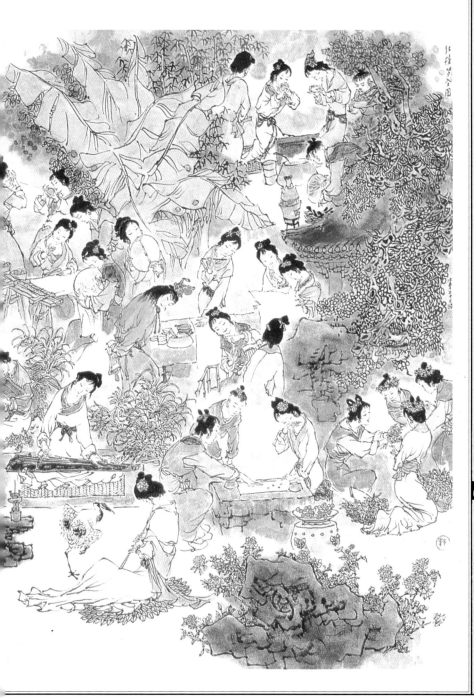

西廂記妙詞通戲語　牡丹亭艷曲警芳心

咐："好生帶了寶玉去，別叫他老子唬着他。"嬤嬤答應了。

寶玉只得前去，一步挪不了三寸，蹭到這邊來。可巧賈政在王夫人房中商議事情，金釧兒、彩雲、彩鳳、綉鸞、綉鳳等衆丫鬟，都廊檐下站着呢，一見寶玉來，都抿着嘴兒笑他。金釧一把拉着寶玉，悄悄的說道："我這嘴上是才擦的香浸的胭脂，你這會子吃不吃了？"彩雲一把推開金釧，笑道："人家心裏正不自在，你還要奚落他。趁這會子喜歡，快進去罷。"寶玉只得挨門進去。原來賈政和王夫人都在裏間呢。趙姨娘打起簾子，寶玉挨身而入。只見賈政和王夫人對坐在炕上說話，地下一溜椅子，迎春、探春、惜春、賈環四人，都坐在那裏。一見他進來，惟有探春、惜春和賈環站了起來。

賈政一舉目，見寶玉站在跟前，神彩飄逸，秀色奪人；又看見賈環，人物委瑣，舉止粗糙；忽又想起賈珠來，再看看王夫人只有這一個親生的兒子，素愛如珍；自己的鬚鬢將已蒼白：因這幾件上，把平日嫌惡寶玉之心，不覺減了八九分。半晌說道："娘娘吩咐你說，日日在外游嬉，漸次疏懶，如今叫禁管你同姐妹們在園裏讀書。你可好生用心學習，再不守分安常，你可仔細！"寶玉連連答應了幾個"是"。王夫人便拉他在身邊坐下，他姊弟三人依舊坐下。王夫人摸索着寶玉的脖項說道："前兒的丸藥都吃完了沒有？"寶玉答應道："還有一丸。"王夫人說："明早再取十丸來，天天臨睡時候，叫襲人伏侍你吃了再睡。"寶玉道："自從太太吩咐了，襲人天天臨睡打發我吃的。"賈政便問道："誰叫襲人？"王夫人道："是個丫頭。"賈政道："丫頭不拘叫個什麼罷了，是誰起這樣刁鑽的名字？"王夫人見賈政不自在了，便替寶玉掩飾道："是老太太起的。"賈政道："老太太如何曉得這樣的話，一定是寶玉。"寶玉見瞞不過，只得起身回道："因素日讀詩，曾記古人有句詩云：'花氣襲人知晝暖。'因這丫頭姓花，便隨意起的。"王夫人忙向寶玉說道："你回去改了罷。老爺也不用爲這小事生氣。"賈政道："其實也無妨礙，不用改。只可見寶玉不務正，專在這些濃詞艷詩上做工夫。"說畢，斷喝了一聲："作孽的畜生，還不出去！"王夫人也忙道："去罷，去罷，怕老太太等吃飯呢。"寶玉答應了，慢慢的退出去，向金釧兒笑着伸伸舌頭，帶着兩個老嬤嬤，一溜烟去了。

剛至穿堂門前，只見襲人倚門而立。見寶玉平安回來，堆下笑來問道："叫你做什麼？"寶玉告訴："沒有什麼，不過怕我進園淘氣，吩咐吩咐。"一面說，一面回至賈母跟前，回明原委。只見林黛玉正在那裏，寶玉便問他："你住在那一處好？"黛玉正盤算這事，忽見寶玉一問，便笑道："我心裏想着瀟湘館好，我愛那幾竿竹子，隱着一道曲欄，

那日正當三月中浣，早飯後，寶玉携了一套《會真記》，走到沁芳閘橋那邊桃花底下一塊石上坐着，展開《會真記》，從頭細看。

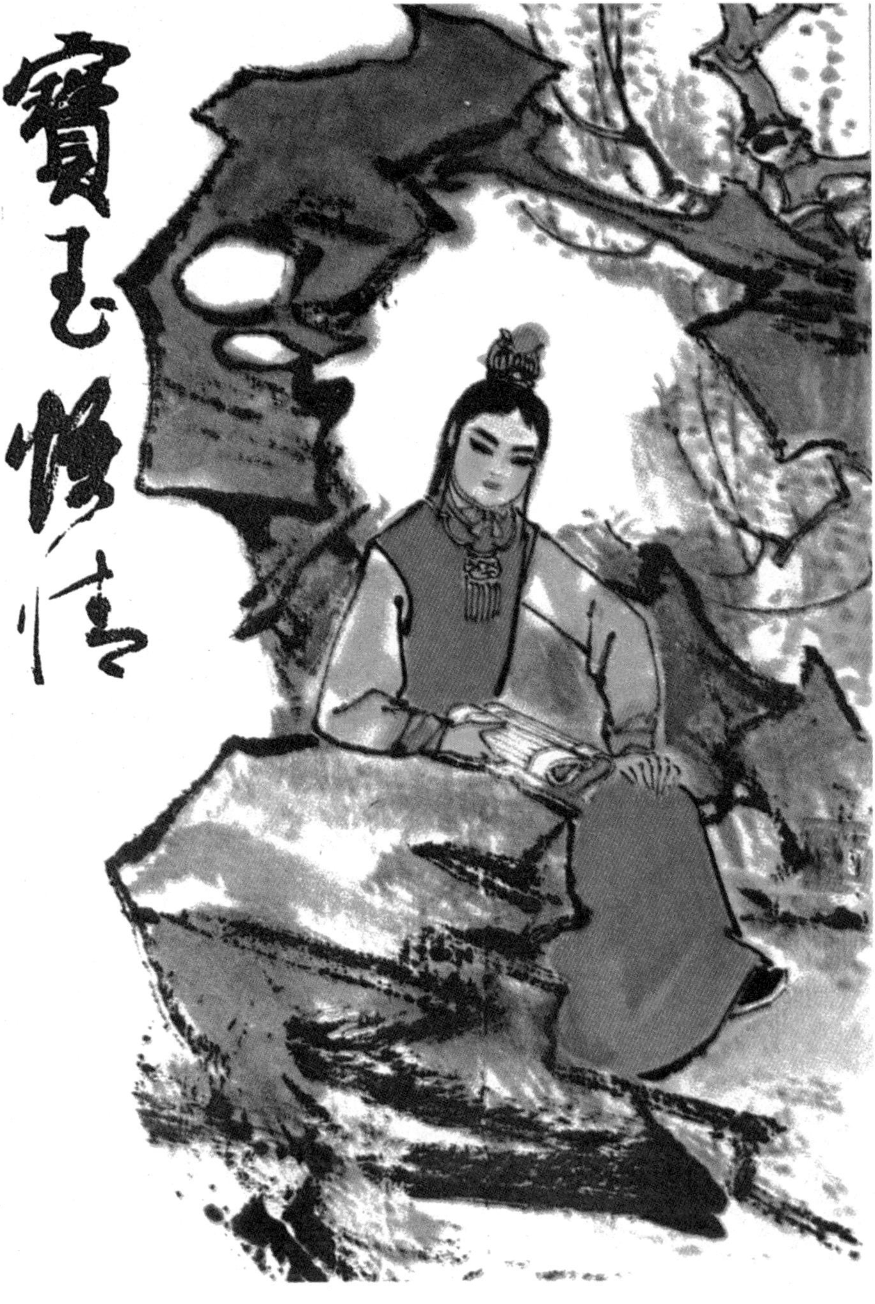

比別處幽靜。"寶玉聽了，拍手笑道："正合我的主意! 我也要叫你那裏去住。我就住怡紅院，咱們兩個又近，又都清幽。"

　　二人正計議，就有賈政遣人來回賈母說："二月二十二日是好日子，哥兒、姐兒們好搬進去的。這幾日內，遣人進去分派收拾。"薛寶釵住了蘅蕪苑，林黛玉住了瀟湘館，賈迎春住了綴錦樓，探春住了秋掩書齋，惜春住蓼風軒，李氏住了稻香村，寶玉住怡紅院。每一處添兩個老嬤嬤，四個丫頭，除各人奶娘親隨丫頭外，另有專管收拾打掃的。至二十二日，一齊進去。登時園內花招繡帶，柳拂香風，不似前番那等寂寞了。

　　閑言少叙。且說寶玉自進園來，心滿意足，再無別項可生貪求之心。每日只和姊妹、丫鬟們一處，或讀書，或寫字，或彈琴下棋，作畫吟詩，以至描鸞刺鳳，鬥草簪花，低吟悄唱，拆字猜枚，無所不至，倒也十分快意。他曾有幾首四時即事詩，雖不算好，卻是真情真景。

《春夜即事》云：

霞綃雲幄任鋪陳，隔巷蛙聲聽未真。枕上輕寒窗外雨，眼前春色夢中人。盈盈燭淚因誰泣，點點花愁爲我嗔。自是小鬟嬌懶慣，擁衾不耐笑言頻。

《夏夜即事》云：

倦繡佳人幽夢長，金籠鸚鵡喚茶湯。窗明麝月開宮鏡，室靄檀雲品御香。琥珀杯傾荷露滑，玻璃

正看到"落紅成陣"，只見一陣風過，樹上桃花吹下一大斗來，落得滿身滿書滿地皆是花片。寶玉要抖將下來，恐怕腳步踐踏了，只得兜了那花瓣，來至池邊，抖在池內。那花瓣浮在水面，飄飄蕩蕩，竟流出沁芳閘去了。　　　　　　　　　　　　　潘寶子 畫

寶玉正踟躕間，只聽背後有人説道："你在這裏做什麼?"寶玉一回頭，却是林黛玉來了，肩上擔着花鋤，花鋤上挂着紗囊，手内拿着花帚。　　　　　　　　　　潘寶子 畫

檻納柳風涼。水亭處處齊紈動，簾卷朱樓罷晚妝。

《秋夜即事》云：

> 絳雲軒裏絕喧嘩，桂魄流光浸茜紗。苔鎖石紋容睡鶴，井飄桐露濕栖鴉。抱衾婢至舒金鳳，倚檻人歸落翠花。靜夜不眠因酒渴，沉烟重撥索烹茶。

《冬夜即事》云：

> 梅魂竹夢已三更，錦罽鸘衾睡未成。松影一庭惟見鶴，梨花滿地不聞鶯。女奴翠袖詩懷冷，公子金貂酒力輕。却喜侍兒知試茗，掃將新雪及時烹。

不說寶玉閑吟，且說這幾首詩，當時有一等勢利人，見是榮國府十二三歲的公子做的，抄録出來，各處稱頌；再有等輕薄子弟，愛上那風流妖艷之句，也寫着扇頭壁上，不時吟哦賞贊。因此上竟有人來尋詩覓字，倩畫求題的。寶玉一發得意，每日家做這些外務。

誰想静中生動，忽一日不自在起來，這也不好，那也不好，出來進去，只是悶悶的。園中那些女孩子，正是混沌世界，天真爛熳之時，坐卧不避，嬉笑無心，那裏知寶玉此時的心事?那寶玉心內不自在，便懶在園內，只在外頭鬼混，却又痴痴的。茗烟見他這樣，因想與他開心，左思右想，皆是寶玉頑煩了的。只有這件，寶玉不曾看見過。想畢，便走到書坊內，把那古今小說並那飛燕、合德、武則天、楊貴妃的外傳與那傳奇角本，買了許多來引寶玉。寶玉一看，如得珍寶。茗烟又囑咐道："不可拿進園去，若叫人知道了，我就吃不了兜着走呢。"寶玉那裏肯不拿進去，踟躕再四，單把那文理雅道些的，揀了幾套進去，放在床頂上，無人時方看；那粗俗過露的，都藏于外面書房內。

那日正當三月中浣，早飯後，寶玉携了一套《會真記》，走到沁芳閘橋那邊桃花底下一塊石上坐着，展開《會真記》，從頭細看。正看到"落紅成陣"，只見一陣風過，樹上桃花吹下一大斗來，落得滿身滿書滿地皆是花片。寶玉要抖將下來，恐怕脚下踐踏了，只得兜了那花瓣，來至池邊，抖在池內。那花瓣浮在水面，飄飄蕩蕩，竟流出沁芳閘去了。

回來只見地下還有許多花瓣，寶玉正踟躕間，只聽背後有人說道："你在這裏做什麼?"寶玉一回頭，却是林黛玉來了，肩上擔着花鋤，花鋤上挂着紗囊，手內拿着花帚。寶玉笑道："好，好，來把這個花掃起來，撮在那水裏去罷。我才撮了好些在那裏呢。"林黛玉道："撮在水裏不好。你看這裏的水乾净，只一流出去，有人家的地方，什麼沒有?仍舊把花糟塌了。那畸角上，我有一個花冢，如今把他掃了，裝在這絹袋裏，埋在那裏，日久隨土化了，豈不乾净。"

寶玉聽了，喜不自禁，笑道："待我放下書，幫你來收拾。"黛玉道："什麼書?"寶玉見

寶玉道："妹妹，真正這是好文章!你若看了，連飯也不想吃呢。"一面說，一面遞了過去。黛玉把花具放下，接書來瞧，從頭看去，越看越愛，不頓飯時，將十六齣俱已看完。但覺詞句警人，餘香滿口。

潘寶子 畫

悶，慌的藏之不迭，便說道："不過是《中庸》、《大學》。"黛玉道："你又在我跟前弄鬼。趁早兒給我瞧瞧，好多着呢。"寶玉道："妹妹，若論你，我是不怕的。你看了，好歹別告訴別人。真正這是好文章! 你若看了，連飯也不想吃呢。"一面說，一面遞了過去。黛玉把花具放下，接書來瞧，從頭看去，越看越愛，不頓飯時，將十六齣俱已看完。但覺詞句警人，餘香滿口。雖看完了，却只管出神，心內還默默記誦。

寶玉笑道："妹妹，你說好不好?"林黛玉笑道："果然有趣。"寶玉笑道："我就是個'多愁多病的身'，你就是那'傾國傾城的貌'。"林黛玉聽了，不覺帶腮連耳通紅，登時竪起兩道似蹙非蹙的眉，瞪了兩隻似睜非睜的眼，桃腮帶怒，薄面含嗔，指着寶玉道："你這該死的胡說! 好好的，把這淫詞艷曲弄了來，說這些混賬話來欺負我。我告訴舅舅、舅母去!"說到"欺負"二字，就把眼圈兒紅了，轉身就走。寶玉着了忙，向前攔住道："好妹妹，千萬饒我這一遭，原是我說錯了。若有心'欺負'你，明兒我掉在池子裏，叫個癩頭黿吃了去，變個大忘八，等你明兒做了'一品夫人'病老歸西的時候，我往你墳上替你馱一輩子碑去。"說的林黛玉"撲嗤"的一聲笑了，一面揉着眼，一面笑道："一般唬的這個調兒，還只管胡說。呸，原來也是個'銀樣蠟槍頭'!"寶玉聽了，笑道："你說說，你這個呢?我也告訴去。"林黛玉笑道："你說你會'過目成誦'，難道我就不能'一目十行'麼?"

寶玉一面收書，一面笑道："正經快把花埋了罷，別提那個了。"二人便收拾落花。正才掩埋妥協，只見襲人走來，說道："那裏沒找到?摸在這裏來。那邊大老爺身上不好，姑娘們都過去請安，老太太叫打發你去呢。快回去換衣服罷。"寶玉聽了，忙拿了書，別了黛玉，同襲人回房換衣不提。

這裏林黛玉見寶玉去了，聽見衆姐妹也不在房中，自己悶悶的。正欲回房，剛走到梨香院墻角外，只聽見墻內笛韵悠揚，歌聲婉轉，林黛玉便知是那十二個女子演習戲文。雖未留心去聽，偶然兩句吹到耳內，明明白白一字不落道："原來是姹紫嫣紅開遍，似這般，都付與斷井頹垣。"林黛玉聽了，倒也十分感慨纏綿，便止步側耳細聽。又唱道："良辰美景奈何天，賞心樂事誰家院?"聽了這兩句，不覺點頭自嘆，心下自思："原來戲上也有好文章，可惜世人只知看戲，未必能領略其中的趣味。"想畢，又後悔不該胡想，耽誤了聽曲子。再聽時，恰唱到："只爲你如花美眷，似水流年……"黛玉聽了這兩句，不覺心動神搖。又聽道"你在幽閨自憐"等句，越發如醉如痴，站立不住，便一蹲身，坐在一塊山子石上，細嚼"如花美眷，似水流年"八個字的滋味。忽又想起前日見古人詩中有"水流花謝兩無情"之句，再詞中又有"流水落花春去也，天上人間"之句，又兼方才所見《西廂記》中"花落水流紅，閑愁萬種"之句，都一時想起來，凑聚在一處。仔細忖度，不覺心痛神馳，眼中落淚。正沒個開交，忽覺背後有人擊他一下，及回頭看時，原來是個女子。未知是誰，下回分解。

第貳拾肆回

醉金剛輕財尚義俠　痴女兒遺帕惹相思

　　話說林黛玉正在情思縈逗、纏綿固結之時，忽有人從背後擊了他一下，說道："你做什麼，一個人在這裏？"林黛玉唬了一跳，回頭看時，不是別人，卻是香菱。林黛玉道："你這個傻丫頭，唬我一跳。你這會子打那裏來？"香菱嘻嘻的笑道："我來尋我們姑娘的，總找不着他。你們紫鵑也找你呢，說璉二奶奶送了什麼茶葉來給你的。回家去坐着罷。"一面說，一面拉着黛玉的手，回瀟湘館來。果然鳳姐送了兩小瓶上用新茶來。林黛玉和香菱坐了，談講些"這一個綉的好"，"那一個刺的精"，又下一回棋，看兩句書，香菱便走了，不在話下。

　　如今且說寶玉因被襲人找回房去，只見鴛鴦歪在床上看襲人的針綫呢，見寶玉來了，便說道："你往那裏去了？老太太等着你呢，叫你過那邊請大老爺安去。還不快去換了衣服走呢。"襲人便進房去取衣服。寶玉坐在床沿上褪了鞋，等靴子穿的工夫，回頭見鴛鴦穿着水紅綾子襖兒，青緞子背心，束着白縐綢汗巾兒，臉向那邊，低着頭看針綫，脖子上帶着扎花領子。寶玉便把臉湊在脖項上，聞那香氣，不住用手摩挲，其白膩不在襲人以下；便猴上身去，涎臉笑道："好姐姐，把你嘴上的胭脂，賞我吃了罷。"一面說，一面扭股糖似的粘在身上。鴛鴦便叫道："襲人，你出來瞧瞧。你跟他一輩子，也不勸勸他？還是這麼着。"襲人抱了衣服出來，向寶玉道："左勸也不改，右勸也不改，你倒是怎麼樣？你再這麼着，這個地方可也就難住了。"一邊說，一邊催他穿衣服，同鴛鴦往前面來。

見過賈母，出至外面，人馬俱已齊備。剛欲上馬，只見賈璉請安回來正下馬，二人對面，彼此問了兩句話。只見旁邊轉出一個人來："請寶叔安。"寶玉看時，只見這人生的容長臉，長挑身材，年紀只有十八九歲，生得着實斯文清秀，倒也十分面善，只是想不起是那一房的，叫什麼名字。賈璉笑道："你怎麼發呆，連他也不認得？他是後廊上住的五嫂子的兒子芸兒。"寶玉笑道："是了，是了，我怎麼就忘了。"因問他母親好，這會子什麼勾當。賈芸指賈璉道："找二叔說句話。"寶玉笑道："你倒比先越發出跳了，倒像我的兒子。"賈璉笑道："好不害臊！人家比你大四五歲呢，就給你做兒子了？"寶玉笑道："你今年十幾歲？"賈芸道："十八了。"

原來這賈芸最伶俐乖巧的，聽寶玉說"像他的兒子"，便笑道："俗語說的好：'搖車兒裏的爺爺，拄拐棍兒的孫子。'雖然年紀大，'山高遮不住太陽'。只從我父親死了，這幾年也沒人照管。若寶叔不嫌侄兒蠢，認做兒子，就是侄兒的造化了。"賈璉笑道："你聽見了？認了兒子，不是好開交的。"說着，就進去了。寶玉笑道："明兒你閒了，只管來找我，別和他們鬼鬼祟祟的。這會子我不得閒兒，明日你到書房裏來，和你說天話兒，我帶你園裏頑去。"說着，扳鞍上馬，眾小廝隨往賈赦這邊來。

見了賈赦，不過是偶感些風寒。先述了賈母問的話，然後自己請了安。賈赦先站起來，回了賈母問的話，便喚人來："帶進哥兒，去太太屋裏坐着。"寶玉退出，來至後面，到上房，邢夫人見了，先站了起來請過賈母的安，寶玉方請安。邢夫人拉他上炕坐了，方問別人，又命人倒茶。茶未吃完，只見賈琮來問寶玉好。邢夫人道："那裏找活猴兒去？你那奶媽子死絕了，也不收拾收拾，弄得你黑眉烏嘴的，那裏還像個大家子念書的孩子！"

正說着，只見賈環、賈蘭小叔侄兩個也來請安，邢夫人叫他兩個在椅子上坐着。賈環見寶玉同邢夫人坐在一個坐褥上，邢夫人又百般摸索撫弄他，早已心中不自在了，坐不多時，便向賈蘭使個眼色兒要走，賈蘭只得依他，一同起身告辭。寶玉見他們起身，也就要一同回去。邢夫人笑道："你且坐着，我還和你說話。"寶玉只得坐

了。邢夫人向他兩個道:“你們回去,各人替我問各人母親好罷。你們姑娘姐妹們,都在這裏呢,鬧的我頭量,今兒不留你們吃飯了。”賈環等答應着,便出去了。

寶玉笑道:“可是姐姐們都過來了,怎麼不見?”邢夫人道:“他們坐了會子,都往後頭不知那屋裏去了。”寶玉說:“大娘說‘有話說’,不知是什麼話?”邢夫人笑道:“那裏什麼話,不過叫你等着同姐妹們吃了飯去。還有一個好頑的東西,給你帶回去頑兒。”娘兒兩個說着,不覺又晚飯時候,請過衆位姑娘們來,調開桌椅,羅列杯盤,母女姊妹們吃畢了飯。寶玉辭別賈赦,同衆姊妹回家,見過賈母、王夫人等,各自回房安歇,不在話下。

且說賈芸進去見了賈璉,因打聽可有什麼事情。賈璉告訴他說:“前兒倒有一件事情出來,偏生你嬸娘再三求了我,給了賈芹了。他許我說:明兒園裏還有幾處要栽花木的地方,等這個工程出來,一定給你就是了。”那賈芸聽了,半晌說道:“既是這樣,我就等着罷。叔叔也不必先在嬸娘跟前,提我今兒來打聽的話,到跟前再說也不遲。”賈璉道:“提他做什麼,我那裏有這工夫去說閑話呢。明日還要到興邑去走一走,必須當日趕回來方好。你先去等着,後日我更以後,你來討信,早了我不得閑。”說着便向後面換衣服去了。

賈芸出了榮國府回家,一路思量,想出一個主意來,便一徑往他母舅卜世仁家來。原來卜世仁現開香料鋪,方才從鋪子裏回來,一見賈芸,便問:“爲什麼事來?”賈芸道:“有件事求舅舅幫襯,要用冰片、麝香,好歹舅舅每樣賒四兩給我,八月節按數送了銀子來。”卜世仁冷笑道:“再休提賒欠一事。前日也是我們鋪子裏一個夥計,替他的親戚賒了幾兩銀子的貨,至今總未還上。因此我們大家賠上,立了合同,再不許替親友賒欠。誰要犯了,就罰他二十兩銀子的東道。況且如今這個貨也短,你就拿現銀子到我們這小鋪子裏來買,也還沒有這些,只好倒扁兒去。這是一件。二則你那裏有正經事,不過賒了去又是胡鬧。你只說舅舅見你一遭兒就派你一遭兒不是,你小人家狠不知好歹,也要立個主意,賺幾個錢,弄弄穿的吃的,我看着也喜歡。”

賈芸笑道:“舅舅說得有理。但我父親沒的時節,我年紀又小,不知事體。後來聽我母親說,都還虧舅舅們在我們家去出主意料理的喪事。難道舅舅是不知道的,還是有一畝地,兩間房子,在我手裏花了不成?巧媳婦做不出没米的飯來,叫我怎麼樣呢?還虧是我呢,要是別個,死皮賴臉的三日兩頭兒來纏舅舅,要三升米二升豆子的,舅舅也就沒有法兒呢。”

卜世仁道:“我的兒,舅舅要有,還不是該的?我天天和你舅母說,只愁你沒個算計。你但凡立得起來,到你大房裏,就是他們爺兒們見不着,便下個氣,和他們的管家或者管事的人們嬉和嬉和,也弄個事兒管管。前兒我出城去,撞見你三房裏的老四,騎着大叫驢,帶着四五輛車,有四五十和尚道士,往家廟裏去了。他那不虧能幹,就有這樣的事到他了?”賈芸聽了嘮叨的不堪,便起身告辭。卜世仁道:“怎麼急的這樣,吃了飯去罷。”一句話尚未説完，只見他娘子説道：“你又糊塗了。説着没有米，這裏買了半斤麵來下給你吃，這會子還妝‘胖’呢。留下外甥挨餓不成？”卜世仁道：“再買半斤來添上就是了。”他娘子便叫女兒：“銀姐，往對門王奶奶家去，問有錢借二三十個，明日就送來還的。”夫妻兩個説話，那賈芸早説了幾個“不用費事”，去的無影無蹤了。

　　不言卜家夫婦。且説賈芸賭氣離了母舅家門，一徑回來，心下正自煩惱，一邊想，一邊走，低着頭，不想一頭就碰在一個醉漢身上，把賈芸一把拉住，罵道：“你瞎了眼，碰起我來了！”賈芸聽聲音，像是熟人，仔細一看，原來是緊鄰倪二。這倪二是個潑皮，專放重利債，在賭博場吃飯，專愛喝酒打架。此時正從欠錢人家索債歸來，已在醉鄉，不料賈芸碰了他，就要動手。賈芸叫道：“老二，住手！是我衝撞了你。”倪二一聽他的語音，將醉眼睜開一看，見是賈芸，忙鬆了手，趔趄着笑道：“原來是賈二爺，這會子那裏去？”賈芸道：“告訴不得你，平白的又討了個没趣兒。”倪二道：“不妨。有什麼不平的事，告訴我，我替你出氣。這三街六巷，憑他是誰，若得罪了我醉金剛倪二的街鄰，管叫他人離家散！”賈芸道：“老二，你別生氣，聽我告訴你這緣故。”便把卜世仁一段事，告訴了倪二。倪二聽了，大怒道：“要不是二爺的親戚，我便罵出來。真正氣死我！也罷，你也不必愁，我這裏現有幾兩銀子，你要用，只管拿去。我們好街坊，這銀子是不要利錢的。”一頭説，一頭從搭包内掏出一包銀子來。

　　賈芸心下自思：“倪二素日雖然是潑皮，却也因人而施，頗有義俠之名。若今日不領他這情，怕他臊了，倒恐不美。不如用了他的，改日加倍還他就是了。”因笑道：“老二，你果然是個好漢。既蒙高情，怎敢不領，回家照例寫了文約，送過來便了。”倪二大笑道：“這不過是十五兩三錢銀子，你若要寫文契，我就不借了。”賈芸聽了，一面接銀子，一面笑道：“我便遵命罷了，何必着急。”倪二笑道：“這才是。天氣黑了，也不讓茶讓酒，我還有點事情到那邊去，你竟請回。我還求你帶個信兒與我們家，叫他們閉門睡罷，我不回家去；倘或有事，叫我們女孩兒明兒一早到馬販子王短腿家找我。”一面説，一面趔趄着脚兒去了。不在話下。

　　且説賈芸偶然碰了這件事，心下也十分稀罕，想：“那倪二倒果然有些意思，只是怕他一時醉中慷慨，到明日加倍要來，便怎麼處？”忽又想道：“不妨，等那件事成了，可也加倍還的起他。”因走到一個錢鋪内，將那銀子稱一稱，分兩不錯，心上越發歡喜。到家先將倪二的話捎與他娘子，方回家來。見他母親自在炕上捻綫，見他進來，便問：“那裏去了一天？”賈芸恐他母親生氣，便不提卜世仁的事來，只説：“在西府裏等璉二叔

倪二聽了，大怒道：“要不是二爺的親戚，我便罵出來。真正氣死我！也罷，你也不必愁，我這裏現有幾兩銀子，你要用，只管拿去。我們好街坊，這銀子是不要利錢的。”一頭説，一頭從搭包内掏出一包銀子來。

王宏喜　畫

的。”問他母親“吃了飯不曾”，他母親説：“吃了，還留飯在那裏。”叫小丫頭拿過來與他吃。那天已是掌燈時候，賈芸吃了飯，收拾安歇，一宿無話。

次日一早起來，洗了臉，便出南門大街，在香鋪買了香麝，便往榮府來。打聽賈璉出了門，賈芸便往後面來。到賈璉院門前，只見幾個小廝，拿着大高的笤帚，在那裏掃院子呢。忽見周瑞家的從門裏出來叫小廝們：“先別掃，奶奶出來了。”賈芸忙上去笑道：“二嬸娘那裏去？”周瑞家的道：“老太太叫，想必是裁什麼尺頭。”

正説着，只見一羣人簇擁着鳳姐出來了。賈芸深知鳳姐是喜奉承愛排場的，忙把手逼着，恭恭敬敬搶來請安。鳳姐連正眼也不看，仍往前走，只問他母親好：“怎麼不來我們家逛逛？”賈芸道：“只是身上不好，倒時常記罣着嬸娘，要瞧瞧，總不能來。”鳳姐笑道：“可是你會撒謊！不是我提起，他就不想我了。”賈芸笑道：“侄兒不怕雷打，就敢在長輩跟前撒謊。昨日晚上還提起嬸娘來，説：‘嬸娘身子生得單弱，事情又多，虧嬸娘好大精神，竟料理的周周全全。要是差一點兒的，早累的不知怎麼樣了。’”

鳳姐兒聽了，滿臉是笑，不由的止了步，問道：“怎麼好好的，你娘兒兩個在背地裏嚼説起我來？”賈芸道：“有個緣故，只因我有個極好的朋友，家裏有幾個錢，現開香鋪。因他身上捐了個通判，前日選了雲南不知那一府，連家眷一齊去，他這香鋪也不開了。便把貨物攢了一攢，該給人的給人，該賤發的賤發，像這貴重的都送與親友，所以我得了些冰片、麝香。我就和我母親商量：賤賣了可惜，若送人也沒有人家配使這些香料。因想嬸娘往年間，還拿大包的銀子買這東西呢。別説今年貴妃宮中，就是這個端陽節所用，也一定比往常要加上十幾倍，故此孝敬嬸娘。”一邊將一個錦匣遞過去。

鳳姐正是辦端節的禮，須用香料，便命豐兒：“接過芸哥兒的來，送了家去，交給平兒。”因又説道：“看着你這樣知道好歹，怪道你叔叔常提起你來，説你好，説話明白，心裏有見識。”賈芸聽這話入港，便打進一步來，故意問道：“原來叔叔也常提我的？”鳳姐見問，便要告訴給他事情管的話，一想，又恐被他看輕了，只説得了這點兒香料便混許他管事了。因又止住，且把派他種花木工程的事，都一字不提，隨口說了幾句淡話，便往賈母房裏去了。

賈芸也不好提的，只得回來。因昨日見了寶玉，叫他到外書房等着，故此吃了飯，便又進來，到賈母那邊儀門外綺散齋書房裏來。只見茗烟改名焙茗的，並鋤藥，兩個小廝下象棋，爲奪"車"正拌嘴呢；還有引泉、掃花、挑雲、伴鶴四五個，在房檐下掏小雀兒頑。賈芸進入院內，把腳一跺，說道："猴兒們淘氣，我來了。"衆小廝看見了他，都才散去。賈芸進書房內，便坐在椅子上，問："寶二爺下來沒有？"焙茗道："今日總沒下來。二爺說什麼，我替你哨探哨探去。"說着，便出去了。

這裏賈芸便看字畫古玩。有一頓飯工夫，還不見來。再看看別的小子，都頑去了。正在煩悶，只聽門前嬌音嫩語的叫了一聲"哥哥"。賈芸往外瞧時，只見是一個十五六歲的丫頭，生的倒也十分精細乾净。那丫頭見了賈芸，便抽身躲了。恰值焙茗走來，見那丫頭在門前，便說道："好，好，正抓不着個信兒。"賈芸見了焙茗，也就趕出來問："怎麼樣？"焙茗道："等了這一日，也沒個人兒過來。這就是寶二爺房裏的。"因說道："好姑娘，你進去帶個信兒，就說廊上二爺來了。"那丫頭聽見，方知是本家的爺們，便不似從前那等回避，下死眼把賈芸盯了兩眼。聽那賈芸說道："什麼廊上廊下的，你只說芸兒就是了。"半晌，那丫頭冷笑道："依我說，二爺且請回去罷，明日再來。今兒晚上得空兒，我回一聲。"焙茗道："這是怎麼說？"那丫頭道："他今兒也沒睡中覺，自然吃的晚飯早。晚上又不下來，難道只是要二爺在這裏等着挨餓不成？不如家去，明兒來是正經。就便回來有人帶信，不過口裏答應着，他肯給帶到嗎？"賈芸聽這丫頭的話，簡便俏麗，待要問他名字，因是寶玉房裏的，又不便問，只得說道："這話倒是，我明日再來。"說着，便往外去了。焙茗道："我倒茶去，二爺吃茶再去。"賈芸一面走，一面回頭說："不吃茶，我還有事呢。"口裏說話，眼睛瞧那丫頭，還站在那裏呢。

那賈芸一徑回來。至次日，來至大門前，可巧遇見鳳姐往那邊去請安，才上了車，見賈芸來，便命人喚住，隔窗子笑道："芸兒，你竟有膽子在我跟前弄鬼。怪道你送東西給我，原來你有事求我。昨日你叔叔才告訴我，說你求他。"賈芸笑道："求叔叔的事，嬸娘休提，我這裏正後悔呢。早知這樣，我一起頭就求嬸娘，這會子也早完了。誰承望叔叔竟不能的。"鳳姐笑道："怪道你那裏沒成兒，昨日又來尋我。"賈芸道："嬸娘辜負了我的孝心，我並沒有這個意思。若有這意，昨兒還不求嬸娘？如今嬸娘既知道了，我倒要把叔叔丟下，少不得求嬸娘，好歹疼我一點兒。"鳳姐冷笑道："你們要揀遠路兒走，叫我也難。早告訴我一聲兒，什麼不成了，多大點兒事，耽誤到這會子。那園子裏還要種樹種花，我只想不出個人來，早說不早完了。"賈芸笑道："這樣，明日嬸娘就派我罷。"鳳姐半晌道："這個我看着不大好，等明年正月裏的烟火燈燭那個大宗兒下來，再派你罷。"賈芸道："好嬸娘，先把這個派了我罷。果然這件辦的好，再派我那件。"鳳姐笑道："你倒會拉長綫兒。罷了，若不是你叔叔說，我不管你的事。我不過吃了飯就過來，你到午錯時候來領銀子，後日就進去種花。"說着，命人駕起香車，徑去了。

　　賈芸喜不自禁，來至綺散齋打聽寶玉，誰知寶玉一早便往北靜王府裏去了。賈芸便呆呆的坐到晌午，打聽鳳姐回來，便寫個領票來領對牌。至院外，命人通報了，彩明走了出來，單要了領票進去，批了銀數、年月，一併連對牌交與賈芸。賈芸接看，那批上批着二百兩銀子，心中喜悅，翻身走到銀庫上，領了銀子。回家告訴他母親，自是母子俱喜。次日五更，賈芸先找了倪二，還了銀子；又拿了五十兩銀子，出西門找到花兒匠方椿家裏去買樹，不在話下。

　　且說寶玉自這日見了賈芸，曾說過明日着他進來說話。這原是富貴公子的口角，那裏還記在心上，因而便忘懷了。這日晚上，却從北靜王府裏回來，見過賈母、王夫人等，回至園內，換了衣服，正要洗澡，襲人因被薛寶釵煩了去打結子；秋紋、碧痕兩個去催水；檀雲又因他母親病了，接了出去；麝月又現在家中病着；還有幾個做粗活聽使喚的丫頭，料是叫他不着，都出去尋彩覓伴的去了。不想這一刻的工夫，只剩了寶玉在房內。偏生的寶玉要吃茶，一連叫了兩三聲，方見兩三個老婆子走進來。寶玉見了，連忙搖手說："罷，罷！不用了。"老婆子們只得退出。

　　寶玉見沒丫頭們，只得自己下來，拿了碗，向茶壺去倒茶。只聽背後有人說道："二爺仔細燙了手，等我來倒。"一面說，一面走上來，接了碗去。寶玉倒唬了一跳，問："你在那裏的？忽然來了，唬我一跳。"那丫頭一面遞茶，一面笑着，回道："我在後院裏，才從裏間後門進來，難道二爺就沒聽見脚步響？"寶玉一面吃茶，一面仔細打量那丫頭：穿着幾件半新不

秋紋走到那邊房內，找着小紅，問他："方才在屋裏做什麼？"小紅道："我何曾在屋裏的？只因我的手帕子不見了，往後頭找去。不想二爺要茶吃，叫姐姐們，一個也沒有，是我進去倒了碗茶，姐姐們便來了。"秋紋兜臉啐了一口道："没臉面的下流東西！正經叫你催水去，你說有事，倒叫我們去，你可做這個巧宗兒。一里一里的，這不上來了。難道我們倒跟不上你麼？你也拿那鏡子照照，配遞茶遞水不配！"

戴敦邦　畫

二十四回 痴女兒遺帕惹相思

舊的衣裳,倒是一頭黑鴉鴉的好頭髮,挽着鬈兒,容長臉面,細巧身材,却十分俏麗甜净。寶玉便笑問道:"你也是我這屋裏的人麼?"那丫頭道:"是的。"寶玉道:"既是這屋裏的,我怎麼不認得?"那丫頭聽説,便冷笑一聲道:"不認得的也多呢,豈止我一個。從來我又不遞茶遞水,拿東拿西,眼前的事一件也做不着,那裏認得呢。"寶玉道:"你爲什麼不做那眼前的事?"那丫頭道:"這話我也難説。只是有一句話回二爺:昨日有個什麼芸兒來找二爺。我想二爺不得空兒,便叫焙茗回他:今日早起來。不想二爺又往北府裏去了。"

　　剛説到這句話,只見秋紋、碧痕唏唏哈哈的笑着進來,兩個人共提着一桶水,一手撩衣裳,趔趔趄趄,潑潑撒撒的。那丫頭便忙迎出去接。那秋紋、碧痕正對抱怨,"你濕了我的衣裳",那個又説"你踹了我的鞋"。忽見走出一個人來接水,二人看時,不是別人,原來是小紅。二人便都咤異,將水放下,忙進房看時,並沒別人,只有寶玉,便心中俱不自在。只得且預備下洗澡之物,待寶玉脱了衣裳,二人便帶上門出來。走到那邊房内,找着小紅,問他:"方才在屋裏做什麼?"小紅道:"我何曾在屋裏的?只因我的手帕子不見了,往後頭找去。不想二爺要茶吃,叫姐姐們,一個也沒有,是我進去倒了碗茶,姐姐們便來了。"秋紋兜臉啐了一口道:"没臉面的下流東西!正經叫你催水去,你説有事,倒叫我們去,你可做這個巧宗兒。一里一里的,這不上來了。難道我們倒跟不上你麼?你也拿那鏡子照照,配遞茶遞水不配!"碧痕道:"明兒我説給他們,凡要茶要水拿東西的事,咱們都別動,只叫他去便是了。"秋紋道:"這麼説,還不如我們散了,單讓了他在這屋裏呢。"二人你一句,我一句,正鬧着,只見有老嬷嬷進來,傳鳳姐的話説:"明日有人帶花兒匠來種樹,叫你們嚴禁些,衣服裙子別混曬混晾的。那土山一帶,都攔着圍幕,可別混跑。"秋紋便問:"明日不知是誰帶進匠人來監工?"那老婆子道:"什麼後廊上的芸哥兒。"秋紋、碧痕俱不知道,只管混問別的話。那小紅心内明白,知是昨日外書房所見的那人了。

　　原來這小紅本姓林,小名紅玉,因"玉"字犯了寶玉、黛玉的名,便單唤他做"小紅"。原來是府中世僕,他父親現在收管各處田房事務。這紅玉年十六,進府當差,把他派在怡紅院中,倒也清幽雅静。不想後來命姊妹及寶玉等進大觀園居住,偏生這一所兒又被寶玉點了。這小紅雖然是個不諳事體的丫頭,因他原有三分容貌,心内妄想向上攀高,每每要在寶玉面前現弄現弄。只是寶玉身邊一干人,都是伶牙利爪的,那裏插得下手去。不想今日才有些消息,又遭秋紋等一場惡話,心内早灰了一半。正悶悶的,忽然聽見老嬷嬷説起賈芸來,不覺心中一動,便悶悶回房,睡在床上,暗暗思量,翻來掉去,正没個抓尋。忽聽窗外低低的叫道:"小紅,你的手帕子,我拾在這裏呢。"小紅聽了,忙出來看,不是別人,正是賈芸。小紅不覺粉面含羞,問道:"二爺在那裏拾着的?"賈芸笑道:"你過來,我告訴你。"一面説,一面就上來拉他。那小紅轉身一跑,却被門檻絆倒。要知端的,下回分解。

第貳拾伍回

魔魔法叔嫂逢五鬼　通靈玉蒙蔽遇雙真

話說小紅心神恍惚，情思纏綿，忽朦朧睡去，遇見賈芸要拉他，却回身一跑，被門檻絆了，一唬醒過來，方知是夢。因此翻來覆去，一夜無眠。至次日天明，方才起來，就有幾個丫頭來會他去打掃房子地面，提洗面水。這小紅也不梳洗，向鏡中胡亂挽了一挽頭髮，洗了手，腰中束一條汗巾，便來打掃房屋。

誰知寶玉昨兒見了他，也就留心，若要指名喚他來使用，一則怕襲人等多心，二則又不知他是何性情，因而納悶。早晨起來，也不梳洗，只坐着出神。一時下了窗子，隔着紗屜子，向外看的真切，只見幾個丫頭打掃院子，都擦胭抹粉，插花帶柳的，獨不見昨兒那一個。寶玉便趿了鞋，走出了房門，只妝做看花，東瞧西望。一抬頭，只見西南角上游廊下欄干旁有一個人倚在那裏，却爲一株海棠花所遮，看不真切。前進一步，仔細一看，正是昨日那個丫頭，在那裏出神。要迎上去，又不好意思。正想着，忽見碧痕來請他洗臉，只得進去了。不在話下。

却說小紅正自出神，忽見襲人招手叫他，只得走上前來。襲人笑道：「我們的噴壺壞了，你到林姑娘那邊借來一用。」小紅便走向瀟湘館去。到翠烟橋，抬頭一望，只見山坡高處，都攔着帷幕，方想起今日有匠役在此種樹。原來遠遠的一簇人在那裏掘土，賈芸正坐在山子石上監工。小紅待要過去，又不敢過去，只得悄悄向瀟湘館取了噴壺而回。無精打彩，自向房內倒着。衆人只說他是身子不快，也不理論。

過了一日，原來次日是王子騰夫人的

壽誕，那裏原打發人來請賈母、王夫人的。王夫人見賈母不去，也便不去了。倒是薛姨媽同着鳳姐兒並賈家三個姊妹、寶釵、寶玉，一齊都去了，至晚方回。

王夫人正過薛姨媽房裏坐着，見賈環下了學，命他去抄《金剛經咒》唪誦。那賈環便來到王夫人炕上坐着，命人點了蠟燭，拿腔做勢的抄寫。一時又叫彩雲倒杯茶來，一時又叫玉釧剪蠟花，又說金釧擋了燈亮兒。衆丫鬟們素日厭惡他，都不答理他。只有彩霞還和他合得來，倒了茶與他，因向他悄悄的道：“你安分些罷，何苦討人厭。”賈環把眼一瞅，道：“我也知道，你別哄我。如今你和寶玉好，不大理我，我也看出來了。”彩霞咬着牙，向他頭上戳了一指頭，道：“没良心的！狗咬呂洞賓，不識好歹。”

兩人正說，只見鳳姐同着王夫人都過來了。王夫人便一長一短問他，今日是那幾位堂客，戲文好歹，酒席如何。不多時，寶玉也來了，見了王夫人，也規規矩矩說了幾句話，便命人除去了抹額，脫了袍服，拉了靴子，便一頭滾在王夫人懷裏。王夫人便用手摩挲撫弄他，寶玉也扳着王夫人的脖子說長說短。王夫人道：“我的兒，又吃多了酒，臉上滾熱的。你還只是揉搓，一會子鬧上酒來。還不在那裏静静的躺一會子去呢。”說着，便叫人拿枕頭。寶玉因就在王夫人身後倒下，又叫彩霞來替他拍着。寶玉便和彩霞說笑，只見彩霞淡淡的不大答理，兩眼只向着賈環。寶玉便拉他的手，說道：“好姐姐，你也理我理兒。”一面說，一面拉他的手。彩霞奪手不肯，便說：“再鬧就嚷了。”

二人正鬧着，原來賈環聽見了，素日原恨寶玉，今見他和彩霞玩耍，心上越發按不下這口氣。因一沉思，計上心來，故作失手，將那一盞油汪汪的蠟燭，向寶玉臉上只一推，只聽寶玉“噯喲”的一聲，滿屋裏人都唬一跳。連忙將地下的蠱燈移過來一照，只見寶玉滿臉是油。王夫人又氣又急，一面命人替寶玉擦洗，一面罵賈環。鳳姐三步兩步上炕去替寶玉收拾，一面說道：“老三還是這樣毛脚雞似的，我說你上不得臺盤。趙姨娘平時也該教導教導他。”一句話提醒了王夫人，遂叫過趙姨娘來，罵道：“養出這樣黑心種子來，也不教訓教訓！幾番幾次我都不理論，你們一發得了意了，一發上來了！”那姨娘只得忍氣吞聲，也上去幫着他們替寶玉收拾。只見寶玉左邊臉上起了一溜燎泡，幸而没傷眼睛。王夫人看了又心疼，又怕賈母問時難以回答，急的又把趙姨娘罵一頓，又安慰了寶玉，一面取了敗毒散來敷上。寶玉說：“有些疼，還不妨事。明日老太太問，只說我自己燙的就是了。”鳳姐道：“便說自己燙的，也要罵人不小心，橫竪有一場氣的。”王夫人命人好生送了寶玉回房去。襲人等見了，都慌的了不得。

趙姨娘聽了，笑道：“罷，罷！再別提起，如今就是榜樣兒。我們娘兒們跟的上這屋那一個兒？寶玉兒還是小孩子家，長的得人意兒，大人偏疼他些兒，也還罷了；我只不伏這個主兒！”一面說，一面伸了兩個指頭。馬道婆會意，便問道：“可是璉二奶奶？”趙姨娘唬的忙搖手。

謝倫和 畫

林黛玉見寶玉出了一天的門，便悶悶的，晚間打發人來問了兩三遍，知道燙了，便親自趕過來，只瞧見寶玉自己拿鏡子照呢，左邊臉上滿滿的敷了一臉藥。林黛玉只當十分燙得利害，忙近前瞧瞧。寶玉却把臉遮了，搖手叫他出去，知他素性好潔，故不要他瞧。黛玉也就罷了，但問他："疼得怎樣？"寶玉道："也不狠疼，養一兩日就好了。"林黛玉坐了一會回去了。次日，寶玉見了賈母，雖自己承認自己燙的，賈母免不得又把跟從的人駡了一頓。

過了一日，有寶玉寄名的乾娘馬道婆到府裏來，見了寶玉，唬了一大跳，問其緣由，説是燙的，便點頭嘆息。一面向寶玉臉上，用指頭畫了幾畫，口內嘟嘟囔囔的又咒誦了一回，説道："包管好了。這不過是一時飛災。"又向賈母道："老祖宗老菩薩那裏知道，那佛經上説的利害，大凡王公卿相人家的子弟，只一生長下來，暗裏便有許多促狹鬼跟着他，得空便擰他一下，或掐他一下，或吃飯時打下他的飯碗來，或走着推他一跤，所以往往的那些大家子孫多有長不大的。"賈母聽如此説，便問："這有什麼佛法解釋没有呢？"馬道婆便説道："這個容易，只是多替他做些因果善事也就罷了。再那經上還説，西方有位大光明普照菩薩，專管照耀陰暗邪祟，若有善男信女虔心供奉者，可以永保兒孫康寧，再無撞客邪祟之災。"賈母道："倒不知怎麼供奉這位菩薩？"馬道婆説："也不值什麼，不過除香燭供奉以外，一天多添幾斤香油，點了個大海燈。這海燈便是菩薩現身法像，晝夜不敢息的。"賈母道："一天一夜也得多少油？我也做個好事。"馬道婆説："這也不拘多少，隨施主願心。像我家裏就有好幾處的王妃誥命供奉的。南安郡王府裏太妃，他許的願心大，一天是四十八斤油，一斤燈草，那海燈也只比缸略小些；錦鄉侯的誥命次一等，一天不過二十斤油；再有幾家，或十斤、八斤、三斤、

五斤的不等，也少不得要替他點。"賈母點頭思忖。馬道婆道："還有一件，若是爲父母尊長的，多捨些不妨；若老祖宗爲寶玉，若捨多了，怕哥兒擔不起，反折了福。要捨，大則七斤，小則五斤，也就是了。"賈母道："既是這樣說，便一日五斤，每月打總兒來關了去。"馬道婆道："阿彌陀佛，慈悲大菩薩！"賈母又叫人來吩咐："以後寶玉出門，拿幾串錢交給他小子們，一路施捨與僧道貧苦之人。"

　　說畢，那道婆便往各房問安閑逛去了。一時來到趙姨娘房裏，二人見過，趙姨娘命小丫頭倒茶給他吃。趙姨娘正粘鞋呢，馬道婆見炕上堆着些零星綢緞，因說："我正沒有鞋面子，奶奶給我些零碎綢子緞子，不拘顏色，做雙鞋穿罷。"趙姨娘嘆口氣說道："你瞧，那裏頭還有塊成樣的麼？就有好東西，也到不了我這裏！你不嫌不好，挑兩塊去就是了。"馬道婆便挑了幾塊，掖在懷裏。趙姨娘又問："前日我打發人送了五百錢去，你可在藥王面前上了供沒有？"馬道婆道："早已替你上了供了。"趙姨娘嘆氣道："阿彌陀佛！我手裏但凡從容些，也時常來上供，只是心有餘而力不足。"馬道婆道："你只放心，將來熬的環哥大了，得了一官半職，那時你要做多大功德，還怕不能麼？"

　　趙姨娘聽了，笑道："罷，罷！再別提起，如今就是榜樣兒。我們娘兒們跟的上這屋裏那一個？寶玉兒還是小孩子家，長的得人意兒，大人偏疼他些兒，也還罷了；我只不伏這個主兒！"一面說，一面伸了兩個指頭。馬道婆會意，便問道："可是璉二奶奶？"趙姨娘唬的忙搖手，起身掀簾子一看，見無人，方回身向道婆說："了不得，了不得！提起這個主兒，這一分家私要不都叫他搬了娘家去，我也不是個人。"馬道婆見說，便探他的口氣道："我還用你說？難道都看不出來？也虧你們心裏也不理論，只憑他去。倒也好。"趙姨娘道："我的娘！不憑他去，難道誰還敢把他怎麼樣呢？"馬道婆："不是我說句造孽的話，你們沒本事！也難怪。明裏不敢怎樣，暗裏也算計了，還等到如今！"趙姨娘聞聽這話裏有話，心內暗暗的歡喜，便說道："怎麼暗裏算計？我倒有個心，只是沒這樣的能幹人。你若教給我這法子，我大大的謝你。"馬道婆聽了這話打攏了一處，便又故意說道："阿彌陀佛！你快休問我，我那裏知道這些事？罪罪過過的。"趙姨娘道："你又來了。你是最肯濟困扶危的人，難道就眼睜睜的看人家來擺布死了我們娘兒兩個不成？難道還怕我不謝你麼？"馬道婆聽如此，便笑道："若說我不忍你們娘兒兩個受別人委曲，還猶可；若說謝，我還想你們什麼東西麼？"趙姨娘聽這話鬆動了些，便說："你這麼個明白人，怎麼糊塗了？果然法子靈驗，把他兩人絕了，這家私還怕不是我們的？那時候你要什麼不得呢？"馬道婆聽了，低頭半日，說："那時節事情妥當了，又無憑據，你還理我呢！"趙姨娘

　　馬道婆向趙姨娘要了張紙，拿剪子鉸了兩個紙人兒，遞與趙姨娘，教把他二人的年庚寫在上面；又找了一張藍紙，鉸了五個青面鬼，叫他併在一處，拿針釘了："我在家中作法，自有效驗的。"

謝倫和　畫

説："這有何難?我攢了幾兩體己,還有些衣服首飾,你先拿幾樣去。我再寫個欠銀文契給你,到那時,我照數給你。"馬道婆道："使得。"趙姨娘將一個小丫頭也支開,連忙開了箱櫃,將衣服首飾拿了些出來,並體己散碎銀子,又寫了五十兩一張欠約,遞與馬道婆道："你先拿去作個供養。"馬道婆見了這些東西,又有欠字,遂不顧青紅皂白,滿口應承,伸手先將銀子拿了,然後收了欠契。向趙姨娘要了張紙,拿剪子鉸了兩個紙人兒,遞與趙姨娘,教把他二人的年庚寫在上面;又找了一張藍紙,鉸了五個青面鬼,叫他併在一處,拿針釘了："我在家中作法,自有效驗的。"說完,忽見王夫人的丫頭進來道："奶奶可在這裏?太太等你呢。"二人散了,不在話下。

　　却說林黛玉因寶玉燙了臉不大出門,倒時常在一處說閑話兒。這日飯後看了兩篇書,又同紫鵑等作了一會針綫,總悶悶不舒,一同信步出來,看庭前才迸出的新笋,不覺出了院門。來到園中,四望無人,惟見花光鳥語,信步便往怡紅院來,只見幾個丫頭舀水,都在迴廊上看畫眉洗澡呢。聽見房內笑聲,原來是李宮裁、鳳姐、寶釵都在這裏。一見他進來,都笑道："這不又來了一個。"黛玉笑道："今兒齊全,誰下帖子請的?"鳳姐道："我前日打發人送兩瓶茶葉與姑娘,可還好麼?"黛玉道："我正忘了,多謝想着。"寶玉道："我嘗了不好,不知別人嘗了怎麼樣。"寶釵道："味倒好,只是沒甚顏色。"鳳姐道："那是暹羅國貢的,我嘗了也不覺甚好,還不如我們常吃的呢。"黛玉道："我吃着好,不知你們的脾胃是怎樣的。"寶玉道："你說好,把我的都拿了去吃罷。"鳳姐道："我那裏還多着的呢。"黛玉道："我叫丫頭取去。"鳳姐道："不用,我打發人送來。我明日還有一事求你,一同叫人送來。"

　　林黛玉聽了,笑道："你們聽聽,這是吃了他家一點子茶葉,就使喚起人來了。"鳳姐笑道："你既吃了我家的茶,怎麼還不給

我們家作媳婦兒?"衆人都大笑不止。黛玉紅了臉,回過頭去,一聲兒不言語。寶釵笑道:"我們二嫂子的詼諧是好的。"黛玉道:"什麼詼諧!不過是貧嘴賤舌的討人厭罷了。"說着,又啐了一口。鳳姐兒道:"你替我家做了媳婦,少些什麼?"指着寶玉道:"你瞧瞧,人物兒配不上?門第兒配不上,根基家私配不上?那一點兒玷辱了你?"黛玉起身便走。

寶釵叫道:"顰兒急了,還不回來呢!走了倒没意思。"說着,站起來拉住。才至房門,只見趙姨娘和周姨娘兩個人都來瞧寶玉。寶玉與衆人都起身讓坐,獨鳳姐不理。寶釵正欲說話,只見王夫人房裏的丫頭來說:"舅太太來了,請奶奶、姑娘們出去呢。"李宫裁連忙同着鳳姐兒走了。趙、周兩人也辭了出去。寶玉道:"我不能出去,你們好歹別叫舅母進來。"又說:"林妹妹,你略站一站,與你說句話。"鳳姐聽了,回頭向林黛玉道:"有人叫你說話呢!"便把林黛玉往後一推,和李紈一同去了。

這裏寶玉拉了黛玉的手,只是笑,又不說話。黛玉不覺又紅了臉,挣着要走。寶玉道:"嗳喲!好頭疼!"黛玉道:"該,阿彌陀佛!"寶玉大叫一聲,將身一跳,離地有三四尺高,口内亂嚷,盡是胡話。黛玉並衆丫鬟都唬慌了,忙報知王夫人與賈母。此時王子騰的夫人也在這裏,都一齊來看。寶玉一發拿刀弄杖,尋死覓活的,鬧的天翻地覆。賈母、

看看三日光陰,那鳳姐、寶玉躺在床上,連氣息都微了。合家都説没了指望了,忙的將他二人的後事都治備下了。賈母、王夫人、賈璉、平兒、襲人等更哭的死去活來。　謝倫和 畫
賈政便向寶玉項上取下那塊玉來,遞與他二人。那和尚擎在掌上,長嘆一聲道:"青埂峰下,別來十三載矣!人世光陰迅速,塵緣未斷,奈何,奈何!可羨你當日那段好處:天不拘兮地不羈,心頭無喜亦無悲;只因煅煉通靈後,便向人間惹是非。可惜今日這番經歷呀:粉漬脂痕污寶光,房櫳日夜困鴛鴦;沉酣一夢終須醒,冤債償清好散場。"念畢,又摩弄了一回,説了些瘋話。
　謝倫和 畫

王夫人一見，唬的抖衣亂戰，"兒"一聲"肉"一聲，放聲大哭。于是驚動了眾人，連賈赦、邢夫人、賈珍、賈政並璉、蓉、芸、萍、薛姨娘、薛蟠，並周瑞家的一干家中上下人等，並丫鬟媳婦等，都來園內看視，登時亂麻一般。正沒個主意，只見鳳姐手持一把明晃晃的刀，砍進園來，見雞殺雞，見犬殺犬，見了人，瞪着眼就要殺人。眾人一發慌了。周瑞媳婦帶着幾個力大的女人，上去抱住，奪了刀，抬回房中。平兒、豐兒等哭的哀天叫地。賈政也心中着忙。當下眾人七言八語，有說送祟的，有說跳神的，有薦玉皇閣張道士捉怪的，整鬧了半日。祈求禱告，百般醫治，並不見好。

日落後，王子騰夫人告辭去了。次日王子騰也來問候。接着小史侯家、邢夫人弟兄、並各親戚都來瞧看，也有送符水的，也有薦僧道的，也有薦醫的。他叔嫂二人一發糊塗，不省人事，身熱如火，在床上亂說，到夜裏更甚。因此那些婆子丫鬟不敢上前，故將他叔嫂二人，都搬到王夫人的上房內，着人輪班守視。賈母、王夫人、邢夫人並薛姨媽步步不離，只圍着哭。此時賈赦、賈政又恐哭壞了賈母，日夜熬油費火，鬧的上下不安。賈赦還各處去尋覓僧道。賈政見不效驗，因阻賈赦道："兒女之數，總由天命，非人力可強。他二人之病，百般醫治不效，想是天意該如此，也只好由他去。"賈赦不理，仍是百般忙亂。

看看三日光陰，那鳳姐、寶玉躺在床上，連氣息都微了。合家都說沒了指望了，忙的將他二人的後事都治備下了。賈母、王夫人、賈璉、平兒、襲人等更哭的死去活來。只有趙姨娘外面假作憂愁，心中稱願。

至第四日早，寶玉忽睜開眼向賈母說道："從今已後，我可不在你家了，快打發我走罷。"賈母聽見這話，如同摘了心肝一般。趙姨娘在旁勸道："老太太也不必過于悲痛。哥兒已是不中用了，

不如把哥兒的衣服穿好，讓他早些回去，也免他受些苦；只管捨不得他，這口氣不斷，他在那裏也受罪不安。"這些話沒説完，被賈母照臉啐了一口唾沫，罵道："爛了舌頭的混賬老婆！怎麼見得不中用了？你願意他死了，有什麼好處？你別作夢！他死了，我只合你們要命。都是你們素日調唆着，逼他念書寫字，把膽子唬破了，見了他老子，就像'避猫鼠兒'一樣。都不是你們這起小婦調唆的？這會子逼死了他，你們就隨了心了。我饒那一個！"一面哭，一面罵。賈政在旁聽見這些話，心裏越發着急，忙喝退了趙姨娘，委宛勸解了一番。忽有人來回："兩口棺木都做齊了。"賈母聞之，如刀刺心，一發哭着大罵，問："是誰叫做的棺材？快把做棺材的人拿來打死！"鬧了個天翻地覆。

忽聽見空中隱隱有木魚聲，念了一句"南無解冤解結菩薩！有那人口不利、家宅不安、中邪祟、逢凶險的，我們善醫治。"賈母、王夫人便命人向街上找尋去。原來是一個癩和尚，同一個跛道士。那和尚是怎的模樣：

> 鼻如懸膽兩眉長，目似明星有寶光；破衲芒鞋無住迹，腌臢更有一頭瘡。

那道人是如何模樣：

> 一足高來一足低，渾身帶水又拖泥；相逢若問家何處，却在蓬萊弱水西。

賈政因命人請了進來，問他二人在何山修道。那僧笑道："長官不消多話，因知府上人口欠安，特來醫治的。"賈政道："有兩個人中了邪，不知有何方可治？"那道人笑道："你家現有希世之寶，可治此病，何須問方？"賈政心中便動了，因道："小兒生時雖帶了一塊玉來，上面刻着'能除凶邪'，然亦未見靈效。"那僧道："長官有所不知，那'寶玉'原是靈的，只因爲聲色貨利所迷，故此不靈了。你今將此寶取出來，待我持誦持誦，就依舊靈了。"賈政便向寶玉項上取下那塊玉來，遞與他二人。那和尚擎在掌上，長嘆一聲道："青埂峰下，別來十三載矣！人世光陰迅速，塵緣未斷，奈何，奈何！可羨你當那段好處：天不拘兮地不羈，心頭無喜亦無悲；只因煅煉通靈後，便向人間惹是非。可惜今日這番經歷呀：粉漬脂痕污寶光，房櫳日夜困鴛鴦；沉酣一夢終須醒，冤債償清好散場。"念畢，又摩弄了一回，説了些瘋話，遞與賈政道："此物已靈，不可褻瀆，懸於卧室上檻，除自己親人外，不可令陰人衝犯。三十三日之後，包管好了。"賈政忙命人讓茶，那二人已經走了。只得依言而行。

鳳姐、寶玉果一日好似一日的，漸漸醒來，知道餓了。賈母、王夫人才放了心。衆姊妹都在外間聽消息，黛玉先念一聲"佛"，寶釵笑而不言。惜春道："寶姐姐笑什麼？"寶釵道："我笑如來佛比人還忙：又要度化衆生；又要保佑人家病痛，都叫他速好；又要管人家的婚姻，叫他成就。你説可忙不忙？可好笑不好笑？"一時林黛玉紅了臉，啐了一口道："你們都不是好人！再不跟着好人學，只跟着鳳丫頭學的貧嘴。"一面説，一面掀簾子出去了。欲知端詳，下回分解。

話說寶玉養過了三十三天之後，不但身體强壯，亦且連臉上瘡痕平復，仍回大觀園去。這也不在話下。

且說近日寶玉病的時節，賈芸帶着家下小厮坐更看守，晝夜在這裏，那小紅同衆丫鬟也在這裏守着寶玉，彼此相見多日，都漸漸混熟了。小紅見賈芸手裏拿着手帕子，倒像是自己從前掉的，待要問他，又不好問的。不料那和尚道士來過，用不着一切男人，賈芸仍種樹去了。這件事待放下，又放不下，待要問去，又怕人猜疑。

正是猶豫不決，神魂不定之際，忽聽窗外問道：“姐姐在屋裏没有？”小紅聞聽，在窗眼內望外一看，原來是本院的個小丫頭，名叫佳蕙的，因答説：“在家裏呢，你進來罷。”佳蕙聽了，跑進來，就坐在床上，笑道：“我好造化，才在院子裏洗東西，寶玉叫往林姑娘那裏送茶葉，花大姐姐交給我送去。可巧老太太給林姑娘送錢來，正分給他們的丫頭們呢。見我去了，林姑娘就抓了兩把給我，也不知多少，你替我收着。”便把手帕子打開，把錢倒了出來。小紅就替他一五一十的數了收起。

佳蕙道：“你這一陣子，心裏到底覺怎麼樣？依我説，你竟家去住兩日，請一個大夫來瞧瞧，吃兩劑藥就好了。”小紅道：“説那裏的話，好好的，家去做什麼？”佳蕙道：“我想起來了：林姑娘生的弱，時常他吃藥，你就和他要些來吃，也是一樣。”小紅道：“胡説！藥也是混吃的？”佳蕙道：“你這也不是個長法兒，又懶吃懶喝的，終久怎麼樣?"小紅道:"怕什麼,還不如早些死了倒乾净!"佳蕙道:"好好的,怎麼説這些話?"小紅道:"你那裏知道我心中的事!"

佳蕙點頭,想了一會道:"可也怨不得你。這個地方,本也難站。就像昨兒老太太因寶玉病了這些日子,説伏侍的人都辛苦了,如今身上好了,各處還香了願,教把跟着的人都按着等兒賞他們。我們算年紀小,上不去,我也不抱怨;像你怎麼也不算在裏頭?我心裏就不服。襲人那怕他得十分兒,也不惱他,原該的。説句良心話,誰還能比他呢?別説他素日殷勤小心,便是不殷勤小心,也拼不得。只可氣晴雯、綺霞他們這幾個,都算在上等裏去,仗着老子娘的臉面,衆人倒捧着他去!你説可氣不可氣?"小紅道:"也不犯着氣他們。俗語説的:'千里搭長棚,没有個不散的筵席',誰守一輩子呢?不過三年五載,各人幹各人的去了,那時誰還管誰呢?"這兩句話,不覺感動了佳蕙心腸,由不得眼圈兒紅了,又不好意思無端的哭,只得勉强笑道:"你這話説的是。昨兒寶玉還説,明兒怎麼樣收拾房子,怎麼樣做衣裳,倒像有幾百年的熬煎。"

小紅聽了,冷笑兩聲,方要説話,只見一個未留頭的小丫頭走進來,手裏拿着些花樣子並兩張紙,説道:"這兩個花樣子,叫你描出來呢。"説着,向小紅擲下,回轉身就跑了。小紅向外問道:"到底是誰的?也等不的説完就跑,誰蒸下饅頭等着你,怕冷了不成?"那小丫頭在窗外只説得一聲:"是綺大姐姐的。"抬起脚來,"咕咚咕咚"又跑了。小紅便賭氣把那樣子擲在一邊,向抽屜內找筆。找了半天,都是秃了的,因説道:"前兒一枝新筆,放在那裏了?怎麼想不起來。"一面説,一面出神,想了一回,方笑道:"是了,前兒晚上,這兒拿了去了。"便向佳蕙道:"你替我取了來。"佳蕙道:"花大姐姐還等着我替他拿箱子,你自取去罷。"小紅道:"他等着你,你還坐着閑打牙兒?我不叫你取去,他也不等你了。壞透了的小蹄子!"説着,自己便出房來,出了怡紅院,一徑往寶釵院內來。

剛至沁芳亭畔,只見寶玉的奶娘李嬤嬤從那邊來。小紅立住,笑問道:"李奶奶,你老人家那裏去了?怎麼打這裏來?"李嬤嬤站住,將手一拍,道:"你説,好好的,又看上了那個什麼'雲哥兒''雨哥兒'的,這會子逼着我叫了他來。明兒叫上房裏聽見,可又是不好。"小紅笑道:"你老人家當真的就信着他去叫麼?"李嬤嬤道:"可怎麼樣呢?"小紅笑道:"那一個要是知好歹,就回不進來才是。"李嬤嬤道:"他又不傻,爲什麼不進來?"小紅道:"既是進來,你老人家該別同他一齊兒來,回來叫他一個人亂蹦,可是不好麼!"李嬤嬤道:"我有那們大工夫和他走?不過告訴他,回來打發個小丫頭子或是老婆子,帶進他來就完了。"説着,拄着拐一徑去了。

小紅聽説,便站着出神,且不去取筆。不多時,只見一個小丫頭跑來,見小紅站在那裏,便問道:"紅姐姐,你在這裏作什麼呢?"小紅抬頭,見是小丫頭子墜兒。小紅道:"那裏去?"墜兒道:"叫我帶進芸二爺來。"説着,一徑跑了。這裏小紅剛走至蜂腰橋門前,只見那邊墜兒引着賈芸來了。那賈芸一面走,一面拿眼把小紅一溜;那小紅只妝着和墜兒説話,也把眼去一溜賈芸:四目恰好相對。小紅不覺把臉一紅,一扭身,往蘅蕪苑去了。不在話下。

這裏賈芸隨着墜兒,逶迤來至怡紅院中。墜兒先進去回明了,然後方領賈芸進去。賈芸看時,只見院內略略有幾點山石,種着芭蕉,那邊有兩隻仙鶴,在松樹下剔翎。一溜迴廊上,吊着各色籠子,各色仙禽異鳥。上面小小五間抱廈,一色雕鏤新鮮花樣槅扇,上面懸着一個匾,四個大字,題道是"怡紅快緑"。賈芸想道:"怪道叫'怡紅院',原來匾上是這四個字。"正想着,只聽裏面隔着紗窗子笑説道:"快進來罷。我怎麼就忘了你兩三個月!"賈芸聽見是寶玉的聲音,連忙進入房內。抬頭一看,只見金碧輝煌,文章爛爍,却看不見寶玉在那裏。一回頭,只見左邊立着一架大穿衣鏡,從鏡後轉出兩個一對兒十五六歲的丫頭來,説:"請二爺裏頭屋裏坐。"賈芸連正眼也不敢看,連忙答應了。又進一道碧紗廚,只見小小一張填漆床上,懸着大紅銷金撒花帳子。寶玉穿着家常衣服,趿着鞋,倚在床上,拿着本書,看見他進來,將書擲下,早帶笑立身來。賈芸忙上前請了安。寶玉讓坐,便在下面一張椅子上坐了。

寶玉笑道:"只從那個月見了你,我叫你往書房裏來,誰知接接連連許多事情,就把你忘了。"賈芸笑道:"總是我没福,偏偏又遇着叔叔欠安。叔叔如今可大安了?"寶玉道:"大好了。我倒聽見説,你辛苦了好幾天。"賈芸道:"辛苦也是該當的。叔叔大安了,也是我們一家子的造化。"説着,只見有個丫鬟端了茶來與他。那賈芸口裏和寶玉説話,眼睛却瞅那丫鬟:細挑身子,容長臉兒,穿着銀紅襖兒,青緞子背心,白綾細摺兒裙子。那賈芸只從寶玉病了,他在裏頭混了兩天,都把有名人口記了一半。他看見這丫鬟,知道是襲人,他在寶玉房中,比別人不同,如今端了茶來,寶玉又在旁邊坐着,便忙站起來笑道:"姐姐怎麼替我倒起茶來?我來到叔叔這裏,又不是客,讓我自己倒罷了。"寶玉道:"你只管坐着罷。丫頭們跟前,也是這樣。"賈芸笑道:"雖如此説,叔叔房裏姐姐們我怎麼敢放肆呢?"一面説,一面坐下吃茶。

那寶玉便和他説些没要緊的散話。又説道誰家的戲子好,誰家的花園好,又告訴他誰家的丫頭標致,誰家的酒席豐盛,又是誰家有奇貨,又是誰家有異物。那賈芸口裏只得順着他説。説了一回,見寶玉有些懶懶的了,便起身告辭。寶玉也不甚留,只説:"你明兒閑了,只管來。"仍命小丫頭子墜兒送出去了。

出了怡紅院,賈芸見四顧無人,便脚步慢慢的停着些走,口裏一長一短和墜兒説話,先問他"幾歲了?名字叫什麼?你父母在那行上?在寶叔房内幾年了?一個月多少錢?共總寶叔房内有幾個女孩子?"那墜兒見問,便一椿椿的都告訴了他。賈芸又道:"才剛那個與你説話的,他可是叫小紅?"墜兒笑道:"他就叫小紅。你問他作什麼?"賈芸道:"方才他問你什麼手帕子,我倒揀了一塊。"墜兒聽了笑道:"他問了我好幾遍,可有看見他的帕子的。我那麼大工夫管這些事?今兒他又問我,他説我替他找着了,他還謝我呢。才在蘅蕪苑門口説的,二爺也聽見了,不是我撒謊。好二爺,你既揀了,給我罷。我看他拿什麼謝我。"

原來上月賈芸進來種樹之時,便揀了一塊羅帕,知是這園内的人失落的,但不知是那一個人的,故不敢造次。今聽見小紅問墜兒,知是他的,心内不勝喜幸。又見墜兒追索,心中早得了主意,便向袖内將自己的一塊取了出來,向墜兒笑道:"我給是給你,你若得了他的謝禮,可不許瞞我的。"墜兒滿口裏答應了,接了手帕子,送出賈芸。回來找小紅,不在話下。

如今且説寶玉打發賈芸去後,意思懶懶的,歪在床上,似有朦朧之態。襲人便走上來,坐在床沿上,推他説道:"怎麼又要睡覺?你悶的狠,出去逛逛不好?"寶玉見説,携着他的

寶玉信步走入,只見湘簾垂地,悄無人聲。走至窗前,覺得一縷幽香,從碧紗窗中暗暗透出。寶玉便將臉貼在紗窗上,往裏看時,耳内忽聽得細細的長嘆了一聲,道:"'每日家情思睡昏昏。'"寶玉聽了,不覺心内癢將起來。再看時,只見黛玉在床上伸懶腰。寶玉在窗外笑道:"爲什麼'每日家情思睡昏昏'的?"一面説,一面掀簾子進來了。　戴敦邦 畫

手，笑道："我要去，只是捨不得你。"襲人笑道："快起來罷！"一面説，一面拉了寶玉起來。寶玉道："可往那裏去呢?怪膩膩煩煩的。"襲人道："你出去了就好了。只管這麼葳蕤，越發心裏膩煩了。"

寶玉無精打彩，只得依他。訑出了房門，在迴廊上調弄了一回雀兒;出至院外，順着沁芳溪，看了一回金魚。只見那邊山坡上兩隻小鹿箭也似的跑來。寶玉不解何意，正自納悶，只見賈蘭在後面，拿着一張小弓兒，追了下來。一見寶玉在前，便站住了，笑道："二叔叔在家裏呢，我只當出門去了。"寶玉道："你又淘氣了。好好的，射他做什麼?"賈蘭笑道："這會子不念書，閑着做什麼?所以演習演習騎射。"寶玉道："把牙磕了，那時候才不演呢。"

説着，順着脚一徑來至一個院門前，鳳尾森森，龍吟細細，却是瀟湘館。寶玉信步走入，只見湘簾垂地，悄無人聲。走至窗前，覺得一縷幽香，從碧紗窗中暗暗透出。寶玉便將臉貼在紗窗上，往裏看時，耳內忽聽得細細的長嘆了一聲，道："'每日家情思睡昏昏。'"寶玉聽了，不覺心內癢將起來。再看時，只見黛玉在床上伸懶腰。

寶玉在窗外笑道："爲什麼'每日家情思睡昏昏'的?"一面説，一面掀簾子進來了。

黛玉自覺忘情，不覺紅了臉，拿袖子遮了臉，翻身向裏妝睡着了。寶玉才走上來，要扳他的身子，只見黛玉的奶娘並兩個婆子却跟了進來，説："妹妹睡覺呢，等醒來再請罷。"剛説着，黛玉便翻身坐了起來，笑道："誰睡覺呢?"那兩三個婆子見黛玉起來，便笑道："我們只當姑娘睡了。"説着，便叫紫鵑，説："姑娘醒了，進來伺候。"一面説，一面都去了。

黛玉坐在床上，一面抬手整理鬢髮，一面笑向寶玉道："人家睡覺，你進來做什麼?"寶玉見他星眼微餳，香腮帶赤，不覺神魂早蕩，一歪身坐在椅子上，笑道："你才説什麼?"黛玉道：

"我没説什麼。"寶玉笑道:"給你個栗子吃呢!我都聽見了。"二人正説話,只見紫鵑進來。寶玉笑道:"紫鵑,把你們的好茶倒碗我吃。"紫鵑道:"那裏有好的呢?要好的,只好等襲人來。"黛玉道:"別理他,你先給我舀水去罷。"紫鵑道:"他是客,自然先倒了茶來再舀水去。"説着,倒茶去了。寶玉笑道:"好丫頭,'若共你多情小姐同鴛帳,怎捨得叫你叠被鋪床?'"林黛玉登時撂下臉來,説道:"二哥哥,你説什麼?"寶玉笑道:"我何嘗説什麼?"黛玉便哭道:"如今新興的,外頭聽了村話來,也説給我聽;看了混賬書,也拿我取笑兒。我成了替爺們解悶兒的。"一面哭,一面下床來,往外就走。寶玉不知要怎樣,心下慌了,忙趕上來説:"好妹妹,我一時該死!你別告訴去。我再敢説這樣話,嘴上就長個疔,爛了舌頭。"

正説着,只見襲人走來,説道:"快回去穿衣服,老爺叫你呢。"寶玉聽了,不覺打了個焦雷一般,也顧不得別的,疾忙回來穿衣服。出園來,只見焙茗在二門前等着。寶玉問道:"你可知道叫我是爲什麼?"焙茗道:"爺快出來罷,橫豎是見去的,到那裏就知道了。"一面説,一面催着寶玉。

轉過大廳,寶玉心裏還自狐疑,只聽牆角邊一陣呵呵大笑,回頭見薛蟠拍着手跳了出來,笑道:"要不説姨父叫你,你那裏肯出來的這麼快?"焙茗也笑着跪下了。寶玉怔了半天,方解過來,是薛蟠哄他出來。薛蟠連忙打恭作揖陪不是,又求:"不要難爲了小子,都是我央他去的。"寶玉也無法了,只好笑問道:"你哄我也罷了,怎麼説我父親?我告訴姨娘去,評評這個理,可使得麼?"薛蟠忙道:"好兄弟,我原爲求你快些出來,就忘了忌諱這句話。改日你要哄我,也説我父親就完了。"寶玉道:"嗳喲,越發的該死了!"又向焙茗道:"反叛肏的,還跪着做什麼!"焙茗連忙叩頭起來。薛蟠道:"要不是我也不敢驚動,只因明兒五月初三日是我的生日,誰知古董行的程日興,他不知那裏尋了來的這麼粗、這麼長、粉脆的鮮藕,這麼大的西瓜,這麼長、這麼大一個暹羅國進貢的靈柏香熏的暹羅豬、魚。你説這四樣禮物,可難得不難得?那魚、豬不過貴而難得,這藕和瓜虧他怎麼種出來的!我連忙孝敬了母親,趕着給你們老太太、姨母送了些去。如今留了些,我要自己吃,恐怕折福。左思右想,除我之外,惟你還配吃,所以特請你來。可巧唱曲兒的一個小子又來了,我同你樂一日何如?"一面説,一面來至他書房裏。只見詹光、程日興、胡斯來、單聘仁等,並唱曲兒的都在這裏。見他進來,請安的,問好的,都彼此見過了。吃了茶,薛蟠即命人:"擺酒來。"説猶未了,衆小廝七手八腳,擺了半天,方才停當歸坐。

寶玉果見瓜藕新異,因笑道:"我的壽禮還未送來,倒先擾了。"薛蟠道:"可是呢。你明兒來拜壽,打算送什麼新鮮禮物?"寶玉道:"我沒有什麼送的。若論銀錢穿吃等類的東西,究竟還不是我的;惟有寫一張字,或畫一張畫,這算是我的。"薛蟠笑道:"你提畫兒，我才想起來了，昨兒我看人家一本春宮兒，畫的着實好。上面還有許多的字，我也沒細看，只看落的款，原來是什麼'庚黃'的。真好的了不得！"寶玉聽說，心下猜疑道："古今字畫，也都見過些，那裏有個'庚黃'？"想了半天，不覺笑將起來，命人取過筆來，在手心裏寫了兩個字，又問薛蟠道："你看真了是'庚黃'麼？"薛蟠道："怎麼看不真！"寶玉將手一撒，與他看道："可是這兩個字罷？其實與'庚黃'相去不遠。"衆人都看時，原來是"唐寅"兩個字，都笑道："想必是這兩字，大爺一時眼花了，也未可知。"薛蟠自覺沒意思，笑道："誰知他是'糖銀'是'果銀'的！"

正說着，小廝來回："馮大爺來了。"寶玉便知是神武將軍馮唐之子馮紫英來了。薛蟠等一齊都叫："快請！"說猶未了，只見馮紫英一路說笑，已進來了。衆人忙起席讓坐。馮紫英笑道："好呀！也不出門了，在家裏高樂罷。"寶玉、薛蟠都笑道："一向少會。老世伯身上康健？"紫英答道："家父倒也託庇康健。近來家母偶着了些風寒，不好了兩天。"薛蟠見他面上有些青傷，便笑道："這臉上又和誰揮拳來？挂了幌子了。"馮紫英笑道："從那一遭把仇都尉的兒子打傷了，我記了，再不惱氣，如何又揮拳？這個臉上，是前日打圍，在鐵網山教兔鶻梢了一翅膀。"寶玉道："幾時的話？"紫英道："三月二十八日去的，前兒也就回來了。"寶玉道："怪道前兒初三四兒，我在沈世兄家赴席，不見你呢。我要問，不知怎麼忘了。單你去了，還是老世伯也去了？"紫英道："可不是家父去！我沒法兒，去罷了。難道我閑瘋了？咱們幾個人吃酒聽唱的不樂，尋那個苦惱去？這一次，大不幸之中却有大幸。"

薛蟠衆人見他吃完了茶，都說道："且入席，有話慢慢的說。"馮紫英聽說，便立起身來，說道："論理，我該陪飲幾杯才是，只是今兒有一件大大要緊事，回去還要見家父面回，實不敢領。"薛蟠、寶玉衆人那裏肯依，死拉着不放。馮紫英笑道："這又奇了。你我這些年，那一回有這個道理的？果然不能遵命。若必定叫我領，拿大杯來，我領兩杯就是了。"衆人聽說，只得罷了。薛蟠執壺，寶玉把盞，斟了兩大海。那馮紫英站着，一氣而盡。寶玉道："你到底把這個'不幸之幸'說完了再走。"馮紫英笑道："今兒說的也不盡興。我爲這個，還要特治一個東兒，請你們去細談一談；二則還有奉懇之處。"說着，撒手就走。薛蟠道："越發說的人熱剌剌的丟不下。多早晚才請我們？告訴了，也免的人猶疑。"馮紫英道："多則十日，少則八天。"一面說，一面出門上馬去了。衆人回來，依席又飲了一回方散。

寶玉回至園中，襲人正記挂着他去見賈政，不知是禍是福；只見寶玉醉醺醺回來，因問其原故，寶玉一一向他說了。襲人道："人家牽腸挂肚的等着，你且高樂去，也到

林黛玉聽了，不覺氣怔在門外。待要高聲問他，逗起氣來，自己又回思一番："雖說是舅母家，如同自己家一樣，到底是客邊。如今父母雙亡，無依無靠，現在他家依栖。如今認真慪氣，也覺沒趣。"一面想，一面又滾下淚珠來了。正是回去不是，站着不是。潘寶子 畫

蜂腰橋設言傳心事　瀟湘館春困發幽情

底打發個人來給個信兒。"寶玉道："我何嘗不要送信兒，因馮世兄來了，就混忘了。"正說着，只見寶釵走進來，笑道："偏了我們新鮮東西了?"寶玉笑道："姐姐家的東西，自然先偏了我們了。"寶釵搖頭笑道："昨兒哥哥倒特特的請我吃，我不吃，我叫他留着送與別人罷。我知道我的命小福薄，不配吃那個。"說着，丫鬟倒了茶來吃茶，說閑話兒，不在話下。

却説那林黛玉聽見賈政叫了寶玉去了，一日不回來，心中也替他憂慮。至晚飯後，聞得寶玉來了，心裏要找他問問是怎麼樣了。一步步行來，見寶釵進寶玉的園內去了，自己也隨後走了來。剛到了沁芳橋，只見各色水禽，盡都在池中浴水，也認不出名色來，但見一個個文彩燗灼，好看異常，因而站住，看了一回。再往怡紅院來，門已關了，黛玉即便叩門。

誰知晴雯和碧痕二人正拌了嘴，沒好氣，忽見寶釵來了，那晴雯正把氣移在寶釵身上，正在院內報怨說："有事沒事，跑了來坐着，叫我們三更半夜的不得睡覺。"忽聽又有人叫門，晴雯越發動了氣，也並不問是誰，便説道："都睡下了，明兒再來罷!"林黛玉素知丫頭們的情性，他們彼此頑耍慣了，恐怕院內的丫頭沒聽見是他的聲音，只當別的丫頭們了，所以不開門。因而又高聲説道："是我，還不開門麼?"晴雯偏生還沒聽見，便使性子説道："憑你是誰，二爺吩咐的，一概不許放人進來呢!"

林黛玉聽了，不覺氣怔在門外。待要高聲問他，逗起氣來，自己又回思一番："雖説是舅母家，如同自己家一樣，到底是客邊。如今父母雙亡，無依無靠，現在他家依栖。如今認真慪氣，也覺沒趣。"一面想，一面又滾下淚珠來了。正是回去不是，站着不是。正沒主意，只聽裏面一陣笑語之聲，細聽一聽，竟是寶玉、寶釵二人。林黛玉心中越發動了氣，左思右想，忽然想起早起的事來："必竟是寶玉惱我告他的原故。但只我何嘗告你去了?你也不打聽打聽，就惱我到這步田地。你今兒不叫我進來，難道明兒就不見面了?"越想越傷感起來，也不顧蒼苔露冷，花徑風寒，獨立墻角邊花陰之下，悲悲切切，嗚咽起來。

原來這林黛玉：秉絕代姿容，具稀世俊美，不期這一哭，那附近柳枝花朵上宿鳥栖鴉，一聞此聲，俱"忒楞楞"飛起遠避，不忍再聽。正是：

　　　　花魂點點無情緒，鳥夢痴痴何處驚。

因有一首詩道：

　　　　顰兒才貌世應稀，獨抱幽芳出繡閨。嗚咽一聲猶未了，落花滿地鳥驚飛。

那林黛玉正自啼哭，忽聽"吱嘍"一聲，院門開處，不知是那一個出來。要知端的，下回分解。

　　話説林黛玉正自悲泣，忽聽院門響處，只見寶釵出來了，寶玉、襲人一羣人送了出來。待要上去問着寶玉，又恐當着衆人，問着了寶玉不便，因而閃過一旁，讓寶釵去了。寶玉等進去關了門，方轉過來，尚望着門洒了幾點淚。自覺無味，轉身回來，無精打彩的卸了殘妝。

　　紫鵑、雪雁素日知道林黛玉的情性：無事悶坐，不是愁眉，便是長嘆，且好端端的，不知爲了什麼，常常的便自淚不乾的。先時還有人解勸，或怕他思父母，想家鄉，受委曲，用話來寬慰解勸。誰知後來一年一月的竟常常如此，把這個樣兒看慣了，也都不理論了。所以也沒人去理，由他悶坐，只管睡覺去。那林黛玉倚着床欄杆，兩手抱着膝，眼睛含着淚，好似木雕泥塑的一般，直坐到二更多天，方才睡了。一宿無話。

　　至次日，乃是四月二十六日，原來這日未時交芒種節。尚古風俗：凡交芒種節的這日，都要設擺各色禮物，祭餞花神，言芒種一過，便是夏日了，衆花皆卸，花神退位，須要餞行。閨中更興這件風俗，所以大觀園中之人，都早起來了。那些女孩子們或用花瓣柳枝編成轎馬的，或用綾錦紗羅叠成干旄旌幢的，都用彩綫繫了。每一棵樹，每一枝花上，都繫了這些物事。滿園裏繡帶飄颻，花枝招展，更兼這些人打扮的桃羞杏讓，燕妒鶯慚，一時也道不盡。

　　且説寶釵、迎春、探春、惜春、李紈、鳳姐等並大姐兒、香菱與衆丫鬟們都在園內頑耍，獨不見林黛玉。迎春因説道："林妹妹怎麼不見？好個懶丫頭！這會子還睡覺不成？"寶釵道："你們等着，等我去鬧了他來。"説着，便丢了衆人，一直往瀟湘館來。正走着，只見文官等十二個女孩子也來了，上來問了好，説了一回閑話。寶釵回身指道："他們都在那裏呢，你們找他們去。我找林姑娘去，就來。"説着，逶迤往瀟湘館來。忽然抬頭見寶玉進去了，寶釵便站住，低頭想了一想："寶玉和林黛玉是從小兒一處長大，他兄妹間多有不避嫌疑之處，嘲笑不忌，喜怒無常；況且黛玉素昔猜忌，好弄小性兒的。此刻自己也跟了進去，一則寶玉不便，二則黛玉嫌疑，倒是回來的妙。"想畢，抽身回來。

剛要尋別的姊妹去，忽見面前一雙玉色蝴蝶，大如團扇，一上一下，迎風翩躚，十分有趣。寶釵意欲撲了來頑耍，遂向袖中取出扇子來，向草地下來撲。只見那一雙蝴蝶，忽起忽落，來來往往，將欲過河去了。倒引的寶釵蹑手蹑脚的，一直跟到池邊滴翠亭上，香汗淋漓，嬌喘細細。寶釵也無心撲了。剛欲回來，只聽那亭裏邊，嘁嘁喳喳有人説話。原來這亭子四面俱是游廊曲欄，蓋在池中水上，四面雕鏤槅子，糊着紙。

寶釵在亭外聽見説話，便煞住脚，往裏細聽。只聽説道："你瞧瞧，這手帕子果然是你丢的那塊，你就拿着；要不是，就還芸二爺去。"又有一人説話："可不是我那塊！拿來給我罷。"又聽道："你拿什麼謝我呢？難道白找了來不成？"又答道："我已經許了謝你，自然是不哄你的。"又聽説道："我找了來給你，自然謝我；但只是那揀的人，你就不謝他麼？"那一個又説道："你別胡説。他是個爺們家，揀了我們的東西，自然該還的。叫我拿什麼謝他呢？"又聽説道："你不謝他，我怎麼回他呢？況且再三再四的和我説了，若没謝的，不許我給你呢。"半晌，又聽説道："也罷，拿我這個給他，算謝他的罷。你要告訴別人呢？須説一個誓。"又聽説道："我要告訴人，嘴上就長一個疔，日後不得好死！"又聽説道："嗳呀！咱們只顧説話，看有人來悄悄的在外頭聽見，不如把這槅子都推開了，便是人見咱們在這裏，他們只當我們説頑話呢。"

且説寶釵、迎春、探春、惜春、李紈、鳳姐並大姐兒、香菱與衆丫鬟們都在園内頑耍，獨不見林黛玉。迎春因説道："林妹妹怎麼不見？好個懶丫頭！這會子還睡覺不成？"寶釵道："你們等着，等我去鬧了他來。"説着，便丢了衆人，一直往瀟湘館來。

潘寶子 畫

紅樓夢　0244　第貳拾柒回

滴翠亭楊妃戲彩蝶　埋香冢飛燕泣殘紅

若走到跟前，咱們也看的見，就別説了。"

　　寶釵外面聽見這話，心中吃驚，想道："怪道從古至今，那些奸淫狗盜的人，心機都不錯。這一開了，見我在這裏，他們豈不臊了?況且説話的語音，大似寶玉房裏紅兒的言語。他素昔眼空心大，是個頭等刁鑽古怪東西。今兒我聽了他的短兒，'人急造反，狗急跳牆'，不但生事，而且我還没趣。如今便趕着躲了，料也躲不及，少不得要使個'金蟬脱殻'的法子。"猶未想完，只聽"咯吱"一聲，寶釵便故意放重了腳步，笑着叫道："顰兒! 我看你往那裏藏!"一面説，一面故意往前趕。

　　那亭内的小紅、墜兒剛一推窗，只聽寶釵如此説着往前趕，兩個人都唬怔了。寶釵反向他二人笑道："你們把林姑娘藏在那裏了?"墜兒道："何曾見林姑娘了?"寶釵道："我才在河那邊看着林姑娘在這裏蹲着弄水兒呢。我要悄悄的唬他一跳，還没有走到跟前，他倒看見我了，朝東一繞，就不見了。别是藏在裏頭了。"一面説，一面故意進去，尋了一尋，抽身就走，口内説道："一定又鑽在山子洞裏去了。遇見蛇，咬一口也罷了!"一面説，一面走，心中又好笑："這件事，算遮過去了。不知他二人是怎樣?"

　　誰知小紅聽了寶釵的話，便信以爲真，讓寶釵去遠，便拉墜兒道："了不得了! 林姑娘蹲在這裏，一定聽了話去了!"墜兒聽説，也半日不言語。小紅又道："這可怎麼樣呢?"墜兒道："便聽見了，管誰筋疼! 各人幹各人的就完了。"小紅道："若是寶姑娘聽見，還倒罷了。林姑娘嘴裏又愛克薄人，心裏又細，他一聽見了，倘或走露了，怎麼樣呢?"二人正説着，只見文官、香菱、司棋、侍書等上亭子來了。二人只得掩住話，且和他們頑笑。

　　只見鳳姐兒站在山坡上招手叫，小紅連忙棄了衆人，跑至鳳姐前，堆着笑問："奶奶使喚做什麼事?"鳳姐打諒了一回，見他生的乾净俏麗，説話知趣，因笑説道："我的丫頭今兒没跟進我來。我這會子想起一件事來，要使喚個人出去，不知你能幹不能幹，

　　剛要尋別的姊妹去，忽見面前一雙玉色蝴蝶，大如團扇，一上一下，迎風翩躚，十分有趣。寶釵意欲撲了來頑要，遂向袖中取出扇子來，向草地下來撲。

華三川 畫

滴翠亭楊妃戲彩蝶 埋香冢飛燕泣殘紅

說的齊全不齊全。"小紅笑道:"奶奶有什麼話,只管吩咐我說去。若說的不齊全,誤了奶奶的事,任憑奶奶責罰就是了。"鳳姐笑道:"你是那位姑娘房裏的?我使你出去,他回來找你,我好替你說。"小紅道:"我是寶二爺房裏的。"鳳姐聽了笑道:"噯喲!你原來是寶玉房裏的,怪道呢。也罷了,等他問,我替你說。你到我們家,告訴你平姐姐:外頭屋裏桌子上汝窰盤子架兒底下放着一卷銀子,那是一百二十兩,給繡匠的工價,等張材家的來要,當面秤給他瞧了,再給他拿去。再裏頭床頭上有一個小荷包,拿了來。"

　　小紅聽說撤身去了,不多時回來了,只見鳳姐不在這山坡上了。因見司棋從山洞裏出來,站着繫裙子,便趕來問道:"姐姐,不知道二奶奶往那裏去了?"司棋道:"沒理論。"小紅聽了,回身又往四下裏一看,只見那邊探春、寶釵在池邊看魚。小紅上來陪笑道:"姑娘們可知道二奶奶剛才那裏去了?"探春道:"往你大奶奶院裏找去。"小紅聽了,再往稻香村來。頂頭只見晴雯、綺霞、碧痕、秋紋、麝月、侍書、入畫、鶯兒等一羣人來了。晴雯一見小紅,便說道:"你只是瘋罷!院子裏花兒也不澆,雀兒也不喂,茶爐子也不弄,就在外頭逛!"小紅道:"昨兒二爺說了,今兒不用澆花,過一日澆一回罷。我喂雀兒的時候,姐姐還睡覺呢。"碧痕道:"茶爐子呢?"小紅道:"今兒不該我的班兒,有茶沒茶,休問我。"綺霞道:"你聽聽他的嘴!你們別說了,讓他逛罷。"小紅道:"你們再問問,我逛了沒逛。二奶奶才使喚我說話取東西去的。"說着,將荷包舉給他們看,方沒言語了。大家走開。晴雯冷笑道:"怪道呢!原來爬上高枝兒去了,把我們不放在眼裏了。不知說了一句話半句話,名兒姓兒知道了不曾,就把他興頭的這個樣!這一遭兒半遭兒的,算不得什麼,過了後兒,還得聽呵!有本事從今兒出了這園子,長長遠遠的在高枝兒上才算得!"一面說着去了。

　　這裏小紅聽說,不便分證,只得忍着氣,來找鳳姐兒。到了李氏房中,果見鳳姐兒在這

只見那一雙蝴蝶,忽起忽落,來來往往,將欲過河去了。倒引的寶釵躡手躡腳的,一直跟到池邊滴翠亭上。

劉旦宅　畫 ▶

裏和李氏說話兒呢。小紅上來回道：“平姐姐說，奶奶剛出來了，他就把銀子收起來了，才張材家的來取，當面秤了，給他拿去了。”說着，將荷包遞了上去。又道：“平姐姐叫我來回奶奶：才旺兒進來討奶奶的示下，好往那家子去的。平姐姐就把那話按着奶奶的主意，打發他去了。”鳳姐笑道：“他怎麼按我的主意打發去了？”小紅道：“平姐姐說：‘我們奶奶問這裏奶奶好。原是我們二爺不在家，雖然遲了兩天，只管請奶奶放心。等五奶奶好些，我們奶奶還會了五奶奶來瞧奶奶呢。五奶奶前兒打發了人來說，舅

寶釵撲蝶

奶奶帶了信來了,問奶奶好,還要和這裏的姑奶奶尋兩丸延年神驗萬金丹。若有了,奶奶打發人來,只管送在我們奶奶這裏,明兒有人去,就順路給那邊舅奶奶帶去的。'"話未說完,李氏道:"嗳喲喲!這話我就不懂了,什麼'奶奶''爺爺'的一大堆!"鳳姐笑道:"怨不得你不懂,這是四五門子的話呢。"說着,又向小紅笑道:"好孩子,難爲你說的齊全。不像他們扭扭捏捏蚊子似的。嫂子不知道,如今除了我隨手使的這幾個丫頭老婆子之外,我就怕和別人說話。他們必定把一句話拉長了,作兩三截兒,咬文嚼字,拿着腔兒,哼哼唧唧的,急的我冒火。他們那裏知道! 先

是我們平兒也是這麼着,我就問着他:難道必定妝蚊子哼哼,就是美人了?說了幾遭,才好些了。"李宮裁笑道:"都像你潑辣貨才好!"鳳姐道:"這一個丫頭就好。方才兩遭,說

寶釵香汗淋漓,嬌喘細細,也無心撲蝶了。　　　　　　　　　　　　　　　　劉旦宅　畫

原來這亭子四面俱是游廊曲欄,蓋在池中水上,四面雕鏤槅子,糊着紙。寶釵在亭外聽見說話,便煞住脚,往裏細聽。

潘寶子　畫 ▶

滴翠亭楊妃戲彩蝶　埋香冢飛燕泣殘紅

話雖不多，聽那口角就狠剪斷。"説着，又向小紅笑道："明兒你伏侍我去罷，我認你做女兒。我一調理，你就出息了。"

小紅聽了，"撲哧"一笑。鳳姐道："你怎麼笑?你説我年輕，比你能大幾歲，就做你的媽了?你做春夢呢!你打聽打聽，這些人比你大的趕着我叫媽，我還不理他呢!今兒抬舉了你了!"小紅笑道："我不是笑這個，我笑奶奶認錯了輩數兒了。我媽是奶奶的女兒，這會子又認我做女兒。"鳳姐道："誰是你媽?"李宮裁笑道："你原來不認的他?他是林之孝的女兒。"鳳姐聽了，十分咤異，因説道："哦!原來是他的丫頭。"又笑道："林之孝兩口子，都是錐子扎不出一聲兒來的。我成日家説，他們倒是配就了的一對夫妻，一個天聾，一個地啞。那裏承望，養出這麼個伶俐丫頭來!你十幾歲了?"小紅道："十七歲了。"又問名字，小紅道："原叫'紅玉'的，因爲重了寶二爺，如今只叫紅兒了。"鳳姐聽説，將眉一皺，把頭一回，説道："討人嫌的狠!得了'玉'的便宜似的，你也'玉'，我也'玉'。"因説："嫂子不知道，我和他媽説:'賴大家的如今事多，也不知這府裏誰是誰，你替我好好的挑兩個丫頭我使。'他一般的答應着，他饒不挑，倒把他這女孩子送了別處去。難道跟我必定不好?"李紈笑道："你可是又多心了。進來在先，你説在後，怎麼怨的他媽?"鳳姐説道："你這麼着，明兒我和寶玉説，叫他再要人，叫這丫頭跟我去。可不知本人願意不願意?"小紅笑道："願意不願意，我們也不敢説。只是跟着奶奶，我們學些眉眼高低，出入上下，大小的事兒，也得見識見識。"剛説着，只見王夫人的丫頭來請，鳳姐便辭了李宮裁了。小紅回怡紅院去，不在話下。

如今且説林黛玉因夜間失寐，次日起來遲了，聞得衆姊妹都在園中做餞花會，恐人笑他痴懶，連忙梳洗了出來。剛到了院中，只見寶玉進門來了，便笑道："好妹妹，你昨兒可告了我了不曾?我懸了一夜心。"黛玉便回頭叫紫鵑道："把屋子收拾了，下一扇紗屜，看那大燕子回來，把簾子放了下來，拿獅子倚住，燒了香，就把爐罩上。"一面説，一面又往外走。寶玉見他這樣，還認作是昨日晌午的事，那知晚間的這件公案?還打恭作揖的。林黛玉正眼也不看，各自出了院門，一直找別的姊妹去了。寶玉心中納悶，自己猜疑："看起這樣光景來，不像是爲昨兒的事。但只昨日我回來得晚了，又沒有見他，再沒衝撞了他的去處了。"一面想，一面由不得隨後追了來。

只見寶釵、探春正在那邊看鶴舞，見黛玉來了，三個一同站着説話兒。又見寶玉來了，探春便笑道："寶哥哥，身上好?我整整的三天沒見你了。"寶玉笑道："妹妹身上好?我前兒還在大嫂子跟前問你呢。"探春道："寶哥哥，你往這裏來，我和你説話。"寶玉聽

只聽"咯吱"一聲，寶釵便故意放重了腳步，笑着叫道："顰兒!我看你往那裏藏!"一面説，一面故意往前趕。那小紅、墜兒只聽寶釵如此説着往前趕，兩個人都唬怔了。寶釵反向他二人笑道："你們把林姑娘藏在那裏了?"

潘寶子 畫 ▶

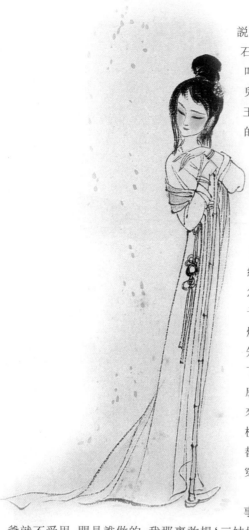

説，便跟了他，離了釵、玉兩個，到了一棵石榴樹下。探春因説道：“這幾天老爺可曾叫你？”寶玉笑道：“没有叫。”探春道：“昨兒我恍惚聽見説，老爺叫你出去的。”寶玉笑道：“那想是别人聽錯了，並没叫的。”探春又笑道：“這幾個月，我又攢下有十來吊錢了。你還拿了去，明兒出門逛去的時候，或是好字畫，好輕巧頑意兒，替我帶些來。”寶玉道：“我這麽逛去，城裏城外，大廊大廟的逛，也没見個新奇精緻東西。總不過是那些金、玉、銅、磁器，没處撂的古董，再就是綢緞、吃食、衣服了。”探春道：“誰要這些？怎麽像你上回買的那柳枝兒編的小籃子，真竹子根挖的香盒兒，膠泥垛的風爐兒，這就好了。我喜歡的什麽似的，誰知他們都愛上了，都當寶貝似的搶了去了。”寶玉笑道：“原來要這個。這不值什麽，拿幾百錢出去給小子們，管拉兩車來。”探春道：“小厮們知道什麽？你揀那樸而不俗、直而不拙的這些東西，你多多替我帶了來，我還像上回的鞋做一雙你穿，比那雙還加工夫如何呢？”

寶玉笑道：“你提起鞋來，我想起故事來了：一回穿着，可巧遇見了老爺，老爺就不受用，問是誰做的。我那裏敢提‘三妹妹’三個字，我就回説是前兒我生日，是舅母給的。老爺聽了是舅母給的，才不好説什麽的，半日還説：‘何苦來！虚耗人力，作踐綾羅，做這樣的東西。’我回來告訴了襲人，襲人説：‘這還罷了，趙姨娘氣的抱怨的了不得：正經兄弟，鞋塌拉襪塌拉的，没人看得見，且做這些東西！’”探春聽説，登時

花謝花飛飛滿天，紅消香斷有誰憐？
儂今葬花人笑痴，他年葬儂知是誰？

劉旦宅 畫
劉旦宅 畫

滴翠亭楊妃戲彩蝶　埋香冢飛燕泣殘紅

沉下臉來道：「你說，這話糊塗到什麼田地！怎麼我是該做鞋的人麼？環兒難道沒有分例的？衣裳是衣裳，鞋襪是鞋襪，丫頭老婆一屋子，怎麼抱怨這些話！給誰聽呢？我不過閑着沒事，作一雙半雙，愛給那個哥哥弟弟，隨我的心。誰敢管我不成？這也是他瞎氣。」寶玉聽了，點頭笑道：「你不知道，他心裏自然又有個想頭了。」探春聽說，一發動了氣，將頭一扭，說道：「連你也糊塗了！他那想頭自然是有的，不過是那陰微鄙賤的見識。他只管這麼想，我只管認得老爺、太太兩個人，別人我一概不管。就是姊妹弟兄跟前，誰和我好，我就和誰好，什麼偏的、庶的，我也不知道。論理，我不該說他，但他忒昏聵得不像了！還有笑話兒呢：就是上回我給你那錢，替我帶那頑耍的東西。過了兩天，他見了我，也是說沒錢，便怎麼難處。我也不理論，誰知後來丫頭們出去，他就抱怨起我來，說我攢的錢，爲什麼給你使，倒不給環兒使了。我聽見這話，又好笑，又好氣，我就出來往太太跟前去了。」正說着，只見寶釵那邊笑道：「說完了，來罷。顯見得是哥哥妹妹了，丟下別人，且說體己去。我們聽一句兒，就使不得了？」說着，探春、寶玉二人方笑着來了。

　　寶玉因不見了林黛玉，便知他躲了別處去了。想了一想：「索性遲兩日，等他的氣息一息，再去也罷了。」因低頭看見許多鳳仙、石榴等各色落花，錦重重的落了一地，因嘆道：「這是他心裏生了氣，也不收拾這花兒來了。待我送了去，明兒再問着他。」說着，只見寶釵約着他們往外頭去。寶玉道：「我就來。」等他二人去遠，把那花兜了起來，登山渡水，過樹穿花，一直奔了那日同林黛玉葬桃花的去處來。將已到了花冢，猶未轉過山坡，只聽山坡那邊有嗚咽之聲，一面數落着，哭的好不傷心。寶玉心下想道：「這不知是那房裏的丫頭，受了委屈，跑到這個地方來哭。」一面想，一面煞住脚步，聽他哭道是：

　　花謝花飛飛滿天，紅消香斷有誰憐？游絲軟繫飄春榭，落絮輕沾撲綉簾。閨中女兒惜春暮，愁緒滿懷無釋處；手把花鋤出綉簾，忍踏落花來復去？柳絲榆莢自芳菲，不管桃飄與李飛。桃李明年能再發，明年閨中知有誰？三月香巢已壘成，梁間燕子太無情！明年花發雖可啄，却不道人去梁空巢也傾。一年三百六十日，風刀霜劍嚴相逼；明媚鮮妍能幾時，一朝飄泊難尋覓。花開易見落難尋，階前悶殺葬花人；獨把花鋤淚暗洒，洒上空枝見血痕。杜鵑無語正黃昏，荷鋤歸去掩重門；青燈照壁人初睡，冷雨敲窗被未溫。怪奴底事倍傷神？半爲憐春半惱春：憐春忽至惱忽去，至又無言去不聞。昨宵庭外悲歌發，知是花魂與鳥魂？花魂鳥魂總難留，鳥自無言花自羞。願奴脅下生雙翼，隨花飛到天盡頭。天盡頭，何處有香丘？未若錦囊收艷骨，一抔淨土掩風流。質本潔來還潔去，强于污淖陷渠溝。爾今死去儂收葬，未卜儂身何日喪？儂今葬花人笑痴，他年葬儂知是誰？試看春殘花漸落，便是紅顏老死時。一朝春盡紅顏老，花落人亡兩不知！

　　寶玉聽了，不覺痴倒。要知端詳，下回分解。

第貳拾捌回

蔣玉函情贈茜香羅　薛寶釵羞籠紅麝串

話說林黛玉只因昨夜晴雯不開門一事，錯疑在寶玉身上。次日又可巧遇見餞花之期，正在一腔無明未曾發洩，又勾起傷春愁思，因把些殘花落瓣去掩埋，由不得感花傷己，哭了幾聲，便隨口念了幾句。不想寶玉在山坡上聽見，先不過點頭感嘆；次又聽到"儂今葬花人笑痴，他年葬儂知是誰"、"一朝春盡紅顏老，花落人亡兩不知"等句，不覺慟倒山坡上，懷裏兜的落花撒了一地。試想林黛玉的花顏月貌，將來亦到無可尋覓之時，寧不心碎腸斷！既黛玉終歸無可尋覓之時，推之于他人，如寶釵、香菱、襲人等亦可以到無可尋覓之時矣。寶釵等終歸無可尋覓之時，則自己又安在哉？且自身尚不知何在何往，則斯處、斯園、斯花、斯柳又不知當屬誰姓矣！——因此一而二，二而三，反復推求了去，真不知此時此際如何解釋這段悲傷！正是：花影不離身左右，鳥聲只在耳東西。

那林黛玉正自傷感，忽聽山坡上也有悲聲，心下想道："人人都笑我有痴病，難道還有一個痴子不成？"抬頭一看，見是寶玉。黛玉便道："啐！我當是誰，原來是這個狠心短命的——"剛說到"短命"二字，又把口掩住，長嘆一聲，自己抽身便走了。

這裏寶玉悲慟了一回，見黛玉去了，便知黛玉看見他躲開了。自己也覺無味，抖抖土起來，下山尋歸舊路，往怡紅院來。可巧看見黛玉在前頭走，連忙趕上去，說道："你且站着。我知你不理我，我只說一句話，從今已後，撩開手。"林黛玉回頭，見是寶玉，待要不理他，聽他說"只說一句話"，便道："請説來。"寶玉笑道："兩句話，説了你聽不聽?"黛玉聽説，回頭就走。寶玉在身後面嘆道："既有今日，何必當初?"黛玉聽見這話，由不得站住，回頭道："當初怎麼樣?今日怎麼樣?"寶玉道："噯!當初姑娘來了，那不是我陪着頑笑?憑我心愛的，姑娘要就拿去;我愛吃的，聽見姑娘也愛吃，連忙收拾的乾乾净净收着，等了姑娘到來。一桌子吃飯，一床兒上睡覺。丫頭們想不到的，我怕姑娘生氣，我替丫頭們想到。我心裏想着:姊妹們從小兒長大，親也罷，熱也罷，和氣到了兒，才見得比人好。如今誰承望姑娘人大心大，不把我放在眼睛裏，倒把外四路的什麼'寶姐姐'、'鳳姐姐'的放在心坎上，倒把我三日不理、四日不見的。我又没個親兄弟、親妹妹，雖然有兩個，你難道不知道是我隔母的?我也和你是獨出，只怕同我的心一樣。誰知我是白操了這一番心，有冤無處訴!"説着，不覺滴下淚來。

那時林黛玉耳内聽了這話，眼内見了這形景，心内不覺灰了大半，也不覺滴下淚來，低頭不語。寶玉見他這般形象，遂又説道："我也知道，我如今不好了，但只任憑着我怎麼不好，萬不敢在妹妹跟前有錯處。便有一二分錯處，你或教導我，戒我下次，或罵我幾句，打我幾下，我都不灰心。誰知你總不理我，叫我摸不着頭腦，少魂失魄，不知怎麼樣才是。就便死了，也是個屈死鬼，任憑高僧高道懺悔，也不能超脱，還得你申明了緣故，我才得託生呢!"

黛玉聽了這話，不覺將昨晚的事都忘在九霄雲外了。便説道："你既這麼説，爲什麼我去了，你不叫丫頭開門?"寶玉咤異道："這話從那裏説起?我要是這樣，立刻就死了!"黛玉啐道："大清早起'死'呀'活'的，也不忌諱!你説有呢就有，没有就没有，起什麼誓呢?"寶玉道："實在没有見你去，就是寶姐姐坐了一坐，就出來了。"林黛玉想了一想，笑道："是了。想必是你丫頭們懶待動，喪聲歪氣的，也是有的。"寶玉道："想必是這個原故。等我回去問了是誰，教訓教訓他們就好了。"黛玉道："你的那些姑娘們也該教訓教訓，只是論理我不該説。今兒得罪了我的事小，倘或明兒'寶姑娘'來，什麼'貝姑娘'來，也得罪了，事情豈不大了?"説着，抿着嘴笑。寶玉聽了，又是咬牙，又是笑。

二人正説話，見丫頭來請吃飯，遂都往前頭來了。王夫人見了黛玉，因問道："大姑娘，你吃那鮑太醫的藥，可好些?"林黛玉道："也不過這麼着。老太太還叫我吃王大夫的藥呢。"寶玉道："太太不知道:林妹妹是内症，先天生的弱，所以禁不住一點兒風寒，不過吃兩劑煎藥，疏散了風寒，還是吃丸藥的好。"王夫人道："前兒大夫説了個丸藥的名字，我也忘了。"寶玉道："我知道那些丸藥，不過叫他吃什麼人參養榮丸。"王夫人道:

林黛玉只因昨夜晴雯不開門一事，錯疑在寶玉身上。次日又可巧遇見餞花之期，正在一腔無明未曾發泄，又勾起傷春愁思，因把些殘花落瓣去掩埋，由不得感花傷己，哭了幾聲，便隨口念了幾句。不想寶玉在山坡上聽見。

潘寶子 畫

蔣玉函情贈茜香羅　薛寶釵羞籠紅麝串

"不是。"寶玉又道:"八珍益母丸?左歸?右歸?再不,就是八味地黃丸。"王夫人道:"都不是。我只記的有個'金剛'兩個字的。"寶玉拍手笑道:"從來沒聽見有個什麼'金剛丸'。若有了'金剛丸',自然有'菩薩散'了!"說的滿屋裏人都笑了。寶釵抿嘴笑道:"想是天王補心丹。"王夫人笑道:"是這個名兒。如今我也糊塗了。"寶玉道:"太太倒不糊塗,都是叫'金剛''菩薩'支使糊塗了。"王夫人道:"扯你娘的臊!又欠你老子捶你了。"寶玉道:"我老子再不爲這個捶我。"

王夫人又道:"既有這個名兒,明兒就叫人買些來吃。"寶玉道:"這些藥都是不中用的。太太給我三百六十兩銀子,我替妹妹配一料丸藥,包管一料不完就好了。"王夫人道:"放屁!什麼藥就這麼貴?"寶玉笑道:"當真的呢。我這個方子比別的不同。那個藥名兒也古怪,一時也說不清。只講那頭胎紫河車,人形帶葉參,三百六十兩不足。龜大何首烏,千年松根茯苓膽,諸如此類的藥,不算爲奇,只在羣藥裏算;那爲君的藥,說起來唬人一跳。前年薛大哥哥求了我一二年,我才給了他這方子。他拿了方子去,又尋了二三年,花了有上千的銀子,才配成了。太太不信,只問寶姐姐。"寶釵聽說,笑着搖手兒,說道:"我不知道,也沒聽見。你別叫姨娘問我。"王夫人笑道:"到底是寶丫頭好孩子,不撒謊。"寶玉站在當地,聽見如此說,一回身,把手一拍,說道:"我說的倒是真話呢,倒說撒謊。"口裏說着,忽一回身,只見林黛玉坐在寶釵身後,抿着嘴笑,用手指頭在臉上畫着羞他。

鳳姐因在裏間房裏,看着人放桌子,聽如此說,便走來笑道:"寶兄弟不是撒謊,這倒是有的。前日薛大哥親自和我來尋珍珠,我問他做什麼,他說配藥。他還抱怨說:'不配也罷了,如今那裏知道這麼費事!'我問:'什麼藥?'他說是寶兄弟的方子,說了多少藥,我也不記得。他又說:'不然我也買幾顆珍珠了,只是定要頭上帶過的,所以來和妹妹尋。妹妹就沒散的花兒,那頭上下來的也使得。過後我揀好的,再給妹妹穿了來。'我沒法兒,把兩支珠花現拆了給他。還要一塊三尺長,上用的大紅紗,拿乳鉢乳了面子呢。"鳳姐說一句,寶玉念一句佛,說:"太陽在屋子裏呢!"鳳姐說完了,寶玉又道:"太太想,這不過是將就呢。正經按那方子,這珍珠寶石,定要在古墳裏的,有那古時富貴人家妝裹的頭面,拿了來才好。如今那裏爲這個去刨墳掘墓?所以只是活人帶過的,也可以使得。"王夫人聽了,道:"阿彌陀佛!不當家花拉的。就是墳裏有,人家死了幾百年,這會子翻尸盜骨的,作了藥也不靈。"

寶玉因向黛玉說道:"你聽見了沒有?難道二姐姐也跟着我撒謊不成?"臉望着林黛

那林黛玉正自傷感,忽聽山坡上也有悲聲,心下想道:"人人都笑我有痴病,難道還有一個痴子不成?"

華三川 畫

黛玉埋香

花謝花飛花滿天　紅消香斷有誰憐
遊絲軟繫飄春榭　落絮輕沾撲繡簾
閨中女兒惜春暮　愁緒滿懷無釋處
手把花鋤出繡簾　忍踏落花來復去
柳絲榆莢自芳菲　不管桃飄與李飛
桃李明年能再發　明年閨中知有誰

華三川畫寶玉葬花之像

蔣玉函情贈茜香羅　薛寶釵羞籠紅麝串

0261

玉説,却拿眼睛瞟着寶釵。林黛玉便拉王夫人道:"舅母聽聽,寶姐姐不替他圓謊,他只問着我。"王夫人也道:"寶玉狠會欺負你妹妹。"寶玉笑道:"太太不知道這原故。寶姐姐先在家裏住着,那薛大哥哥的事,他也不知道,何況如今在裏頭住着呢,自然是越發不知道了。林妹妹才在背後,以爲是我撒謊,就羞我。"

正説着,見賈母房裏的丫頭找寶玉、林黛玉去吃飯。林黛玉也不叫寶玉,便起身拉了那丫頭走。那丫頭説:"等着寶二爺一塊兒走。"林黛玉道:"他不吃飯,不同咱們走。我先走了。"説着,便出去了。寶玉道:"我今兒還跟着太太吃罷。"王夫人道:"罷,罷! 我今兒吃齋,你正經吃你的去罷。"寶玉道:"我也跟着吃齋。"説着,便叫那丫頭:"去罷。"自己跑到桌子上坐了。王夫人向寶釵等笑道:"你們只管吃你們的,由他去罷。"寶釵因笑道:"你正經去罷。吃不吃,陪着林妹妹走一趟,他心裏打緊的不自在呢。"寶玉道:"理他呢,過一會子就好了。"

一時吃過飯,寶玉一則怕賈母記挂着,二則也記挂着林黛玉,忙忙的要茶漱口。探春、惜春都笑道:"二哥哥,你成日家忙些什麼?吃飯吃茶也是這麼忙碌碌的。"寶釵笑道:"你叫他快吃了瞧黛玉妹妹去罷。叫他在這裏胡鬧些什麼?"

寶玉吃了茶便出來,一直往西院來,可巧走到鳳姐兒院前。只見鳳姐在門前站着,蹬着門檻子,拿耳挖子剔牙,看着十來個小厮們挪花盆呢。見寶玉來了,笑道:"你來的好。進來,進來,替我寫幾個字兒。"寶玉只得跟了進來。到了房裏,鳳姐命人取過筆硯紙來,向寶玉道:"大紅妝緞四十匹,蟒緞四十匹,各色上用紗一百匹,金項圈四個。"寶玉道:"這算什麼?又不是賬,又不是禮物,怎麼個寫法?"鳳姐兒道:"你只管寫上,橫竪我自己明白就罷了。"寶玉聽説,只得寫了。鳳姐一面收起來,一面笑道:"還有句話告訴你,不知依不依?你屋裏有個丫頭叫小紅的,我要叫了來使唤,明兒我再替你挑幾個,可使得麼?"寶玉道:"我屋裏的人也多的狠,姐姐喜歡誰,只管叫了來,何必問我?"鳳姐笑道:"既這麼着,我就叫人帶他去了。"寶玉道:"只管帶去。"説着,便要走。鳳姐道:"你回來,我還有一句話呢。"寶玉道:"老太太叫我呢,有話等回來罷。"説着,便至賈母這邊,只見都已吃完飯。賈母因問他:"跟着你娘吃了什麼好的?"寶玉笑道:"也没什麼好的。我倒多吃了一碗飯。"因問:"林姑娘在那裏?"賈母道:"裏頭屋裏呢。"

寶玉進來,只見地下一個丫頭吹熨斗,炕上兩個丫頭打粉綫,黛玉灣着腰拿剪子裁什麼呢。寶玉走進來笑道:"哦! 這是做什麼呢?才吃了飯,這麼控着頭,一會子又頭疼了。"黛玉並不理,只管裁他的。有一個丫頭説道:"那塊綢子角兒還不好呢,再熨他一

潘寶子 畫

熨。"黛玉便把剪子一撂，説道："'理他呢！過一會子就好了。'"寶玉聽了，自是納悶。只見寶釵、探春等也來了，和賈母説了一回話。寶釵也進來問："林妹妹做什麼呢？"因見林黛玉裁剪，笑道："越發能幹了，連裁剪都會了。"黛玉笑道："這也不過是撒謊哄人罷了。"寶釵笑道："我告訴你個笑話兒，才剛爲那個藥，我説了個不知道，寶兄弟心裏不受用了。"林黛玉道："'理他呢，過會子就好了。'"寶玉向寶釵道："老太太要抹骨牌，正沒人，你抹骨牌去罷。"寶釵聽説，便笑道："我是爲抹骨牌才來麼？"説着，便走了。林黛玉道："你倒是去罷，這裏有老虎，看吃了你！"説着又裁。寶玉見他不理，只得還陪笑説道："你也去逛逛，再裁不遲。"黛玉總不理。寶玉便問丫頭們："這是誰教他裁的？"黛玉

見問丫頭們，便説道："憑他誰教我裁，也不管二爺的事！"寶玉方欲説話，只見有人進來回説："外頭有人請。"寶玉聽了，忙撤身出來。黛玉向外頭説道："阿彌陀佛！趕你回來，我死了也罷了。"

寶玉出來外面，只見焙茗説："馮大爺家請。"寶玉聽了，知道是昨日的話，便説："要衣裳去。"就自己往書房裏來。焙茗一直到了二門前等人，只見出來了一個老婆子，焙茗上去説道："寶二爺在書房裏等出門的衣裳，你老人家進去帶個信兒。"那婆子道："放你娘的屁！倒好，寶二爺如今在園裏住着，跟他的人都在園裏，

你又跑了這裏來帶信兒！"焙茗聽了，笑道："罵的是，我也糊塗了！"說着，一徑往東邊二門前來。可巧門上小廝在甬路底下踢球，焙茗將原故說了，有個小廝跑了進去，半日才抱了一個包袱出來，遞與焙茗。回到書房裏，寶玉換了，命人備馬，只帶着焙茗、鋤藥、雙瑞、壽兒四個小廝去了。

　　一徑到了馮紫英門口，有人報與馮紫英，出來迎接進去，只見薛蟠早已在那裏久候了，還有許多唱曲兒的小廝們，並唱小旦的蔣玉函、錦香院的妓女雲兒。大家都見過了，然後吃茶。寶玉擎茶笑道："前兒所言'幸與不幸'之事，我晝夜懸想，今日一聞呼喚即至。"馮紫英笑道："你們令姑表弟兄倒都心實。前日不過是我的設辭，誠心請你們一飲，恐又推託，故說下這句話。今日一邀即至，誰知都信真了。"說畢，大家一笑，然後擺上酒來，依次坐定。

馮紫英先命唱曲兒的小廝過來讓酒，然後命雲兒也來敬。那薛蟠三杯下肚，不覺忘了情，拉着雲兒的手，笑道："你把那體己新樣兒的曲子唱個我聽，我吃一罈如何？"雲兒聽說，只得拿起琵琶來，唱道：

　　兩個冤家，都難丟下，想着你來又記掛着他。兩個人形容俊俏，都難描畫。想昨宵幽期私訂在荼蘼架。一個偷情，一個尋拿，拿住了三曹對案，我也無回話。

唱畢，笑道："你喝一罈子罷了。"薛蟠聽說，笑道："不值一罈，再唱好的來。"

寶玉笑道："聽我說來：如此濫飲，易醉而無味。我先喝一大海，發一個新令，有不遵者，連罰十大海，逐出席外，與人斟酒。"馮紫英、蔣玉函等都道："有理，有理。"寶玉拿起海來，一氣飲盡，說道："如今要說'悲'、'愁'、'喜'、'樂'四字，却要說出'女兒'來，還要注明這四字原故。說完了，飲門杯。酒面要唱一個新鮮時樣曲子；酒底要席上生風一樣東西，或古詩、舊對、《四書》、《五經》成語。"薛蟠未等說完，先站起來攔道："我不來，別算我。這竟是捉弄我呢！"雲兒也站起來，推他坐下，笑道："怕什麼？這還虧你天天吃酒呢！難道連我也不如？我回來還說呢。說是了，罷；不是了，不過罰上幾杯,那裏就醉死了?你如今一亂令,倒喝十大海,下去斟酒不成?"衆人都拍手道:"妙!"薛蟠聽説無法,只得坐了。

聽寶玉説道:"女兒悲,青春已大守空閨。女兒愁,悔教夫婿覓封侯。女兒喜,對鏡晨妝顏色美。女兒樂,秋千架上春衫薄。"衆人聽了,都説道:"好!"薛蟠獨揚着臉摇頭説:"不好!該罰!"衆人問:"如何該罰?"薛蟠道:"他説的我全不懂,怎麼不該罰?"雲兒便擰他一把,笑道:"你悄悄的想你的罷。回來説不出,又該罰了。"于是拿琵琶聽寶玉唱道:

> 滴不盡相思血淚抛紅豆,開不完春柳春花滿畫樓,睡不穩紗窗風雨黄昏後,忘不了新愁與舊愁,咽不下玉粒金波噎滿喉,照不盡菱花鏡裏形容瘦。展不開的眉頭,挨不明的更漏。呀!恰便似遮不住的青山隱隱,流不斷的綠水悠悠。

唱完,大家齊聲喝彩,獨薛蟠説:"無板。"寶玉飲了門杯,便拈起一片梨來,説道:"'雨打梨花深閉門'。"完了令。下該馮紫英,説道:"女兒喜,頭胎養了雙生子。女兒樂,私向花園掏蟋蟀。女兒悲,兒夫染病在垂危。女兒愁,大風吹倒梳妝樓。"説畢,端起酒來,唱道:

> 你是個可人,你是個多情,你是個刁鑽古怪鬼靈精,你是個神仙也不靈。我説的話兒你全不信,只叫你去背地裏細打聽,才知道我疼你不疼!

唱完,飲了門杯,説道:"'雞鳴茅店月'。"令完,下該雲兒。雲兒便説道:"女兒悲,將來終身倚靠誰?"薛蟠笑道:"我的兒,有你薛大爺在,你怕什麼?"衆人都道:"別混他,別混他!"雲兒又道:"女兒愁,媽媽打罵何時休?"薛蟠道:"前兒我見了你媽,還吩咐他,不叫他打你呢。"衆人都道:"再多言者,罰酒十杯!"薛蟠連忙自己打了一個嘴巴子,説道:"没耳性,再不許説了!"雲兒又道:"女兒喜,情郎不捨還家裏。女兒樂,住了簫管弄絃索。"説完,便唱道:

> 豆蔻花開三月三,一個蟲兒往裏鑽。鑽了半日鑽不進去,爬到花兒上打秋千。肉兒小心肝,我不開了,你怎麼鑽?

唱畢,飲了門杯,説道:"'桃之夭夭'。"令完,下該薛蟠。

薛蟠道:"我可要説了:女兒悲——"説了半日,不見説底下的。馮紫英笑道:"悲什麼?快説!"薛蟠登時急的眼睛鈴鐺一般,便説道:"女兒悲——"又咳嗽了兩聲,方説道:"女兒悲,嫁了個男人是烏龜。"衆人聽了,都大笑起來。薛蟠道:"笑什麼?難道我説的不是?一個女兒嫁了漢子,要做忘八,怎麼不傷心呢?"衆人笑的彎腰,忙説道:"你説的是!快説底下的罷。"薛蟠瞪了瞪眼,又説道:"女兒愁——"説了這句,又不言語了。衆人道:"怎麼愁?"薛蟠道:"綉房鑽出個大馬猴。"衆人哈哈笑道:"該罰,該罰!先還可恕,這句更不通。"説着,便要斟酒。寶玉笑道:"押韻就好。"薛蟠:"令官都准了,你們鬧什麼!"眾人聽説,方罷了。

雲兒笑道:"下兩句越發難説了,我替你説罷。"薛蟠道:"胡説!當真我就没好的了?聽我説罷:女兒喜,洞房花燭朝慵起。"眾人聽了,都咤異道:"這句何其太雅?"薛蟠道:"女兒樂,一根乜巴往裏戳。"眾人聽了,都回頭説道:"該死,該死!快唱了罷。"薛蟠便道:"一個蚊子哼哼哼。"眾人都怔了,説道:"這是個什麼曲兒?"薛蟠還唱道:"兩個蒼蠅嗡嗡嗡。"眾人都道:"罷,罷,罷!"薛蟠道:"愛聽不聽!這是新鮮曲兒,叫做'哼哼韵'兒。你們要懶待聽,連酒底都免了,我就不唱。"眾人都道:"免了罷,倒别耽誤了别人家。"

于是蔣玉函説道:"女兒悲,丈夫一去不回歸。女兒愁,無錢去打桂花油。女兒喜,燈花並頭結雙蕊。女兒樂,夫唱婦隨真和合。"説畢,唱道:

可喜你天生成百媚姣,恰便似活神仙離碧霄。度青春,年正小;配鸞鳳,真也巧。呀!看天河正高,聽譙樓鼓敲,剔銀燈同入駕幃悄。

唱畢,飲了門杯,笑道:"這詩詞上,我倒有限。幸而昨日見了一副對子,只記得這句,可巧席上還有這件東西。"説畢,便乾了酒,拿起一朵木樨來,念道:"'花氣襲人知晝暖。'"眾人倒都依了,完令。薛蟠又跳了起來,喧嚷道:"了不得,了不得!該罰,該罰!這席上並没有寶貝,你怎麼説起寶貝來?"蔣玉函忙説道:"何曾有寶貝?"薛蟠道:"你還賴呢!你再念來。"蔣玉函只得又念了一遍。薛蟠道:"'襲人'可不是寶貝是什麼?你們不信,只問他。"説畢,指着寶玉。寶玉没好意思起來,説:"薛大哥,你該罰多少?"薛蟠道:"該罰,該罰!"説着,拿起酒來,一飲而盡。馮紫英與蔣玉函等猶問他原故,雲兒便告訴了出來。蔣玉函忙起身陪罪。眾人都道:"不知者,不作罪。"

少刻,寶玉出席解手,蔣玉函隨了出來。二人站在廊檐下,蔣玉函又陪不是。寶玉見他嫵媚溫柔,心中十分戀慕,便緊緊的搭着他的手,叫他:"閑了往我們那裏去。還有一句話問你,也是你們貴班中,有一個叫琪官兒的,他如今名馳天下,可惜我獨無緣一見。"蔣玉函笑道:"就是我的小名兒。"寶玉聽説,不覺欣然跌足笑道:"有幸,有幸!果然名不虛傳。今兒初會,便怎麼樣呢?"想了一想,向袖中取出扇子,將一個玉玦扇墜解下來,遞與琪官,道:"微物不堪,略表今日之誼。"琪官接了,笑道:"無功受禄,何以克當!也罷,我這裏也得了一件奇物,今日早起方繫上,還是簇新,聊可表我一點親熱之意。"説畢撩衣,將繫小衣兒一條大紅汗巾子解了下來,遞與寶玉,道:"這汗巾子是茜香國女國王所貢之物,夏天繫着肌膚生香,不生汗漬。昨日北静王給的,今日才上身。若是别人,我斷不肯相贈。二爺請把自己繫的解下來,給我繫着。"寶玉聽説,喜不自禁,連忙接了,將自己一條松花汗巾解了下來,遞與琪官。二人方束好,只聽一聲大叫:"我可拿住了!"只見薛蟠跳了出來,拉着二人道:"放着酒不吃,兩個人逃席出來幹什麼?快拿出來我瞧瞧！"二人都道："沒有什麼。"薛蟠那裏肯依，還是馮紫英出來，才解開了。于是復又歸坐飲酒，至晚方散。

寶玉回至園中，寬衣吃茶。襲人見扇子上的扇墜兒沒了，便問他："往那裏去了？"寶玉道："馬上丟了。"睡覺時，只見腰裏一條血點似的大紅汗巾子，襲人便猜了八九分，因說道："你有了好的繫褲子，把我那條還我罷。"寶玉聽說，方想起那條汗巾子原是襲人的，不該給人才是，心裏後悔，口裏說不出來，只得笑道："我賠你一條罷。"襲人聽了，點頭嘆道："我就知道又幹這些事！也不該拿我的東西，給那起混賬人。也難爲你，心裏沒個算計兒。"欲再說幾句，又恐惱上他的酒來，少不得也睡了。一宿無話。

至次日天明，方才醒了。只見寶玉笑道："夜裏失了盜也不曉得，你瞧瞧褲子上。"襲人低頭一看，只見昨日寶玉繫的那條汗巾子繫在自己腰裏呢，便知是寶玉夜間換了，忙一頓就解下來，說道："我不希罕這行子，趁早兒拿了去！"寶玉見他如此，只得委婉解勸了一回。襲人無法，只得繫上。過後寶玉出去，終久解下來，擲在個空箱子裏，自己又換了一條繫着。

寶玉並未理論，因問起："昨日可有什麼事情？"襲人便回說："二奶奶打發人叫了小紅去了。他原要等你來的，我想什麼要緊，我就做了主，打發他去了。"寶玉道："狠是。我已知道了，不必等我罷了。"襲人又道："昨兒貴妃打發夏太監出來，送了一百二十兩銀子，叫在清虛觀初一到初三打三天平安醮，唱戲獻供，叫珍大爺領着衆位爺們跪香拜佛呢。還有端午兒的節禮也賞了。"說着，命小丫頭來，將昨日的所賜之物，取了出來，只見上等宮扇兩柄，紅麝香珠二串，鳳尾羅二端，芙蓉簟一領。寶玉見了，喜不自勝，問："別人的也都是這個？"襲人道："老太太多着一個香玉如意，一個瑪瑙枕。老爺、太太、姨太太的，只多着一個香玉如意。你的同寶姑娘的一樣。林姑娘同二姑娘、三姑娘、四姑娘只單有扇子同數珠兒，別的都沒有。大奶奶、二奶奶他兩個是每人兩匹紗，兩匹羅，兩個香袋兒，兩個錠子藥。"寶玉聽了，笑道："這是怎麼個原故？怎麼林姑娘的倒不同我的一樣，倒是寶姐姐的同我一樣？別是傳錯了罷？”襲人道：“昨兒拿出來，都是一分一分的，寫着籤子，怎麼就錯了？你的是在老太太屋裏的，我去拿了來了。老太太説了，明兒叫你一個五更天進去謝恩呢。”寶玉道：“自然要走一趟。”説着，便叫了紫鵑來：“拿了這個到你們姑娘那裏去，就説是昨兒我得的，愛什麼留下什麼。”紫鵑答應了，拿了去。不一時回來，説：“姑娘説了，昨兒也得了，二爺留着罷。”

　　寶玉聽説，便命人收了。剛洗了臉出來，要往賈母那裏請安去，只見林黛玉頂頭來了。寶玉趕上去笑道：“我的東西叫你揀，你怎麼不揀？”林黛玉昨日所惱寶玉的心事，早又丟開，只顧今日的事了。因説道：“我没這麼大福禁受，比不得寶姑娘，什麼‘金’什麼‘玉’的，我們不過是個草木之人罷了！”寶玉聽他提出“金玉”二字來，不覺心動疑猜，便説道：“除了別人説什麼‘金’什麼‘玉’，我心裏要有這個想頭，天誅地滅，萬世不得人身！”林黛玉聽他這話，便知他心裏動了疑，忙又笑道：“好没意思！白白的説什麼誓？管你什麼‘金’什麼‘玉’的呢！”寶玉道：“我心裏的事，也難對人説，日後自然明白。除了老太太、老爺、太太這三個人，第四個就是妹妹了。要有第五個人，我也起個誓。”林黛玉道：“你也不用起誓，我狠知道你心裏有‘妹妹’，但只是見了‘姐姐’，就把‘妹妹’忘了。”寶玉道：“那是你多心，我再不是這樣的。”林黛玉道：“昨兒寶丫頭不替你圓謊，爲什麼問着我呢？那要是我，你又不知怎麼樣了！”

　　正説着，只見寶釵從那邊來了，二人便走開了。寶釵分明看見，只妝看不見，低頭過去了。到了王夫人那裏，坐了一回，然後到了賈母這邊，只見寶玉也在這裏呢。寶釵因往日母親對王夫人等曾提過“金鎖是個和尚給的，等日後有玉的方可結爲婚姻”等語，所以總遠着寶玉。昨日見元春所賜的東西，獨他與寶玉一樣，心裏越發没意思起來。幸虧寶玉被一個林黛玉纏綿住了，心心念念只記掛着林黛玉，並不理論這事。此刻忽見寶玉笑道：“寶姐姐，我瞧瞧你的那香串子？”可巧寶釵左腕上籠着一串，見寶玉問他，少不得褪了下來。寶釵原生的肌膚豐澤，容易褪不下來。寶玉在旁邊看着雪白的臂膊，不覺動了羨慕之心，暗暗想道：“這個膀子，若長在林姑娘身上，或者還得摸一摸，偏長在他身上，正是恨我没福。”忽然想起“金玉”一事來，再看看寶釵形容，只見臉若銀盆，眼同水杏，唇不點而紅，眉不畫而翠，比林黛玉另具一種嫵媚風流，不覺就呆了，寶釵褪下串子來遞與他也忘了接。

　　寶釵見他呆了，自己倒不好意思的，丟下串子，回身才要走，只見林黛玉登着門檻子，嘴裏咬着手帕子笑呢。寶釵道：“你又禁不得風吹，怎麼又站在那風口裏？”林黛玉笑道：“何曾不是在房裏的？只因聽見天上一聲叫，出來瞧了瞧，原來是個呆雁。”寶釵道：“呆雁在那裏呢？我也瞧瞧。”林黛玉道：“我才出來，他就‘忒兒’一聲飛了。”口裏説着，將手裏帕子一甩，向寶玉臉上甩來。寶玉不知，正打在眼上，“噯喲”了一聲。要知端的，且聽下回分解。

話説寶玉正自發怔，不想黛玉將手帕子甩了來，正碰在眼睛上，倒唬了一跳，問："是誰？"林黛玉搖着頭兒笑道："不敢，是我失了手。因爲寶姐姐要看呆雁，我比給他看，不想失了手。"寶玉揉着眼睛，待要説什麼，又不好説的。

一時，鳳姐兒來了，因説起初一日在清虛觀打醮的事來，約着寶釵、寶玉、黛玉等看戲去。寶釵笑道："罷，罷，怪熱的。什麼没看過的戲，我不去的。"鳳姐道："他們那裏涼快，兩邊又有樓。咱們要去，我頭幾天打發人去，把那些道士都趕出去，把樓上打掃了，挂起簾子來，一個閑人不許放進廟去，才是好呢。我已經回了太太了，你們不去，我自家去。這些日子也悶的狠了。家裏唱動戲，我又不得舒舒服服的看。"賈母聽説，就笑道："既這麼着，我同你去。"鳳姐聽説，笑道："老祖宗也去，敢情好！可就是我又不得受用了。"賈母道："到明兒，我在正面樓上，你在旁邊樓上，你也不用到我這邊來立規矩，可好不好？"鳳姐笑道："這就是老祖宗疼我了。"賈母因向寶釵道："你也去，連你母親也去。長天老日的，在家裏也是睡覺。"寶釵只得答應着。賈母又打發人去請了薛姨媽，順路告訴王夫人，要帶了他們姊妹去。王夫人因一則身上不好，二則預備元春有人出來，早已回了不去的；聽賈母如此説，笑道："還是這麼高興。打發人去到園裏告訴，有要逛去的，只管初一跟老太太逛去。"這個話一傳開了，別人都還可已，只是那些丫頭們，天天不得出門檻兒，聽了這話，誰不要去！便是各人的主子懶怠去，他也百般的攛掇了去。因此，李宮裁等都說去。賈母越發心中喜歡，早已吩咐人去打掃安置，都不必細說。

單表到了初一這一日，榮國府門前車輛紛紛，人馬簇簇。那底下凡執事人等，聞得是貴妃做好事，賈母親去拈香，正是初一日，乃月之首日，況是端陽節間，因此凡動用的什物，一色都是齊全的，不同往日。少時，賈母等出來。賈母坐一乘八人大轎，李氏、鳳姐、薛姨媽每人一乘四人轎，寶釵、黛玉二人共坐一輛翠蓋珠纓八寶車，迎春、探春、惜春三人共坐一輛朱輪華蓋車。然後賈母的丫頭鴛鴦、鸚鵡、琥珀、珍珠，林黛玉的丫頭紫鵑、雪雁、春纖，寶釵的丫頭鶯兒、文杏，迎春的丫頭司棋、繡橘，探春的丫頭侍書、翠墨，惜春的丫頭入畫、彩屏，薛姨媽的丫頭同喜、同貴，外帶香菱，香菱的丫頭臻兒，李氏的丫頭素雲、碧月，鳳姐兒的丫頭平兒、豐兒、小紅，並王夫人的兩個丫頭金釧、彩雲也跟了鳳姐兒來，奶子抱着大姐兒，另在一車上，還有兩個丫頭，一共又連上各房的老嬤嬤、奶娘，並跟出門的家人媳婦子，黑壓壓的站了一街的車。

賈母等已經坐轎去了多遠，這門前尚未坐完。這個說"我不同你在一處"，那個說"你壓了我們奶奶的包袱"。那邊車上又說"招了我的花兒"，這邊又說"硼了我的扇子"。咭咭呱呱，說笑不絕。周瑞家的走來過去的，說道："姑娘們，這是街上，看人笑話。"說了兩遍，方見好了。

前頭的全副執事擺開，早已到了清虛觀門口。寶玉騎着馬，在賈母轎前。街上人都站在兩邊。將至觀前，只聽鐘鳴鼓響，早有張法官執香披衣，帶領眾道士在路旁迎接。賈母的轎剛至山門以內，見了土地、本境城隍各位泥塑聖像，便命住轎。賈珍帶領各子弟上來迎接。鳳姐兒知道鴛鴦等在後面，趕不上賈母，自己下了轎，忙要上來攙。可巧有個十二三歲的小道士兒，拿着剪筒，照管剪各處蠟花，正欲得便且藏出去，不想一頭撞在鳳姐兒懷裏。鳳姐便一揚手，照臉一下，把那小孩子打了一個斤斗，罵道："小野雜種！往那裏跑？"那小道士也不顧拾燭剪，爬起來往外還要跑。正值寶釵等下車，衆婆娘媳婦正圍隨的風雨不透，但見一個小道士滾了出來，都喝聲叫："拿，拿！打，打！"賈母聽了，忙問："是怎麼了？"賈珍忙出來問。鳳姐上去攙住賈母，就回說："一個小道士兒，剪蠟花的，没躲出去，這會子混鑽呢。"賈母聽說，忙道："快帶了那孩子來，別唬着他。小門小戶的孩子，都是嬌生慣養慣了的，那裏見過這個勢派？倘或唬着他，倒怪可憐見的，他老子娘豈不疼的慌？"說着，便叫賈珍："去，好生帶了來。"賈珍只得去拉了那孩子，一手拿着蠟剪，跪在地下亂顫。賈母命賈珍拉起來，叫他不要怕，問他幾歲了。那孩子總說不出話來。賈母還說："可憐見的！"又向賈珍道："珍阿哥，帶他去罷，給他些錢買果子吃，叫人別難爲了他。"賈珍答應，領他去了。這裏賈母帶着衆人，一層一層的瞻拜觀玩。外面小廝們見賈母等進入二層山門，忽見賈珍領了一個小道士出來，叫人來帶去，給他幾百錢，不要難爲了他。家人聽說，忙上來領了下去。

　　賈珍站在臺磯上，因問："管家在那裏？"底下站的小廝們見問，都一齊喝聲說："叫管家！"登時林之孝一手整理着帽子，跑了來，到賈珍跟前。賈珍道："雖說這裏地方大，今兒咱們人多。你使的人，你就帶了在這院裏罷；使不着的，打發到那院裏去。把小么兒們多挑幾個在這二層門上同兩邊的角門上，伺候着要東西傳話。你可知道不知道？今兒姑娘、奶奶們都出來，一個閑人也不許到這裏來。"林之孝答應"曉得"，又說了幾個"是"。賈珍道："去罷。"又問："怎麼不見蓉兒？"一聲未了，只見賈蓉從鐘樓裏跑了出來。賈珍道："你瞧瞧他，我這裏也没熱，他倒乘涼去了！"喝命家人："啐他！"那小廝們都知道賈珍素日的性子，違拗不得，便有個小廝上來，向賈蓉臉上啐了一口。賈珍瞪眼向着他，那小廝便問賈蓉道："爺還不怕熱，哥兒怎麼先乘涼去了？"賈蓉垂着手，一聲不敢說。那賈芸、賈萍、賈芹等聽見了，不但他們慌了，亦且連賈璉、賈瑞、賈瓊等也都忙了，一個一個從墻根下慢慢的溜下來。賈珍又向賈蓉道："你站着做什麼？還不騎了馬跑到家裏，告訴你娘母子去？老太太同姑娘們都來了，叫他們快來伺候。"賈蓉聽說，忙跑了出來，一叠連聲的要馬，一面抱怨道："早都不知做什麼的，這會子尋趁我。"一面又罵小子："捆着手呢麼？馬也拉不來！"要打發小廝去，又恐怕後來對出來，說不得親自走一趟，騎馬去了。

　　且說賈珍方要抽身進來，只見張道士站在旁邊陪笑說道："論理，我不比別人，應該裏頭伺候。只因天氣炎熱，衆位千金都出來了，法官不敢擅入，請爺的示下。恐老太太問，或要隨喜那裏，我只在這裏伺候罷了。"賈珍知道這張道士雖然是當日榮國公的替身，曾經先皇御口親呼爲"大幻仙人"，如今現掌"道錄司"印，又是當今封爲"終了真人"，現今王公藩鎮都稱爲"神仙"，所以不敢輕慢。二則他又常往兩個府裏去，凡夫人小姐都是見的。今見他如此說，便笑道："咱們自己，你又說起這話來。再多說，我把你這鬍子還揪了你的呢！還不跟我進來。"那張道士呵呵大笑着，跟了賈珍進來。

享福人福深還禱福　多情女情重愈斟情

賈珍到賈母跟前，控身陪笑，說道：“張爺爺進來請安。”賈母聽了，忙道：“攙他來。”賈珍忙去攙了過來。那張道士先呵呵笑道：“無量壽佛！老祖宗一向福壽康寧？眾位奶奶小姐納福？一向沒到府裏請安，老太太氣色越發康健了。”賈母笑道：“老神仙，你好？”張道士笑道：“託老太太的萬福，小道也還康健。別的倒罷了，只記挂着哥兒，一向身上好？前日四月二十六，我這裏做遮天大王的聖誕，人也來的少，東西也狠乾净，我說請哥兒來逛逛，怎麽説不在家？”賈母說道：“果真不在家。”一面回頭叫寶玉。誰知寶玉解手去了，才來，忙忙上前問：“張爺爺好？”張道士忙抱住問了好，又向賈母笑道：“哥兒越發發福了。”賈母道：“他外頭好，裏頭弱。又搭着他老子逼着他念書，生生的把個孩子逼出病來了。”張道士道：“前日我在好幾處看見哥兒寫的字，做的詩，都好的了不得。怎麽老爺還抱怨説哥兒不大喜歡念書呢？依小道看來，也就罷了。”又嘆道：“我看見哥兒的這個形容身段，言談舉動，怎麽就同當日國公爺一個稿子！”説着，兩眼流下淚來。賈母聽了，也由不得滿臉淚痕，説道：“正是呢！我養了這些兒子孫子，也沒一個像他爺爺的，就只這玉兒像他爺爺。”

那張道士又向賈珍道：“當日國公爺的模樣兒，爺們一輩的不用説，自然沒趕上，大約連大老爺、二老爺，也記不清楚了。”説畢，又呵呵大笑，道：“前日在一個人家，看見一位小姐，今年十五歲了，生的倒也好個模樣兒。我想着哥兒也該尋親事了。若論這個小姐模樣兒，聰明智慧，根基家當，倒也配的過。但不知老太太怎麽樣，小道也不敢造次。等請了老太太示下，才敢向人去張口呢。”賈母道：“上回有個和尚説了，這孩子命裏不該早娶，等再大一大兒再定錸。你如今也訊聽着，不管他根基富貴，只要模樣兒配的上，就來告訴我。便是那家子窮，不過給他幾兩銀子，只是模樣兒、性格兒難得好的。”

説畢，只見鳳姐兒笑道：“張爺爺，我們丫頭的寄名符兒，你也不換去。前兒虧你還有那麽大臉，打發人和我要鵝黃緞子去！要不給你，又恐怕你那老臉上過不去。”張道士呵呵大笑道：“你瞧，我眼花了，也没見奶奶在這裏，也没道謝。寄名符早已有了，前日原想送去的，不指望娘娘來做好事，也就混忘了。還在佛前鎮着，待我取來。”説着，跑到大殿上去，一時拿了一個茶盤，搭着大紅蟒緞經袱子，托出符來。大姐兒的奶子接了符。張道士方欲抱過大姐兒來，只見鳳姐笑道：“你就手裏拿出來罷了，又用個盤子託着。”張道士道：“手裏不乾不净的，怎麽拿？用盤子潔净些。”鳳姐笑道：“你只顧拿出盤子，倒唬我一跳。我不説你是爲送符，倒像是和我們化布施來了。”眾人聽説，哄然一笑，連賈珍也掌不住笑了。賈母回頭道：“猴兒，猴兒！你不怕下割舌地獄？”鳳姐笑道：“我們

且説寶玉在樓上，坐在賈母旁邊，因叫個小丫頭子，捧着方才那一盤子賀物，將自己的玉帶上，用手翻弄尋撥，一件一件的挑與賈母看。

戴敦邦 畫

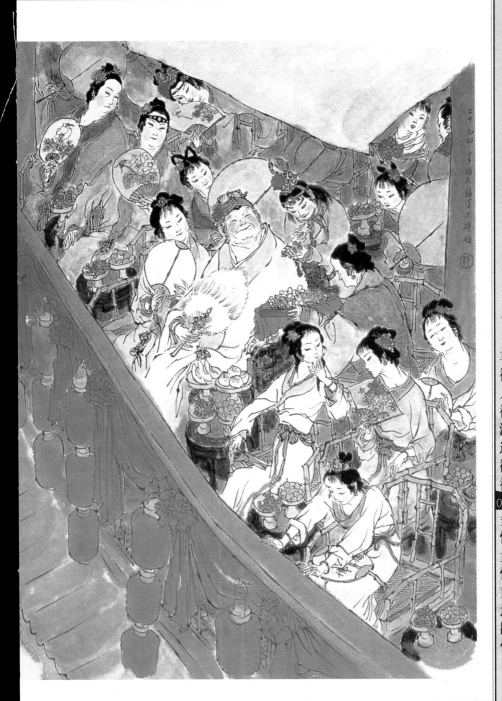

享福人福深還禱福　多情女情重愈斟情

爺兒們不相干。他怎麼常常的說我該積陰騭，遲了就短命呢？”張道士也笑道：“我拿出盤子來，一舉兩用，却不爲化布施，倒要將哥兒的這玉請了下來，託出去給那些遠來的道友並徒子徒孫們見識見識。”賈母道：“既這麼着，你老人家，老天拔地的跑什麼？就帶他去瞧了，叫他進來，豈不省事？”張道士道：“老太太不知道，看着小道是八十歲的人，託老太太的福，倒也健朗；二則外面的人多，氣味難聞，況是個暑熱的天，哥兒受不慣，倘或哥兒中了腌臢氣味，倒值多了。”賈母聽說，便命寶玉摘了通靈玉來，放在盤內。那張道士兢兢業業的用蟒袱子墊着，捧了出去。

這裏賈母與衆人各處游玩一回，方去上樓。只見賈珍回說：“張爺爺送了玉來。”剛說着，只見張道士捧了盤子，走到跟前，笑道：“衆人託小道的福，見了哥兒的玉，實在稀罕。都沒什麼敬賀，這是他們各人傳道的法器，都願意爲敬賀之禮。哥兒便不稀罕，只留着頑耍賞人罷。”賈母聽說，向盤內看時，只見也有金璜，也有玉玦，或有“事事如意”，或有“歲歲平安”，皆是珠穿寶嵌，玉琢金鏤，共有三五十件。因說道：“你也胡鬧。他們出家人，是那裏來的？何必這樣，這斷不能收。”張道士笑道：“這是他們一點敬意，小道也不能阻擋。老太太若不留下，豈不叫他們看着小道微薄，不像是門下出身了。”賈母聽如此說，方命人接下了。寶玉笑道：“老太太，張爺爺既這麼說，又推辭不得，我要這個也無用，不如叫小子捧了這個，跟着我出去散給窮人罷。”賈母笑道：“這話說的是。”張道士又忙攔道：“哥兒雖要行好，但這些東西雖說不甚稀罕，到底也是幾件器皿，若給了乞丐，一則與他們也無益，二則反倒糟塌了這些東西。要捨給窮人，何不就散錢于他們？”寶玉聽說，便命：“收下，等晚間拿錢施捨罷。”說畢，張道士方才退出。

這裏賈母與衆人上了樓，在正面樓上歸坐。鳳姐等上了東樓。衆丫頭等在西樓，輪流伺候。賈珍一時來回道：“神前拈了戲，頭一本《白蛇記》。”賈母問：“《白蛇記》是什麼故事？”賈珍道：“漢高祖斬蛇方起首的故事。第二本是《滿床笏》。”賈母道：“這倒是第二本也還罷了。神佛要這樣，也只得罷了。”又問第三本，賈珍道：“第三本是《南柯夢》。”賈母聽了，便不言語。賈珍退了下來，至外邊預備着伸表、焚錢糧、開戲，不在話下。

且說寶玉在樓上，坐在賈母旁邊，因叫個小丫頭子，捧着方才那一盤子賀物，將自己的玉帶上，用手翻弄尋撥，一件一件的挑與賈母看。賈母因看見有個赤金點翠的麒麟，便伸手拿起來，笑道：“這件東西，好像是我看見誰家的孩子也帶着一個的。”寶釵笑道：“史大妹妹有一個，比這個小些。”賈母道：“原來是雲兒有這個。”寶玉道：“他這麼往我們家去住着，我也沒看見。”探春笑道：“寶姐姐有心，不管什麼，他都記得。”林黛玉冷笑道：“他在別的上頭心還有限，惟有這些人帶的東西上，越發留心。”寶釵聽說，便回頭妝没聽見。寶玉聽見史湘雲有這件東西，自己便將那麒麟忙拿起來，揣在懷裏。一面心裏又想到怕人看見他聽是史湘雲有了，他就留着這件，因此，手裏揣着，却拿眼晴雯人。只見眾人倒都不理論，惟有林黛玉瞅着他點頭兒，似有贊嘆之意。寶玉不覺心裏沒意思起來，又掏出來，向着黛玉訕笑道："這個東西倒好頑，我替你留着，到家穿上你帶。"林黛玉將頭一扭道："我不稀罕。"寶玉笑道："你既不稀罕，我少不得就拿着。"説着，又揣了起來。剛要説話，只見賈珍之妻尤氏和賈蓉新近續娶的媳婦、婆媳兩個來了，見過賈母。賈母道："你們又來做什麼?我不過沒事來逛逛。"

　　一句話説了，只見人報："馮將軍家有人來了。"原來馮紫英家聽見賈府在廟裏打醮，連忙預備豬羊、香燭、茶食之類的東西送禮。鳳姐聽了，忙趕過正樓來，拍手笑道："嗳呀!我却不防這個。只説咱們娘兒們來閒逛逛，人家只當咱們大擺齋壇的來送禮。都是老太太鬧的!這又不得預備賞封兒。"剛説了，只見馮家的管家兩個婆子上樓來了。馮家兩個未去，接着趙侍郎家也有禮來了。于是接二連三，都聽見賈府打醮，女眷都在廟裏，凡一應遠親近友，世家相與，都來送禮。賈母才後悔起來，説："又不是什麼正經齋事，我們不過閒逛逛，没的驚動人。"因此雖看了一天戲，至下午便回來了，次日便懶怠去。鳳姐又説："'打墙也是動土!'已經驚動了人，今兒樂得還去逛逛。"賈母因昨日見張道士提起寶玉説親的事來，誰知寶玉一日心中不自在，回家來生氣，嗔着張道士與他説了親，口口聲聲説："從今已後，再不見張道士了!"別人也並不知爲什麼原故。二則林黛玉昨日回家，又中了暑。因此二事，賈母便執意不去了。鳳姐見不去，自己帶了人去，也不在話下。

　　且説寶玉因見林黛玉病了，心裏放不下，飯也懶待吃，不時來問。黛玉又怕他有個好歹，因説道："你只管看你的戲去，在家裏做什麼?"寶玉因昨日張道士提親事，心中大不受用，今聽見林黛玉如此説，心裏因想道："別人不知道我的還可恕，連他也奚落起我來。"因此心中更比往日更煩惱加了百倍。若是別人跟前，斷不能動這肝火，只是黛玉説了這話，倒又比往日別人説這話不同，由不得立刻沉下臉來，説道："我白認得了你。罷了，罷了!"林黛玉聽説，便冷笑了兩聲，道："白認得了?我那裏像人家有什麼配得上呢!"寶玉聽了，便向前來，直問到臉上："你這麼説，是安心咒我天誅地滅?"林黛玉一時解不過這話來。寶玉又道："昨兒還爲這個賭了幾回咒，今兒你到底又重我一句! 我便天誅地滅, 你又有什麼益處?"黛玉一聞此言, 方想起上日的話來。今日原自己説錯了, 又是着急, 又是羞愧, 便戰戰兢兢的説道: "我要安心咒你, 我也天誅地滅。何苦來! 我知道昨日張道士説親, 你怕攔了你的好姻緣, 你心裏生氣, 來拿我煞性子!"

原來那寶玉自幼生成有一種下流痴病, 況從幼時和黛玉耳鬢斯磨, 心情相對; 及如今稍明時事, 又看了那些邪書僻傳, 凡遠親近友之家所見的那些閨英闈秀, 皆未有稍及林黛玉者, 所以早存一段心事, 只不好説出來, 故每每或喜或怒, 變盡法子, 暗中試探。那林黛玉偏生也是個有些痴病的, 也每用假情試探。因你也將真心真意瞞了起來, 只用假意, 我也將真心真意瞞了起來, 只用假意, 如此兩假相逢, 終有一真。其間瑣瑣碎碎, 難保不有口角之爭。即如此刻, 寶玉的心內想的是: "別人不知我的心, 還可恕, 難道你就不想我的心裏眼裏只有你?你不能爲我解煩惱, 反來以這話奚落堵噎我, 可見我心裏一時一刻白有你, 你心裏竟沒我了。"寶玉是這個意思, 只口裏説不出來。那林黛玉心裏想着: "你心裏自然有我。雖有'金玉相對'之説, 你豈是重這邪説不重我的?我便時常提這'金玉', 你只管了然無聞的, 方見得是待我重, 無毫髮私心了。如何我只一提'金玉'的事, 就着急?可知你心裏時時有'金玉'。見我一提, 你又怕我多心, 故意着急, 安心哄我。"看來兩個人, 原本是一個心, 却多生了枝葉, 反弄成兩個心了。那寶玉心中又想着: "我不管怎麼樣都好, 只要你隨意, 我便立刻因你死了, 也情願。你知也罷, 不知也罷, 只由我的心, 那才是你和我近, 不和我遠。"林黛玉心裏又想着: "你只管你, 你好我自好。你何必爲我把自己失了?殊不知你失我也失。可見你不叫我近你, 竟叫我遠你了。"如此看來, 却都是求近之心, 反弄成疏遠之意。此皆他二人素昔所存私心, 難以備述。

如今只述他們外面的形容。那寶玉又聽見他説"好姻緣"三個字, 越發逆了己意, 心裏乾噎, 口裏説不出話來, 便賭氣向頸上摘下通靈玉來, 咬咬牙, 狠命往地下一摔, 道: "什麼勞什子! 我砸了你, 就完了事了!"偏生那玉堅硬非常, 摔了一下, 竟文風不動。寶玉見不破, 便回身找東西來砸。黛玉見他如此, 早已哭起來, 説道: "何苦來?你摔砸那啞吧東西, 有砸他的, 不如來砸我!"

二人鬧着, 紫鵑、雪雁等忙解勸。後來見寶玉下死砸玉, 忙上來奪, 又奪不下來, 見比往日鬧的大了, 少不得去叫襲人。襲人忙趕了來, 才奪了下來。寶玉冷笑道: "我是砸我的東西, 與你們什麼相干!"襲人見他臉都氣黃了, 眼眉都變了, 從來沒氣得這樣。便拉着他的手, 笑道: "你合妹妹拌嘴, 不犯着砸他。倘砸壞了, 叫他心裏臉上怎麼過的去?"林黛玉一行哭着, 一行聽了這話, 説到自己心坎兒上來, 可見寶玉連襲人不如, 越

若是別人跟前, 寶玉斷不能動這肝火, 只是黛玉説了這話, 倒又比往日別人説這話不同, 由不得立刻沉下臉來, 説道: "我白認得了你。罷了, 罷了!"林黛玉聽説, 便冷笑了兩聲, 道: "白認得了? 我那裏像人家有什麼配得上呢!"

發傷心大哭起來。心裏一煩惱，方才吃的香薷飲解暑湯便承受不住，"哇"的一聲，都吐了出來。紫鵑忙上來用手帕子接住，登時一口一口的，把塊手帕子吐濕。雪雁忙上來捶。紫鵑道："雖然生氣，姑娘到底也該保重着。才吃了藥，好些，這會子因和寶二爺拌嘴，又吐了出來。倘或犯了病，寶二爺怎麼過的去呢？"寶玉聽了這話，說到自己心坎兒上來，可見黛玉不如一紫鵑。又見黛玉臉紅頭脹，一行啼哭，一行氣輳，一行是淚，一行是汗，不勝怯弱。寶玉見了這般，又自己後悔："方才不該同他較證。這會子他這樣光景，我又替不了他。"心裏想着，也由不得滴下淚來了。襲人見他兩個哭，由不得守着寶玉也心酸起來。又摸着寶玉的手冰涼，待要勸寶玉不哭罷，一則又恐寶玉有什麼委屈悶在心裏，二則又恐薄了黛玉。不如大家一哭，就丟開手了，因此也流下淚來。紫鵑一面收拾了吐的藥，一面拿扇子替黛玉輕輕的扇着，見三個人都鴉雀無聲，各自哭各自的，

享福人福深還禱福　多情女情重愈斟情

也由不得傷起心來，也拿手帕子拭淚。四個人都無言對泣。

　　一時，襲人勉強笑向寶玉道：“你不看別的，你看看這玉上穿的穗子，也不該同林姑娘拌嘴。”黛玉聽了，也不顧病，趕來奪過去，順手抓起一把剪子來要剪。襲人、紫鵑剛要奪，已經剪了幾段。黛玉哭道：“我也是白效力，他也不稀罕，自有別人替他再穿好的去！”襲人忙接了玉道：“何苦來！這是我才多嘴的不是了。”寶玉向林黛玉道：“你只管剪！我橫豎不帶他，也沒什麼。”

　　只顧裏頭鬧，誰知那些老婆子們見黛玉大哭大吐，寶玉又砸玉，不知道要鬧到什麼田地，倘或連累了他們，一齊往前頭回賈母、王夫人知道，好不干連了他們。那賈母、王夫人見他們忙忙的做一件正經事來告訴，也都不知有了什麼大禍，便一齊進園來瞧他兄妹。急的襲人抱怨紫鵑：“爲什麼驚動了老太太、太太？”紫鵑又只當是襲人去告訴的，也抱怨襲人。那賈母、王夫人進來，見寶玉也無言，林黛玉也無話。問起來，又沒爲什麼事，便將這禍移到襲人、紫鵑兩個人身上，說：“爲什麼你們不小心伏侍，這會子鬧起來，都不管了！”因此將二人連罵帶說，教訓了一頓。二人都沒話，只得聽着。還是賈母帶出寶玉去了，方才平服。

　　過了一日，至初三日，乃是薛蟠生日，家裏擺酒唱戲，賈府諸人都去了。寶玉因得罪了黛玉，二人總未見面，心中正自後悔，無精打彩的，那裏還有心腸去看戲？因而推病不去。林黛玉不過前日中了些暑溽之氣，本無甚大病，聽見他不去，心裏想：“他是好吃酒看戲的，今日反不去，自然是因爲昨兒氣着了；再不然他見我不去，他也沒心腸去。只是昨兒千不該萬不該剪了那玉上的穗子。管定他再不帶了，還得我穿了他才帶。”因而心中十分後悔。

　　那賈母見他兩個都生了氣，只說趁今兒那邊去看戲，他兩個見了，也就完了，不想又都不去。老人家急的抱怨說：“我這老冤家，是那世裏孽障？偏生遇見這麼兩個不省事的小冤家，沒有一天不叫我操心！真是俗語説的‘不是冤家不聚頭’。幾時我閉了眼，斷了這口氣，憑這兩個冤家鬧上天去，我眼不見，心不煩，也就罷了。偏又不嚥這口氣！”自己抱怨着，也哭了。這話傳入寶、林二人耳內，他二人竟從未聽見過“不是冤家不聚頭”的這句俗語，如今忽然得了這句話，好似參禪的一般，都低頭細嚼這句話的滋味，都不覺潸然泣下。雖不曾會面，然一個在瀟湘館臨風洒淚，一個在怡紅院對月長吁，却不是“人居兩地，情發一心”麼？

　　襲人因勸寶玉道：“千萬不是，都是你的不是。往日家裏小廝們和他的姊妹拌嘴，或是兩口子分爭，你聽見了，還罵小廝們蠢，不能體貼女孩兒們的心腸，今兒你也這麼着了。明兒初五，大節下，你們兩個再這麼仇人似的，老太太越發要生氣，一定弄的不安生。依我勸你：正經下個氣，賠個不是，大家還是照常一樣，這麼也好，那麼也好。”寶玉聽了，不知依與不依。要知端詳，下回分解。

話説林黛玉自與寶玉口角後，也自後悔，但又無去就他之理，因此日夜悶悶，如有所失。紫鵑度其意，乃勸道：“論前日之事，竟是姑娘太浮躁了些。別人不知那寶玉脾氣，難道咱們也不知道的。爲那玉也不是鬧了一遭兩遭了。”黛玉啐道：“你倒來替人派我的不是。我怎麽浮躁了？”紫鵑笑道：“好好的，爲什麽剪了那穗子？豈不是寶玉只有三分不是，姑娘倒有七分不是？我看他素日在姑娘身上就好，皆因姑娘小性兒，常要歪派他，才這麽樣。”

林黛玉欲答話，只聽院外叫門。紫鵑聽了一聽，笑道：“這是寶玉的聲音，想必是來賠不是來了。”黛玉聽了，説：“不許開門！”紫鵑道：“姑娘又不是了！這麽熱天，毒日頭地下，曬壞了他如何使得呢！”口裏説着，便出去開門，果然是寶玉。一面讓他進來，一面笑着説道：“我只當寶二爺再不上我們的門了，誰知道這會子又來了。”寶玉笑道：“你們把極小的事，倒説大了。好好的，爲什麽不來？我便死了，魂也要一日來一百遭。妹妹可大好了？”紫鵑道：“身上病好了，只是心裏氣還不大好。”寶玉笑道：“我曉得有什麽氣。”一面説着，一面進來，只見林黛玉又在床上哭。

那黛玉本不曾哭，聽見寶玉來，由不得傷心了，止不住滾下淚來。寶玉笑着走近床來道：“妹妹身上可大好了？”黛玉只顧拭淚，並不答應。寶玉因便挨在床沿上坐了，一面笑道：“我知道你不惱我，但只是我不來，叫旁人看見，倒像是咱們又拌了嘴的似的。若等他們來勸咱們，那時節豈不咱們倒覺生分了?不如這會子,你要打要罵,憑着你怎麼樣,千萬別不理我。"説着,又把"好妹妹"叫了幾十聲。黛玉心裏原是再不理寶玉的,這會子聽見寶玉説"別叫人知道咱們拌了嘴就生分了是的"這一句話,又可見得比別人原親近,因又掌不住,便哭道:"你也不用來哄我!從今已後,我也不敢親近二爺,權當我去了。"寶玉聽了笑道:"你往那裏去呢?"黛玉道:"我回家去。"寶玉笑道:"我跟了去。"黛玉道:"我死了呢?"寶玉道:"你死了,我做和尚。"黛玉一聞此言,登時把臉放下來,問道:"想是你要死了,胡説的是什麼!你家倒有幾個親姐姐、親妹妹呢,明日都死了,你幾個身子去做和尚?明日我倒把這話告訴去評評。"寶玉自知這話説的造次了,後悔不來,登時臉上紅漲,低了頭,不敢則一聲。幸而屋裏没人。黛玉兩眼直瞪瞪的瞅了他半天,氣的"嗳"了一聲,説不出話來。見寶玉逼得臉上紫漲,便咬着牙,用指頭狠命的在他額上戳了一下,"哼"了一聲,咬着牙説道:"你這——"剛説了兩個字,便又嘆了一口氣,仍拿起手帕子來擦眼淚。寶玉心裏原有無限事,又兼説錯了話,正自後悔;又見黛玉戳他一下,要説也説不出來,自嘆自泣,因此,自己也有所感,不覺滾下淚來。要用帕子揩拭,不想又忘了帶來,便用衫袖去擦。黛玉雖然哭着,却一眼看見了他穿着簇新藕合紗衫,竟去拭淚,便一面自己拭着淚,一面回身將枕上搭的一方綃帕拿起來,向寶玉懷裏一摔,一語不發,仍掩面而泣。寶玉見他摔了帕子來,忙接住拭了淚,又挨近前些,伸手挽了黛玉一隻手,笑道:"我的五臟都碎了,你還只是哭。走罷,我同你往老太太跟前去。"黛玉將手摔道:"誰同你拉拉扯扯的,一天大似一天的,還這麼涎皮賴臉的,連個理也不知道。"

　　一句話没説完,只聽嚷道:"好了!"寶、黛兩個不防,都唬了一跳,回頭看時,只見鳳姐兒跑了進來,笑道:"老太太在那裏抱怨天,抱怨地,只叫我來瞧瞧你們好了没有。我説:'不用瞧,過不了三天,他們自己就好了。'老太太罵我,説我懶。我來了,果然應了我的話。也没見你們兩個,有些什麼可拌的?三日好了,兩日惱了,越大越成了孩子了。有這會子拉着手哭的,昨兒爲什麼又成了烏眼雞呢?還不跟我走,到老太太跟前,叫老人家也放些心。"説着,拉了黛玉就走。黛玉回頭叫丫頭們,一個也没有。鳳姐道:"又叫他們做什麼,有我伏侍呢。"一面説,一面拉了就走。寶玉在後面跟着。出了園門,到了賈母跟前。鳳姐笑道:"我説他們不用人費心,自己就會好的。老祖宗不信,一定叫我去説和。我及至到那裏要説和,誰知兩個人倒在一處對賠不是,對笑對説呢,倒像'黃鷹抓住鷂子的脚',兩個都扣了環了,那裏還要人去?"説的滿屋裏都笑起來。

　　此時寶釵正在這裏。那林黛玉只一言不發,挨着賈母坐下。寶玉没甚説的,便向寶釵

戴敦邦　畫

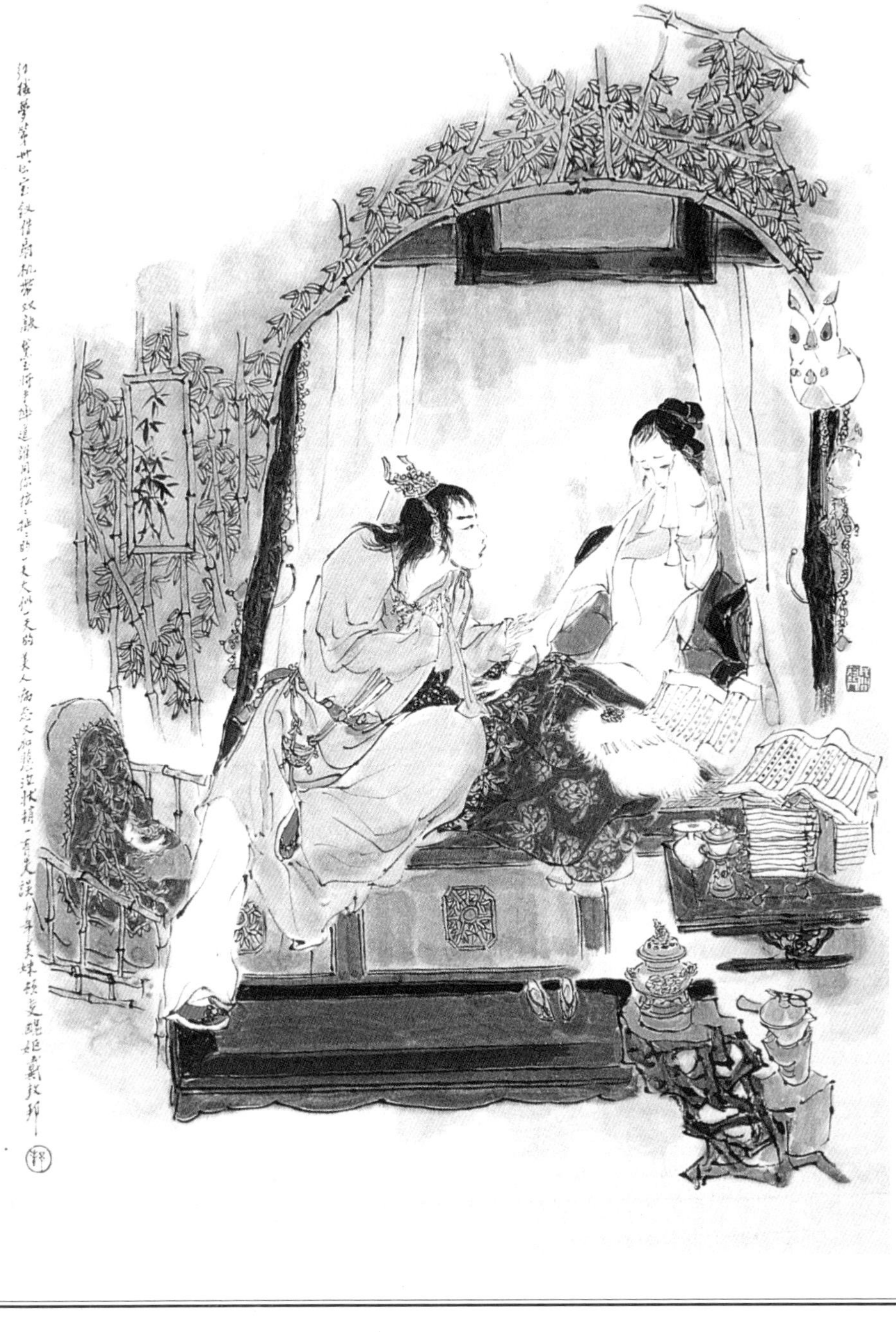

笑道：“大哥哥好日子，偏生的又不好了，沒別的禮送，連個頭也不磕去。大哥哥不知我病，倒像我懶，推故不去呢。倘或明兒閑了，姐姐替我分辯分辯。”寶釵笑道：“這也多事。你便要去，也不敢驚動，何況身上不好。弟兄們終日一處，要存這個心，倒生分了。”寶玉又笑道：“姐姐知道體諒我就好了。”又道：“姐姐怎麼不看戲去？”寶釵道：“我怕熱。看了兩齣，熱得狠。要走，客又不散。我少不得推身上不好，就來了。”寶玉聽說，自己由不得臉上沒意思，只得又搭訕笑道：“怪不得他們拿姐姐比楊貴妃，原也體胖怯熱。”寶釵聽說，不由的大怒，待要怎樣，又不好怎樣。回思了一回，臉紅起來，便冷笑了兩聲，說道：“我倒像楊貴妃，只是沒一個好哥哥、好兄弟可以做得楊國忠的！”二人正說著，可巧小丫頭靚兒因不見了扇子，和寶釵笑道：“必是寶姑娘藏了我的。好姑娘，賞我罷！”寶釵指他道：“你要仔細！我和誰頑過，你來疑我？和你素日嘻皮笑臉的那些姑娘們，你該問他們去！”說的靚兒跑了。寶玉自知又把話說造次了，當著許多人，更比才在林黛玉跟前更不好意思。便急回身，又同別人搭訕去了。

黛玉聽見寶玉奚落寶釵，心中著實得意，才要搭言，也趁勢取個笑，不想靚兒因找扇子，寶釵又發了兩句話，他便改口說道：“寶姐姐，你聽了兩齣什麼戲？”寶釵因見黛玉面上有得意之態，一定是聽了寶玉方才奚落之言，遂了他的心願，忽又見問他這話，便笑道：“我看的是李逵罵了宋江，後來又賠不是。”寶玉便笑道：“姐姐通今博古，色色都知道，怎麼連這一齣戲的名兒也不知道？就說了這麼一串。這叫個《負荊請罪》。”寶釵笑道：“原來這叫《負荊請罪》！你們通今博古，才知道‘負荊請罪’，我不知什麼是‘負荊請罪’。”一句話未說了，寶玉、黛玉二人心裏有病，聽了這話，早把臉羞紅了。鳳姐這些上雖不通，但只看他三人形景，便知其意，也笑問道：“這們大熱天，誰還吃生薑呢？”眾人不解其意，便說道：“沒有吃生薑的。”鳳姐故意用手摸著腮，咤異道：“既沒人吃生薑，怎麼這樣辣辣的。”寶玉、黛玉二人，聽見這話，越發不好意思了。寶釵再欲說話，見寶玉十分羞愧，形景改變，也就不好再說，只得一笑收住。別人總未解得他四個人的言語，因此付之一笑。

一時寶釵、鳳姐去了，黛玉笑向寶玉道：“你也試著比我利害的人了。誰都像我心拙口夯的，由著人說呢！”寶玉正因寶釵多心，自己沒趣，又見黛玉來問著他，越發沒好氣起來。欲待要說兩句，又恐黛玉多心，說不得忍氣，無精打彩，一直出來。

誰知目今盛暑之際，又當早飯已過，各處主僕人等，多半都因日長神倦。寶玉背著手，到一處，一處鴉雀無聲。從賈母這裏出來，往西走過了穿堂，便是鳳姐的院落。到他院

門前，只見院門掩着，知道鳳姐素日的規矩，每到天熱，午間要歇一個時辰的，進去不便，遂進角門，來到王夫人上房內。只見幾個丫頭，手裏拿着針綫，却打盹兒。王夫人在裏間凉榻上睡着，金釧兒坐在旁邊捶腿，也乜斜着眼亂恍。

寶玉輕輕的走到跟前，把他耳上帶的墜子一摘，金釧兒睜眼，見是寶玉。寶玉便悄悄的笑道："就睏的這麼着？"金釧抿嘴一笑，擺手令他出去，仍合上眼。寶玉見了他，就有些戀戀不捨的，悄悄的探頭瞧瞧王夫人合着眼，便自己向身邊荷包裏帶的香雪潤津丹，掏了一丸出來，便向金釧兒口裏一送。金釧兒並不睜眼，只管噙了。寶玉上來，便拉着手，悄悄的笑道："我和太太討你，咱們在一處罷。"金釧兒不答。寶玉又道："不然，等太太醒來，我就討。"金釧兒睜開眼，將寶玉一推，笑道："你忙什麼？'金簪兒掉在井裏頭，有你的只是有你的'，連這句俗語難道也不明白？我告訴你個巧方兒，你往東小院子裏拿環哥兒同彩雲去。"寶玉笑道："憑他怎麼去罷。我只守着你。"只見王夫人翻身起來，照金釧兒臉上就打了一個嘴巴子，指着駡道："下作小娼婦！好好爺們，都叫你們教壞了！"寶玉見王夫人起來，早一溜烟去了。

這裏金釧兒半邊臉火熱，一聲不敢言語。登時衆丫頭們聽見王夫人醒了，都忙進來。王夫人便叫："玉釧兒，把你媽叫上來，帶出你姐姐去！"金釧兒聽見，忙跪下，哭道："我再不敢了！太太要打要駡，只管發落，別叫我出去，就是天恩了。我跟了太太十來年，這會子攆出去，我還見人不見人呢！"王夫人固然是個寬仁慈厚的人，從來不曾打過丫頭們一下。今忽見金釧兒行此無恥之事，此乃平生最恨者，故氣忿不過，打了一下，駡了幾句。雖金釧兒苦求，亦不肯收留，到底喚了金釧兒之母白老媳婦來，領了下去。那金釧兒含羞忍辱的出去，不在話下。

且說寶玉見王夫人醒了，自己沒趣，忙進大觀園來。只見赤日當天，樹陰合地，滿耳蟬聲，静無人語。剛到了薔薇架，只聽見有人哽噎之聲。寶玉心中疑惑，便站住細聽，果然架下那邊有人。此時正是五月，那薔薇花葉茂盛之際，寶玉悄悄的隔着籬笆洞兒一看，只見一個女孩子，蹲在花下，手裏拿着根綰頭的簪子，在地下摳土，一面悄悄的流淚呢。寶玉心中想道："難道這也是個痴丫頭，又像顰兒來葬花不成？"因又自笑道："若真也葬花，可謂'東施效顰'，不但不為新特，且更可厭了。"想畢，便要叫那女子，説："你不用跟着林姑娘學了。"話未出口，幸而再看時，這女孩子面生，不是個侍兒，倒像是那十二個學戲的女孩子之內一個，却辨不出他是生旦净丑那一個脚色來。寶玉忙忙把舌頭一伸，將口掩住，自己想道："幸而不曾造次。上兩回皆因造次了，顰兒也生氣，寶兒也多心。如今再得罪了他們，越發沒意思了。"一面想，一面又恨認不得這個是誰。再留神細看，只見這女孩子，眉蹙春山，眼顰秋水，面薄腰纖，裊裊婷婷，大有林黛玉之態。寶玉早又不忍棄他而去，只管痴看。只見他雖然用金簪畫地，並不是掘土埋花，竟是向土上畫字。

寶玉用眼隨着簪子的起落，一直到底，一畫、一點、一勾的看了去，數一數，十八筆。自己又在手心裏，用指頭按着他方才下筆的規矩寫了，猜是個什麼字。寫成一想，原來就是個薔薇花的"薔"字。寶玉想道："必定是他也要做詩填詞，這會子見了這花，因有所感，或者偶成了兩句，一時興至，恐忘，在地下畫着推敲，也未可知。且看他底下，再寫什麼。"一面想，一面又看，只見那女孩子還在那裏畫呢，畫來畫去，還是個"薔"字。再看，還是個"薔"字。裏面的原是早已痴了，畫完一個"薔"又畫一個"薔"，已經畫了有幾十個。外面的不覺也看痴了，兩個眼睛珠兒只管隨着簪子動，心裏卻想："這女孩子，一定有什麼話說不出的大心事，這麼個形景。外面他既是這個形景，心裏不知怎麼熬煎呢！看他的模樣兒怕這般單薄，心裏那裏還擱得住熬煎，可恨我不能替你分些過來！"

伏中陰晴不定，片雲可以致雨。忽一陣涼風過了，颯颯的落下一陣雨來。寶玉看那女子，頭上滴下水來，紗衣裳登時濕了。寶玉想道："這是下雨了。他這個身子，如何禁得驟雨一激？"因此，禁不住便說道："不用寫。你看下大雨，身上都濕了。"那女孩子聽說，倒唬了一跳，抬頭一看，只見花外一個人叫他"不要寫，下大雨了"。一則寶玉臉面俊秀，二則花葉繁茂，上下俱被枝葉隱住，剛露着半邊臉。那女孩子只當他是個丫頭，再不想是寶玉。因笑道："多謝姐姐提醒了我。難道姐姐在外頭有什麼遮雨的？"一句提醒了寶玉，"嗳喲"了一聲，

才覺得渾身冰涼，低頭看看，自己身上也都濕了。說：「不好！」只得一氣跑回怡紅院去了，心裏却還記挂着那女孩子沒處避雨。

原來明日是端陽節，那文官等十二個女孩子都放了學，進園來各處頑耍。可巧小生寶官、正旦玉官兩個女孩子正在怡紅院和襲人頑笑，被雨阻住。大家把溝堵了，水積在院內，把些綠頭鴨、花鸂鶒、彩鴛鴦，捉的捉、趕的趕，縫了翅膀，放在院內頑耍。將院門關了。襲人等都在游廊上嘻笑。

寶玉見關着門，便用手扣門，裏面諸人只顧笑，那裏聽見？叫了半日，拍得門山響，裏面方聽見了。料着寶玉這會子再不回來的。襲人笑道：「誰這會子叫門？沒人開去。」寶玉道：「是我。」麝月道：「是寶姑娘的聲音。」晴雯道：「胡說！寶姑娘這會子做什麼來？」襲人道：「讓我隔着門縫兒瞧瞧，可開就開，別叫他淋着回去。」說着，便順着游廊到門前往外一瞧，只見寶玉淋得雨打鷄一般。襲人見了，又是着忙，又是可笑，忙開了門，笑的彎腰拍手道：「那裏知道是爺回來了！你怎麼大雨裏跑了來？」

寶玉一肚子沒好氣，滿心裏要把開門的踢幾脚。方開了門，並不看真是誰，還只當是那些小丫頭們，便抬腿踢在肋上。襲人「噯喲」了一聲。寶玉還罵道：「下流東西們！我素日擔待你們得了意，一點兒也不怕，越發拿着我取笑兒了！」口裏說着，一低頭，見是襲人哭了，方知踢錯了，忙笑道：「噯喲，是你來了！踢在那裏了？」襲人從來不曾受過一句大話的，今忽見了寶玉生氣，踢他一下，又當着許多人，又是羞，又是氣，又是疼，真一時竟身無地。待要怎麼樣，料着寶玉未必是安心踢他，少不得忍着說道：「沒有踢着。還不換衣裳去。」

寶玉一面進房來解衣，一面笑道：「我長了這麼大，今日是頭一遭兒生氣打人，不想偏生遇見了你。」襲人一面忍痛換衣裳，一面笑道：「我是個起頭兒的人，也不論事大事小，是好是歹，自然也該從我起。但只是別說打了我，明日順了手，也打起別人來。」寶玉道：「我才也不是安心。」襲人道：「誰說是安心呢。素日開門關門的，都是那起小丫頭們的事。他們是憨皮慣了的，早已恨得人牙癢癢，他們也沒個怕懼。你原打諒是他們，踢一下子唬唬也好。剛才是我淘氣，不叫開門的。」

說着，那雨已住了。寶官、玉官也早去了。襲人只覺肋上疼得心裏發鬧，晚飯也不曾吃。至晚間洗澡時，脫了衣服，只見肋上青了碗大一塊，自己倒唬了一跳，又不好聲張。一時睡下，夢中作痛，由不得「噯喲」之聲從睡中哼出。寶玉雖說不是安心，因見襲人懶懶的，也不安穩。忽夜間聞得「噯喲」，便知踢重了，自己下床來，悄悄的秉燈來照。剛到床前，只見襲人嗽了兩聲，吐出一口痰來，「噯喲」一聲，睜眼見了寶玉，倒唬一跳，道：「做什麼？」寶玉道：「你夢裏『噯喲』，必定踢重了。我瞧瞧。」襲人道：「我頭上發暈，嗓子裏又腥又甜，你倒照一照地下罷。」寶玉聽說，果然持燈向地下一照，只見一口鮮血在地。寶玉慌了，只說：「了不得了！」襲人見了，也就心冷了半截。要知端的，下回分解。

圖文版四大名著・紅樓夢
　　（第一冊）

作　　者：曹雪芹　高鶚

繪　　畫：程十髮等

出　　版：商務印書館 (香港) 有限公司

　　　　　香港筲箕灣耀興道 3 號東滙廣場 8 樓

　　　　　http://www.commercialpress.com.hk

發行公司：香港聯合書刊物流有限公司

　　　　　香港新界大埔汀麗路 36 號中華商務印刷大廈 3 字樓

製　　版：上海龍櫻彩色製版有限公司

印　　刷：美雅印刷製本有限公司

　　　　　九龍官塘榮業街 6 號海濱工業大廈 4 樓 A

版　　次：2005 年 6 月第 1 版第 2 次印刷

　　　　　©2001 上海辭書出版社

　　　　　©2002 商務印書館 (香港) 有限公司

　　　　　ISBN 962 07 4373 3